30
ANOS

QUEM MATOU ROLAND BARTHES?

LAURENT BINET

Quem matou Roland Barthes?

Tradução
Rosa Freire d'Aguiar

COMPANHIA DAS LETRAS

Copyright © 2015 by Editions Grasset & Fasquelle

Grafia atualizada segundo o Acordo Ortográfico da Língua Portuguesa de 1990, que entrou em vigor no Brasil em 2009.

Título original
La Septième Fonction du langage

Capa
Elisa von Randow

Foto de capa
Robelin, c. 1920, Montrouge

Preparação
Flavia Lago

Revisão
Angela das Neves
Thaís Totino Richter

Dados Internacionais de Catalogação na Publicação (CIP)
(Câmara Brasileira do Livro, SP, Brasil)

Binet, Laurent
  Quem matou Roland Barthes? / Laurent Binet ; tradução Rosa Freire d'Aguiar. — 1ª ed. — São Paulo : Companhia das Letras, 2016.

  Título original: La Septième Fonction du langage.
  ISBN 978-85-359-2814-3

  1. Literatura francesa 2. Romance histórico I. Título.

16-07168   CDD-843

Índice para catálogo sistemático:
1. Romance histórico: Literatura francesa 843

[2016]
Todos os direitos desta edição reservados à
EDITORA SCHWARCZ S.A.
Rua Bandeira Paulista, 702, cj. 32
04532-002 — São Paulo — SP
Telefone: (11) 3707-3500
Fax: (11) 3707-3501
www.companhiadasletras.com.br
www.blogdacompanhia.com.br
facebook.com/companhiadasletras
instagram.com/companhiadasletras
twitter.com/cialetras

Há intérpretes por todo lado. Cada um fala sua língua mesmo se conhece a língua do outro. As astúcias do intérprete têm um campo muito aberto e ele não esquece seus interesses.

Derrida

PRIMEIRA PARTE

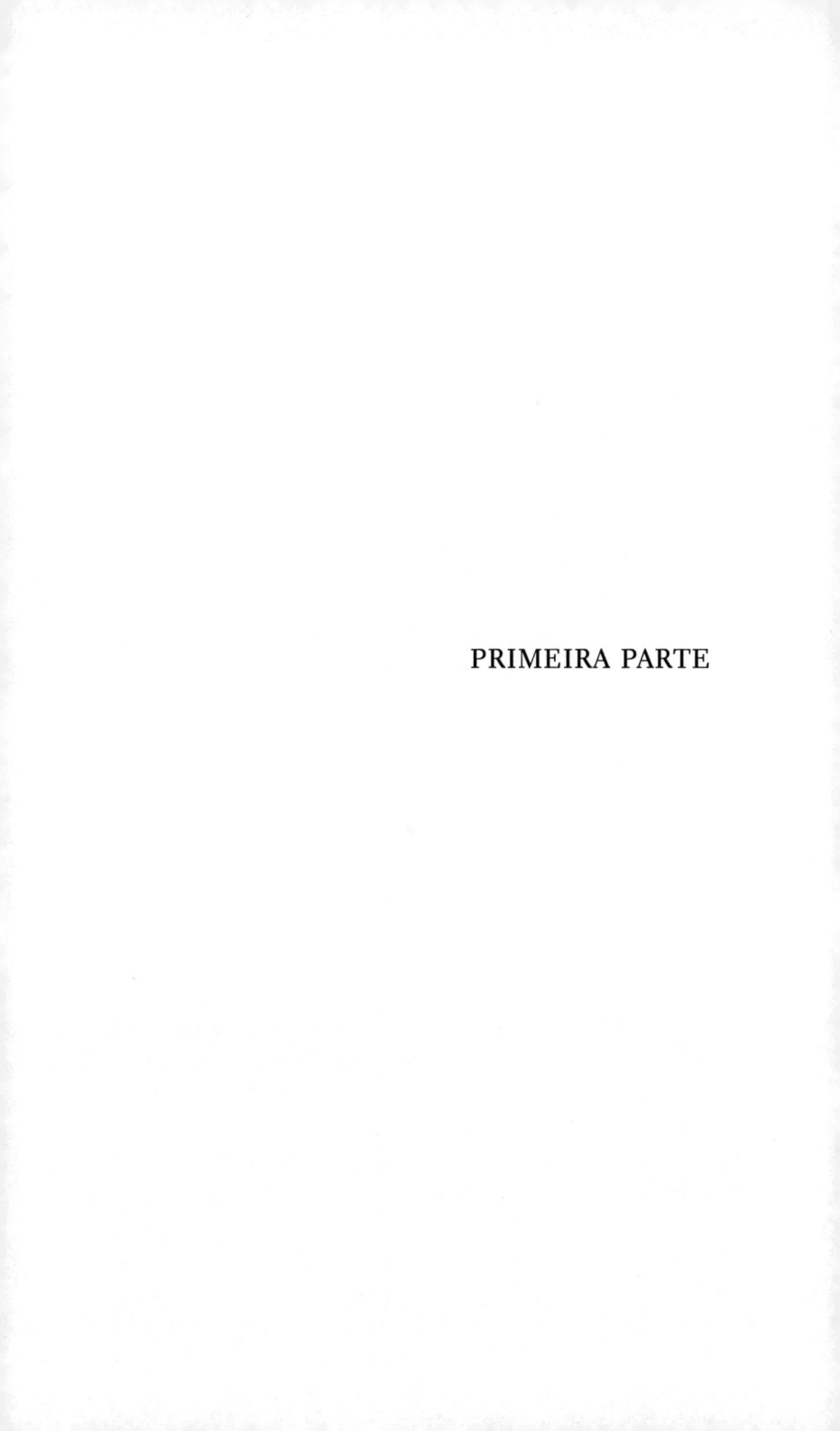

Paris

1.

A vida não é um romance. Pelo menos é o que você gostaria de acreditar. Roland Barthes sobe a Rue de Bièvre. O maior crítico literário do século XX tem todas as razões para estar no auge da angústia. Sua mãe, com quem mantinha relações muito proustianas, morreu. E seu curso no Collège de France, intitulado "A preparação do romance", resultou num fracasso que dificilmente ele pode disfarçar: o ano inteiro ele terá falado para seus estudantes de haikus japoneses, de fotografia, de significantes e significados, de divertimentos pascalianos, de garçons de bar, de robes de chambre ou de lugares no auditório — de tudo, menos do romance. E vai fazer três anos que isso dura. Ele sabe, necessariamente, que o próprio curso não passa de uma manobra dilatória para adiar o momento de começar uma obra realmente literária, isto é, que faça justiça ao escritor hipersensível que cochila dentro dele e que, segundo a opinião de todos, começou a brotar em seus *Fragmentos de um discurso amoroso*, já então a bíblia dos menores de vinte e cinco anos. De Sainte-Beuve para Proust, está na hora de mudar e assumir o lugar que lhe cabe no panteão dos escritores. Mamãe morreu: desde O *grau zero da escrita* fechou-se um ciclo. Chegou a hora.

A política, bem, veremos. Não se pode dizer que ele seja muito maoista, desde a viagem à China. Ao mesmo tempo, não é isso que se espera dele.

Chateaubriand, La Rochefoucauld, Brecht, Racine, Robbe-Grillet, Michelet, Mamãe. O amor de um filho.

Eu me pergunto se já havia todas essas lojas do "Vieux Campeur" aqui neste bairro.

Daqui a quinze minutos ele estará morto.

Tenho certeza de que a comida estava boa, na Rue des Blancs-Manteaux. Imagino que se coma bem na casa daquela gente. No *Mitologias*, Roland Barthes decodifica os mitos contemporâneos erigidos pela burguesia à sua própria glória, e foi com esse livro que realmente se tornou célebre; em suma, de certa maneira a burguesia terá feito sua fortuna. Mas era a pequena burguesia. O grande burguês que se põe a serviço do povo é um caso muito particular, que merece análise; será preciso escrever um artigo. Esta noite? Por que não agora mesmo? Mas não, primeiro ele precisa selecionar os slides.

Roland Barthes aperta o passo sem notar nada no ambiente que o cerca, ele, que no entanto é um observador nato, ele, cuja profissão consiste em observar e analisar, ele, que passou a vida inteira encurralando todos os signos. Realmente, não vê as árvores nem as calçadas nem as vitrines nem os carros do Boulevard Saint-Germain, que ele conhece de cor. Já não está no Japão. Não sente a ardência do frio. Mal e mal ouve os barulhos da rua. É um pouco como a alegoria da caverna ao contrário: o mundo das ideias em que se trancou obscurece sua percepção do mundo sensível. Ao redor, só vê sombras.

As razões que acabo de evocar para explicar a atitude preocupada de Roland Barthes são todas comprovadas pela História, mas minha vontade é contar a vocês o que realmente aconteceu. Naquele dia, se ele está com a cabeça longe não é só por causa da mãe morta, nem da incapacidade de escrever um romance, nem sequer do desinteresse crescente e, pensa ele, irremediável, pelos rapazes. Não digo que ele não pense nisso, não tenho a menor dúvida sobre a qualidade de suas neuroses obsessivas. Mas hoje há outra coisa. Pelo olhar ausente do homem mergulhado em seus pensamentos, o passante atento saberia reconhecer esse estado que Barthes acreditava que nunca mais sentiria: a excitação. Não há apenas sua mãe, nem os garotos, nem seu romance fantasma. Há a *libido sciendi*, a sede de saber, e com ela, a orgulhosa perspectiva, reativada, de revolucionar o conhecimento humano e, talvez, mudar o mundo. Acaso, ao atravessar a Rue des Écoles, Barthes se sente como Einstein pensando sua teoria? O que é certo é que não está muito atento. Ainda lhe restam algumas dezenas de metros até chegar à sua sala, quando é atropelado por uma caminhonete. Seu corpo produz o som surdo, característico, horrível, da carne que se choca na chapa metálica e vai rolar sobre a calçada como uma boneca de pano. Os passantes levam um susto. Naquela tarde do dia 25 de fevereiro de 1980, eles não podem saber o que acaba de acontecer diante de seus olhos, e com toda razão, pois até hoje o mundo ainda o ignora.

2.

A semiologia é um troço muito esquisito. Foi Ferdinand de Saussure, fundador da linguística, o primeiro que a intuiu. No seu *Curso de linguística geral*, propõe "conceber uma ciência que estude a vida dos signos no seio da vida social". Nada menos. Ele acrescenta, à guisa de pista para os que gostariam de se dedicar a essa tarefa: "Ela constituiria uma parte da psicologia social, e por conseguinte da psicologia geral; chamá-la-emos de *semiologia* (do grego *sēmeîon*, 'signo'). Ela nos ensinará em que consistem os signos, que leis os regem. Como tal ciência não existe ainda, não se pode dizer o que será; mas ela tem direito, porém, à existência, seu lugar está determinado de antemão. A linguística não é senão uma parte dessa ciência geral; as leis que a semiologia descobrir serão aplicáveis à linguística e esta se achará dessarte vinculada a um domínio bem definido no conjunto dos fatos humanos". Eu gostaria que Fabrice Luchini nos relesse esse trecho, marcando as palavras como ele sabe fazer tão bem, para que o mundo inteiro pudesse perceber, senão o sentido, pelo menos toda a sua beleza. Tal intuição genial, quase incompreensível para seus contemporâneos (o curso foi ministrado em 1906), nada perdeu, um século depois, de sua força nem de sua obscuridade. Inúmeros semiólogos tentaram, desde então, fornecer definições a um só tempo mais claras e mais detalhadas, mas se contradisseram, uns aos outros (às vezes sem que eles mesmos se dessem conta), embrulharam tudo e no final só conseguiram alongar (e mesmo assim, a duras penas) a lista dos sistemas de signos que escapam à língua: o código de trânsito, o código marítimo internacional, os números dos ônibus, os números de quartos de hotel vieram completar as patentes militares, o alfabeto dos surdos-mudos... e foi mais ou menos tudo.

Um pouco magro, diante da ambição inicial.

Vista dessa maneira, a semiologia, longe de ser uma extensão do campo da linguística, parece se reduzir ao estudo das protolinguagens grosseiras, bem menos complexas, e portanto bem mais limitadas do que qualquer língua.

Mas, na verdade, não.

Não é um acaso se Umberto Eco, o sábio de Bolonha, um dos últimos semiólogos ainda vivos,* se refere com tanta frequência às grandes invenções decisivas na história da humanidade: a roda, a colher, o livro..., instrumentos perfeitos, segundo ele, de eficácia insuperável. De fato, tudo leva a supor que a semiologia é, na verdade, uma das invenções capitais da história da humanidade e um dos mais poderosos instrumentos jamais forjados pelo homem, mas é como o fogo ou o átomo: no princípio, nunca se sabe para que isso serve, e como se servir disso.

3.

Na verdade, ele não morreu quinze minutos depois. Roland Barthes jaz no meio-fio, inerte, mas um assobio rouco escapa de seu corpo, e enquanto seu espírito mergulha na inconsciência, provavelmente atravessado por haikus turbilhonantes, alexandrinos racinianos e aforismos pascalianos, ele ouve — talvez seja a última coisa que ouvirá, é o que ele pensa (é o que ele pensa, com toda certeza) — os gritos de um homem apavorado: "Ele se jogou debaixo das minhas rrrodas! Ele se jogou debaixo das minhas rrrodas!". De onde vem esse sotaque? Ao redor, os passantes, refeitos do estupor, se amontoaram e, debruçados sobre seu futuro cadáver, discutem, analisam, avaliam:

"Temos que pedir socorro!"

"Não vale a pena, ele está bêbado."

"Ele se jogou debaixo das minhas rrrodas, vocês são testemunhas!"

"A cara dele está tremendamente machucada."

"Pobre homem..."

---

* Umberto Eco faleceu em 2016.

"É preciso encontrar uma cabine telefônica. Quem tem moeda?"
"Eu nem tive tempo de frrrear!"
"Não encostem nele, temos que esperar pelo socorro."
"Afastem-se! Sou médico."
"Não virem ele!"
"Eu sou médico. Ele ainda está vivo."
"É preciso avisar à família."
"Pobre homem..."
"Eu o conheço!"
"É um suicida?"
"Teria que saber o grupo sanguíneo dele."
"É um cliente. Toda manhã vem tomar um copinho de vinho."
"Não vai mais... Ele está bêbado?"
"Está com cheiro de álcool."
"Um vinhozinho branco no balcão, toda manhã, há anos."
"Isso não nos revela o grupo sanguíneo dele..."
"Ele atrrravesssou sem olharrr!"
"O motorista deve ter o controle do veículo, em qualquer circunstância, é a lei, aqui."
"Vai dar tudo certo, meu chapa, se você tiver um bom seguro."
"Mas ele vai perder pontos na próxima apólice."
"Não encostem nele!"
"Eu sou médico."
"Eu também."
"Então cuide dele. Vou buscar socorro."
"Eu tenho que entrrregar minha merrrcadoria..."

A maioria das línguas do mundo usam o *r* apicoalveolar, que se chama *r* enrolado, ao contrário do francês, que adotou o *r* dorsivelar há uns trezentos anos. Nem o alemão nem o inglês enrolam os r. Não é italiano nem espanhol. Português, quem sabe? Na verdade, é meio gutural, mas o fraseado do homem não é muito nasal nem canta muito, na verdade é até bastante monocórdio, a ponto de se distinguirem mal as inflexões do pânico. Parece russo.

4.

Como a semiologia, que, nascida da linguística, por pouco não foi um aborto da natureza destinado ao estudo das linguagens mais pobres e mais limitadas, conseguiu se transformar *in extremis* em uma bomba de nêutrons?

Por uma operação à qual Barthes não é alheio.

No início, a semiologia se dedicava ao estudo dos sistemas de comunicação não linguísticos. Saussure em pessoa disse a seus estudantes: "A língua é um sistema de signos que exprimem ideias, e é comparável, por isso, à escrita, ao alfabeto dos surdos-mudos, aos ritos simbólicos, às formas de polidez, aos sinais militares etc. Ela é apenas o principal desses sistemas". É verdade, e de longe, mas apenas desde que se limite a definição dos sistemas de signos àqueles com vocação para comunicar explícita e intencionalmente. Buyssens definiu a semiologia como "o estudo dos processos de comunicação; esses processos envolvem a utilização de meios para influenciar outrem que devem ser reconhecidos por aqueles a quem se quer influenciar".

O golpe de gênio de Barthes é não se contentar com os sistemas de comunicação, mas alargar seu campo de estudo aos sistemas de significação. Quem saboreou a língua se aborrece muito depressa com qualquer outra forma de linguagem: estudar a sinalização rodoviária ou os códigos militares é mais ou menos tão apaixonante para um linguista como jogar tarô ou rami para um jogador de xadrez ou de pôquer. Como Umberto Eco poderia dizer: para comunicar, a língua é perfeita, não pode haver nada melhor. No entanto, a língua não diz tudo. O corpo fala, os objetos falam, a História fala, os destinos individuais ou coletivos falam, a vida e a morte nos falam sem parar, de mil formas diferentes. O homem é uma máquina de interpretar, e, por pouca imaginação que tenha, vê signos em todo lado: na cor do capote de sua mulher, no arranhão na porta do carro, nos hábitos alimentares dos vizinhos do mesmo andar, nos números mensais do desemprego na França, no gosto de banana do Beaujolais Nouveau (é sempre banana ou, mais raramente, framboesa. Por quê? Ninguém sabe, mas há obrigatoriamente uma explicação, e ela é semiológica), no andar altivo e gingado da mulher negra que percorre, na frente dele, os corredores do metrô, no hábito que seu colega de escritório tem de não abotoar os dois últimos botões da camisa, no ritual daquele jogador de futebol para comemorar um gol, no modo de sua parceira gritar para indicar um orgasmo, no design daqueles móveis escandinavos, no logotipo do principal patrocinador daquele torneio de tênis, na música dos créditos daquele filme, na arquitetura, na pintura, na cozinha, na moda, na publicidade, na decoração de interiores, na representação ocidental da mulher e do homem, do amor e da morte, do céu e da terra etc. Com Barthes, os signos já não precisam ser sinais: tornaram-se indícios. Mutação decisiva. Estão em todo lugar. De agora em diante, a semiologia está pronta para conquistar o vasto mundo.

5.

O delegado Bayard se apresenta na emergência do hospital La Pitié-Salpêtrière, onde lhe indicam o número do quarto de

Roland Barthes. Os elementos de que dispõe sobre o caso são os seguintes: um homem, sessenta e quatro anos, atropelado por uma caminhonete de lavanderia, na Rue des Écoles, segunda-feira à tarde, ao atravessar na faixa de pedestres. O motorista da caminhonete, um certo Yvan Delahov, de nacionalidade búlgara, estava levemente alcoolizado, sem estar cometendo infração: 0,6 g, abaixo das 0,8 autorizadas. Ele reconheceu que estava atrasado para entregar suas camisas. No entanto, declarou que a velocidade não superava sessenta quilômetros por hora. O homem acidentado estava inconsciente e não tinha nenhum documento quando a ambulância chegou, mas foi identificado por um de seus colegas, um certo Michel Foucault, professor do Collège de France e escritor. Verificou-se que se tratava de Roland Barthes, ele também professor do Collège de France e escritor.

Até aí, nada no caso justifica que se envie um investigador, e menos ainda um delegado dos Serviços de Inteligência. Na verdade, a presença de Jacques Bayard só se explica por um detalhe: quando Roland Barthes foi atropelado, no dia 25 de fevereiro de 1980, saía de um almoço com François Mitterrand, na Rue des Blancs-Manteaux.

A priori, não há ligação entre o almoço e o acidente, nem entre o candidato socialista à eleição presidencial que deve acontecer no ano que vem e o motorista búlgaro empregado de uma lavanderia, mas está na própria natureza dos Serviços de Inteligência informar-se a respeito de tudo, e, especialmente nestes tempos de pré-campanha eleitoral, a respeito de François Mitterrand. Michel Rocard, porém, é muito mais popular junto aos eleitores (pesquisa do instituto de opinião Sofres, de janeiro de 1980: "Qual é o melhor candidato socialista?", Mitterrand 20%, Rocard 55%), mas talvez se considere nas altas esferas que ele não ousará atravessar o Rubicão: os socialistas são legitimistas, e Mitterrand foi reeleito à frente do Partido. Já há seis anos ele conseguira 49,19% dos votos, contra 50,81% para Giscard, ou seja, a menor diferença registrada numa eleição presidencial desde a instauração do sufrágio universal direto. Não se pode afastar o risco de que, pela primeira vez na história da v República, um presidente de esquerda seja eleito, e é por isso que os SI despacharam para lá um investigador. A missão de Jacques Bayard consiste, a priori, em verificar se Barthes bebeu demais na casa de Mitterrand, ou se, por acaso, não teria participado de uma orgia sadomasoquista com cães. Poucos escândalos afetaram o dirigente socialista nestes últimos anos, tudo indica que ele se comporta com cautela. Foi esquecido aquele falso sequestro nos jardins do Observatório. Viraram tabus a sua condecoração dada pelo regime de Vichy e sua passagem pelo governo de Pétain. Seria preciso algo novo. Jacques Bayard está oficialmente encarregado de verificar as circunstâncias do acidente, mas não precisa que lhe expliquem o que se espera dele: ver se não haveria um jeito de prejudicar a credibilidade do candidato socialista, vasculhando-a, e, se necessário, sujando-a.

Quando Jacques Bayard chega diante do quarto, descobre uma fila de vários metros no corredor. Todos esperam para fazer uma visita ao acidentado. Há velhos bem vestidos, jovens malvestidos, velhos malvestidos, jovens bem vestidos, estilos muito variados, cabelos compridos e cabelos curtos, indivíduos do tipo magrebino, mais homens que mulheres. Enquanto esperam a vez, conversam entre si, falam alto, brigam ou leem um livro, fumam um cigarro. Bayard, que ainda não avaliou exatamente a celebridade de Barthes, deve, ao que tudo indica, perguntar que bagunça é aquela. Usando suas prerrogativas, fura a fila, diz "Polícia" e entra no quarto.

Jacques Bayard nota de imediato: o leito espantosamente alto, o tubo enfiado na garganta, os hematomas no rosto, o olhar triste. Há outras quatro pessoas no quarto: o irmão mais novo, o editor, o discípulo e uma espécie de jovem príncipe árabe, muito chique. O príncipe árabe é Youssef, amigo comum do mestre e do discípulo, Jean-Louis, este que o mestre considera o mais brilhante de seus alunos, este, em todo caso, por quem tem mais afeto. Jean-Louis e Youssef racham um apartamento no 13º Arrondissement, onde organizam noitadas que alegram a vida de Barthes. Ali ele encontra um mundo de gente, estudantes, atrizes, personalidades diversas, volta e meia André Téchiné, às vezes Isabelle Adjani, e sempre uma massa de jovens intelectuais. Por ora, esses pormenores não interessam ao delegado Bayard, que só está ali para reconstituir as circunstâncias do acidente. Barthes voltara a si ao chegar ao hospital. Aos mais próximos, que acorreram, ele dizia: "Que besteira! Que besteira!". Apesar das múltiplas contusões e de algumas costelas quebradas, seu estado não inspirava muito cuidado. Mas Barthes tem, como diz seu irmão caçula, "um calcanhar de Aquiles: os pulmões". Contraiu tuberculose na juventude e é um fumante contumaz de charutos. Do que resulta uma insuficiência respiratória crônica que, nessa noite, o agarra de novo: ele se sufoca, precisa ser entubado. Quando Bayard chega, Barthes está acordado mas não pode mais falar.

Bayard se dirige a Barthes, baixinho. Vai lhe fazer umas perguntas, bastará que ele faça um sinal com a cabeça para responder sim ou não. Barthes olha para o delegado com seus olhos de cocker triste. Balança a cabeça, devagarinho.

"O senhor estava indo para seu local de trabalho quando o veículo o atropelou, é isso?" Barthes faz sim. "O veículo andava em alta velocidade?" Barthes inclina a cabeça para um lado, depois para o outro, lentamente, e Bayard entende que ele quer dizer que não sabe de nada. "Estava distraído?" Sim. "Sua desatenção decorria do almoço?" Não. "Do curso para preparar?" Um tempo. Sim. "Encontrou François Mitterrand naquele almoço?"

Sim. "Aconteceu algo especial ou inabitual durante aquele almoço?" Um tempo. Não. "Bebeu?" Sim. "Muito?" Não. "Um copo?". Sim. "Dois copos?" Sim. "Três copos?" Um tempo. Sim. "Quatro copos?" Não. "Estava com os seus documentos quando ocorreu o acidente?" Sim. Um tempo. "Tem certeza?" Sim. "O senhor não tinha documentos quando foi encontrado. Será possível que os tenha esquecido em casa ou em outro lugar?" Um tempo mais longo. De repente o olhar de Barthes parece se encher de uma intensidade nova. Faz não com a cabeça. "Lembra se alguém mexeu no senhor quando estava no chão, antes da chegada do socorro?" Barthes parece não entender ou não ouvir a pergunta. Faz não. "Não, não se lembra?" Mais um tempo, mas desta vez Bayard pensa identificar a expressão do rosto: incredulidade. Barthes faz não. "Havia dinheiro na sua carteira?" Os olhos de Barthes fixam o interlocutor. "Sr. Barthes, está me ouvindo? Tinha dinheiro consigo?" Não. "Tinha alguma coisa de valor?" Nenhuma resposta. O olhar está tão fixo que, se não fosse um fogo estranho no fundo do olho, poderia se acreditar que Barthes estava morto. "Sr. Barthes? Possuía algo de valor consigo? Pensa que podem ter lhe roubado alguma coisa?" O silêncio que reina no quarto só é quebrado pelo fôlego rouco de Barthes que passa pelo tubo do respiradouro. Longos segundos ainda se passam. Lentamente, Barthes faz não, e depois vira a cabeça.

6.

Ao sair do hospital, o delegado Bayard acha que existe um problema; que, pensando bem, o que devia ser apenas uma investigação de rotina talvez não seja algo totalmente supérfluo; que o sumiço dos documentos é uma curiosa zona sombria naquilo que, porém, parece um acidente banal; que será preciso pôr tudo isso em pratos limpos, interrogando mais gente do que ele imaginara; que sua pista começa na Rue des Écoles, defronte do Collège de France (instituição cuja existência ele ignorava até hoje e cuja natureza não entendeu direito); que ele vai começar encontrando esse sr. Foucault, "professor de história dos sistemas de pensamentos" (sic); que, em seguida, terá de interrogar um monte de estudantes cabeludos, em seguida as testemunhas do acidente, depois os amigos da vítima. Está ao mesmo tempo perplexo e chateado com esse acúmulo de trabalho. Mas ele sabe o que viu no quarto de hospital. Nos olhos de Barthes, era o medo.

O delegado Bayard, absorto em suas reflexões, não presta atenção no Citroën DS preto estacionado do outro lado do bulevar. Entra em seu Peugeot 504 de serviço e pega o caminho para o Collège de France.

7.

No hall de entrada, descobre a lista das matérias ensinadas: *"Magnetismo nuclear"*, *"Neuropsicologia do desenvolvimento"*, *"Sociografia da Ásia do Sudeste"*, *"Cristianismo e gnose no Oriente pré-islâmico"*... Perplexo, vai à sala dos professores e pede para ver Michel Foucault. Dizem-lhe que neste exato momento ele está dando aula.

O auditório está botando gente pelo ladrão. Bayard não consegue nem entrar na sala. É empurrado por um muro compacto de ouvintes, indignados quando ele tenta abrir caminho. Um estudante indulgente lhe explica, cochichando, como é que a coisa funciona: quem quiser conseguir um lugar sentado, deve chegar duas horas antes do início da aula. Quando o auditório está lotado, é possível se acomodar no auditório em frente, onde a aula é radiotransmitida. Dali não se vê Foucault, mas pelo menos se ouve. Então, Bayard vai para o auditório B, também muito cheio, mas ainda é possível encontrar lugar. A assembleia é muito misturada, há jovens, velhos, hippies, yuppies, punks, góticos, ingleses com coletes de tweed, italianas decotadas, iranianas de xador, avós com seu cãozinho... Senta-se ao lado de dois jovens gêmeos fantasiados de astronautas (sem os capacetes, porém). O ambiente é de estudo, as pessoas tomam nota em cadernos ou escutam com recolhimento. De vez em quando, tossem, como no teatro, mas não há ninguém no palco. Os alto-falantes transmitem uma voz fanhosa, um pouco anos 1940, que não chega a ser como a de Chaban-Delmas, mas ainda assim, digamos, a de Jean Marais misturada com Jean Poiret, em tom mais agudo.

"O problema que eu gostaria de expor", diz a voz, "é este: qual é a significação, no interior de uma concepção de salvação — isto é, no interior de uma concepção de iluminação, de uma concepção da redenção que foi obtida pelos homens por ocasião de seu primeiro batismo —, qual pode ser a significação da repetição da penitência, ou ainda, da própria repetição do pecado."

E muito professoral: isso, Bayard percebe. Ele tenta captar do que é que estão falando, mas infelizmente o esforço se dá no momento exato em que Foucault diz: "De tal maneira que o sujeito, indo à verdade, e a ela se ligando pelo amor, manifesta, em suas próprias palavras, uma verdade que não é outra coisa senão a manifestação nele da verdadeira presença de um Deus que, por sua vez, só pode dizer a verdade, pois jamais mente, pois é verídico".

Se nesse dia Foucault tivesse falado de prisão, controle, arqueologia, biopoder, ou genealogia, quem sabe?... Mas a voz implacável continua a caminhar: "Mesmo se, para certos filósofos ou cosmologias, o mundo bem poderia, de fato, girar num sentido ou noutro, na vida dos indivíduos o tempo tem apenas um sentido". Bayard escuta sem entender, deixa-se embalar pelo tom ao mesmo tempo didático e enlevado, melodioso no seu gênero, sustentado por um sentido de ritmo, silêncios e pontuação muito bem controlada.

Será que esse cara ganha mais que ele?

"Entre esse sistema da lei que age sobre as ações e se refere a um sujeito de vontade, e por conseguinte à repetibilidade indefinida da falta, e o esquema da salvação e da perfeição que se refere aos sujeitos, que implica uma escansão temporal e uma irreversibilidade, não existe, creio, integração possível..."

Sim, sem a menor dúvida. Bayard não consegue controlar o rancor instintivo que o faz detestar, a priori, aquela voz. É com gente dessa espécie que a polícia tem de disputar os impostos do contribuinte. Funcionários como ele, salvo que ele merece que a sociedade lhe retribua por seu trabalho. Mas esse Collège de France, o que é isso? Fundado por Francisco I, tudo bem, ele leu isso na entrada. E daí? Cursos abertos a todos, e que só interessam aos desempregados esquerdistas, aos aposentados, aos iluminados ou a professores que fumam cachimbo; disciplinas improváveis das quais ele nunca ouviu falar... Nada de diplomas, nada de exames. Pessoas como Barthes e Foucault, pagos para contar uns troços abstrusos. *Episteme*, puta merda!

Quando a voz anuncia o encontro da próxima semana, Bayard retorna ao auditório A, remonta o fluxo dos ouvintes que se escoa pelas portas vaivém, penetra enfim na sala, avista bem lá embaixo um careca de óculos que usa uma gola rulê debaixo do casaco. Ele tem um jeito ao mesmo tempo fortão e longilíneo, o maxilar voluntarioso, levemente prognata, o porte altivo daqueles que sabem que o mundo reconheceu seu valor, e tem o crânio impecavelmente raspado. Bayard vai encontrá-lo no estrado: "Sr. Foucault?". O totalmente careca está recolhendo suas notas, com o relaxamento característico de um professor que terminou a aula. Ele se vira para Bayard com benevolência, sabendo a timidez que seus admiradores devem às vezes superar para lhe dirigir a palavra. Bayard puxa sua carteira funcional. Também conhece o efeito que ela produz. Foucault para um segundo, olha a carteira, encara o policial e, depois, torna a mergulhar nas suas notas. Teatral, diz como que se dirigindo ao público que está se dispersando: "Recuso-me a ser identificado pelo poder". Bayard finge que não ouve: "É a respeito do acidente".

O careca enfia suas anotações na pasta e sai do estrado, sem dar uma palavra. Bayard corre atrás dele: "Sr. Foucault, aonde está indo? Preciso lhe fazer umas perguntas!". Foucault sobe os degraus do auditório, a passos largos. Responde sem se virar, como que falando ao vento, de modo que todos os ouvintes ainda presentes possam escutá-lo: "Recuso-me a ser localizado pelo poder!". A sala ri. Bayard o agarra pelo braço: "Só quero que me dê a sua versão dos fatos". Foucault se imobiliza e se cala. Todo o seu corpo enrijeceu. Olha para a mão agarrada a seu braço como se fosse o mais grave desrespeito aos direitos humanos desde o genocídio cambojano. Bayard mantém a mão agarrada. Em volta deles, murmúrios. Depois de um longo minuto, Foucault aceita falar: "Minha versão é que o mataram". Bayard não garante ter ouvido bem:

"Mataram? Mas mataram quem?"

"Meu amigo Roland."

"Mas ele não morreu!"

"Ele já está morto."

Foucault encara seu interlocutor com o olhar intenso dos míopes, atrás dos óculos, e lentamente, separando as sílabas, enuncia, como se formulasse a conclusão de um longo desenvolvimento cuja lógica secreta só ele conhecesse:

"Roland Barthes morreu."

"Mas quem o matou?"

"O sistema, é claro!"

O emprego da palavra "sistema" confirma para o policial o que ele temia: caiu entre os esquerdistas. Sabe por experiência que eles só têm isso na boca: a sociedade podre, a luta de classes, o "sistema"... Espera o que vai se seguir, sem impaciência. Foucault, magnânimo, aceita esclarecer:

"Roland foi violentamente ridicularizado nestes últimos anos. Porque tinha o poder paradoxal de compreender as coisas tais como elas são e inventá-las num frescor jamais visto, criticaram seu jargão, fizeram pastiche dele, o parodiaram, caricaturizaram, satirizaram..."

"O senhor conhecia inimigos dele?"

"Claro! Desde que estava no Collège de France — fui eu que o fiz entrar — os ciúmes redobraram. Inimigos, era tudo o que ele tinha: os reacionários, os burgueses, os fascistas, os estalinistas e, sobretudo, sobretudo, a velha crítica rançosa que nunca o perdoou!"

"Perdoou do quê?"

"De ter ousado pensar! Ter ousado questionar seus velhos esquemas burgueses, e ter trazido à luz sua infecta função normativa, ter mostrado o que ela era de verdade: uma velha prostituta emporcalhada pela cretinice e pelo comprometimento!"

"Mas quem, em particular?"

"Nomes? Por quem o senhor me toma? Os Picard, os Pommier, os Rambaud, os Burnier! Se pudessem, eles o teriam, pessoalmente, fuzilado, doze balas no pátio da Sorbonne, debaixo da estátua de Victor Hugo!..."

De repente, Foucault vai embora, e como Bayard não esperava por aquilo, o outro pega alguns metros de vantagem, na partida. Ele sai do auditório, enfia-se pelas escadas, Bayard corre atrás, está em seus calcanhares, os passos estalam na pedra, e ele berra: "Sr. Foucault, quem são essas pessoas de quem está falando?". Foucault, sem se virar: "Uns cachorros, uns chacais, uns burros chapados, uns idiotas, umas nulidades, mas sobretudo, sobretudo, sobretudo!, os lacaios servis da ordem estabelecida, os escribas do velho mundo, os cafetões de um pensamento morto que pretendem, por suas zombarias obscenas, nos impor indefinidamente seu cheiro de cadáver". Bayard, agarrado ao corrimão da escada: "Que cadáver?". Foucault, escalando os degraus de quatro em quatro: "O do pensamento morto!". Depois, ele estoura numa risada sardônica. Bayard, procurando uma caneta nos bolsos de seu impermeável, e tentando manter a pose, lhe pergunta: "Pode me soletrar Rambaud?".

8.

O delegado entra numa livraria para comprar livros mas, como não está acostumado, custa a se orientar nas prateleiras. Não encontra obras de Raymond Picard. O livreiro, que lhe parece relativamente informado, assinala de passagem que Raymond Picard morreu, o que Foucault não achou conveniente assinalar, mas que ele pode encomendar *Nouvelle critique ou nouvelle imposture*. Em compensação, ele tem *Assez décodé!*, de René Pommier, um discípulo de Raymond Picard que ataca a crítica estruturalista (em todo caso, é assim que o livreiro lhe vende o livro, o que não adianta muito), e, sobretudo, *Le Roland-Barthes sans peine*, de Rambaud e Burnier. É um livro verde, bem fininho, com uma foto de Barthes exibindo um ar severo, dentro de uma moldura oval. Saindo da moldura, um personagenzinho desenhado diz "hihi!", rindo com todos os dentes, o ar debochado, a mão na boca, num estilo à la Robert Crumb. Aliás, verificação feita, o desenho é de Crumb. Mas Bayard nunca ouviu falar de *Fritz the Cat*, o desenho animado da turma de 1968, em que os negros são corvos que tocam saxofone e o herói é um gato de gola rulê que fuma uns baseados e trepa com tudo o que se mexe a bordo de um Cadillac, à la Kerouac, contra um fundo de tumultos urbanos e latas de lixo que ardem. Porém, Crumb é famoso por seu jeito de desenhar as mulheres, com suas coxas grossas poderosas, seus ombros de lenhador, seus seios em forma de obus e sua bunda de jumento. Bayard, pouco familiarizado com a estética da HQ, não liga uma coisa à outra. Mas compra o livro, e o de Pommier junto. Não encomenda o de Picard porque os autores mortos, nesse estágio da investigação, não lhe interessam.

O delegado se instala num café, pede uma cerveja, acende um Gitane e abre Le Roland-Barthes sans peine. (Qual café? Os pequenos detalhes são importantes para reconstituir o ambiente, não é? Vejo-o muito bem no Sorbon, o bar em frente do Champo, aquele cineminha de arte no fim da Rue des Écoles, mas a bem da verdade não tenho a menor ideia, vocês podem colocá-lo onde bem entenderem.) Lê:

"*O R. B. (em Roland-Barthes, Roland Barthes se diz R. B.) apareceu em sua forma arcaica lá se vão vinte e cinco anos, no livro chamado O grau zero da escrita. Desde então, pouco a pouco se separou do francês, do qual é parcialmente oriundo, constituindo-se como linguagem autônoma com sua gramática e seu vocabulários próprios.*"

Bayard dá uma tragada no Gitane, um gole na cerveja, vira as páginas. No bar, ouve o garçom explicar a um cliente por que a França vai se afundar na guerra civil se Mitterrand for eleito.

"*Primeira aula: Alguns elementos de conversação.*
1 — Como você se enuncia?
Francês: Qual é o seu nome?
2 — Eu me enuncio L.
Francês: Eu me chamo William."

Bayard compreende mais ou menos a intenção satírica e também que deveria, a priori, se sentir em sintonia com os autores do pastiche, mas desconfia. Por que, em "R. B.", "William" se diz "L."? Não está claro. Intelectuais de merda.

O garçom diz para o cliente: "Quando os comunistas chegarem ao poder, todos os que têm grana vão tirá-la da França para ir botá-la em outro lugar, onde não vão pagar impostos e onde têm certeza de que ninguém tirará o dinheiro deles!".

Rambaud e Burnier:

"3 — *Qual 'estipulação' aferrolha, tranca, organiza, agencia a economia da sua pragma como a ocultação e/ou exploração da sua ek-sistência?*
Francês: O que você faz na vida?
4 — Expulso pedacinhos de código.
Francês: Sou datilógrafa."

Isso o faz rir, afinal, mas ele detesta o que percebe, intuitivamente, como um princípio de intimidação verbal dirigida a ele. No entanto, sabe muito bem que aquele tipo de livro não se dirige a ele, pois se trata de um livro para intelectuais, para que esses parasitas de intelectuais possam rir entre si. Debochar de si mesmos: suma distinção. Bayard, que não é um imbecil, já está aprendendo um pouco de Bourdieu, sem saber.

No balcão, a conferência prossegue: "Quando todo o dinheiro estiver na Suíça, a gente não vai mais ter capitais para pagar os salários, e vai ser a guerra civil. E então os social-comunistas terão ganhado!". O garçom se interrompe, para ir servir alguém. Bayard prossegue a leitura:

"*5 — Meu discurso encontra/realiza sua textualidade própria através do R. B. num jogo (fogo?) de espelhos.*
Francês: Falo fluentemente Roland-Barthes."

Bayard capta a ideia principal: a linguagem de Roland Barthes é incompreensível. Mas então, por que perder tempo em lê-lo? E, a fortiori, escrever um livro sobre ele?

"6 — A 'sublimação' (a integração) daquele como (meu) código constitui o 'corte terceiro' de uma reduplicação do cupido, meu desejo.
Francês: Eu também gostaria de aprender essa língua.
7 — O R. B., enquanto macrologia, não se apresenta como 'arame-farpagem', campo (canto) fechado à interpelação galicista?
Francês: o Roland-Barthes não é muito difícil para um francês?
8 — A echarpe do estilo barthesiano se aperta 'em torno' do código, na medida em que se atue na sua repetição/redundância.
Francês: Não, é bem fácil. Mas é preciso estudar."
A perplexidade do delegado aumentou. Não sabe o que mais detesta: Barthes ou os dois cômicos que desejaram parodiá-lo. Pousa o livro, esmaga o cigarro. O garçom volta para trás do balcão. O cliente, com o copo de vinho tinto na mão, objeta: "Sim, mas Mitterrand vai detê-los na fronteira. E o dinheiro será confiscado". O garçom franze o cenho e ralha com o cliente: "O senhor acha que os ricos são uns imbecis! Eles alugarão transportadores profissionais de malas. Organizarão redes para evacuar o que têm de dinheiro líquido. Cruzarão os Alpes e os Pirineus, que nem Aníbal! Que nem na guerra! Se foi possível passar com judeus, pode-se muito bem passar com a gaita, não acha?". O cliente não parece ter muita certeza, mas como visivelmente não encontra nada para responder, contenta-se em balançar a cabeça, termina seu copo e pede outra dose. O garçom enche o peito ao pegar uma garrafa de vinho tinto já começada: "Pois é! Pois é! Estou pouco me lixando, se os comunas ganharem, me arranco e vou dar duro em Genebra. Eles não vão ficar com a minha grana, ah, essa não, nunca na vida, não trabalho para os comunas, eu aqui, o senhor não sabe quem eu sou! Eu não trabalho para ninguém! Sou livre! Que nem De Gaulle!...".
Bayard tenta lembrar quem é Aníbal e anota mecanica-

mente que falta uma falange no auricular esquerdo do garçom. Interrompe o orador para tomar mais uma cerveja, abre o livro de René Pommier, conta dezessete vezes a palavra "bagatelas" em quatro páginas, e o fecha. Enquanto isso, o garçom ataca um novo assunto: "Nenhuma sociedade civilizada pode dispensar a pena de morte!...". Bayard paga, deixando o troco.

Passa diante da estátua de Montaigne, sem vê-lo, atravessa a Rue des Écoles e entra na Sorbonne. O delegado Bayard compreende que não compreende nada, ou não muito, de todas essas cretinices. Precisaria de alguém que o informasse, um especialista, um tradutor, um transmissor, um formador. Um professor, ora bolas! Na Sorbonne, pergunta onde fica o Departamento de Semiologia. A pessoa da recepção lhe responde com um ar contrafeito que não existe. No pátio, aborda estudantes de japona azul-marinho e sapatos top-siders para que lhe indiquem onde poderia assistir a uma aula de semiologia. A maioria não sabe o que é isso ou muito vagamente ouviu falar. Mas, afinal, um jovem cabeludo que fuma um baseado debaixo da estátua de Louis Pasteur lhe diz que, para a "semiô", tem que ir a Vincennes. Bayard não é um especialista do meio universitário, mas sabe que Vincennes é uma faculdade de esquerdistas onde pululam agitadores profissionais que não querem estudar. De curiosidade, pergunta ao jovem por que ele não está inscrito lá. O jovem veste um pulôver largo de gola rulê, calça preta de bainha arregaçada como para ir pescar mexilhões, e umas botas Dr. Martens de cano longo, roxas. Dá uma tragada no baseado e responde: "Eu estava lá até o segundo ano. Mas fazia parte de um grupo trotskista". A explicação lhe parece suficiente, mas como vê no olhar interrogador de Bayard que ela não basta, acrescenta: "Bem, houve uns problemas".

Bayard não insiste. Volta para o seu Peugeot 504 e vai para

Vincennes. Num sinal vermelho, observa um Citroën DS preto e pensa: "Esse aí sim, é um carrão!...".

9.

O Peugeot 504 pega o bulevar periférico na Porte de Bercy, sai na Porte de Vincennes, sobe a longuíssima Avenue de Paris, passa em frente ao hospital militar, recusa a prioridade a um Renault Fuego azul tinindo de novo dirigido por japoneses, contorna o castelo, deixa para trás o Parc Floral, se enfia no bosque e vai estacionar defronte daquelas espécies de barracas que parecem uma escola de subúrbio gigantesca dos anos 1970, arquitetonicamente mais ou menos o que a humanidade pode fazer de pior. Bayard, que se lembra de seus longínquos anos de direito em Assas, descobre um lugar totalmente pitoresco e distante: para ter acesso às salas de aula, deve atravessar um tipo de mercado, povoado de africanos, pular por cima de drogados comatosos caídos no chão, passar diante de um tanque sem água e repleto de detritos, margear as paredes descascadas cobertas de cartazes e grafites nos quais pode ler: "Professores, estudantes, reitores, pessoal administrativo: morram, seus putos!"; "Não ao fechamento da feira de alimentos"; "Não à mudança de Vincennes para Nogent"; "Não à mudança de Vincennes para Marne-la-Vallée"; "Não à mudança de Vincennes para Savigny-sur-Orge"; "Não à mudança de Vincennes para Saint-Denis"; "Viva a revolução proletária"; "Viva a revolução iraniana"; "Maoistas = fascistas"; "Trotskistas = estalinistas"; "Lacan = tira"; "Badiou = nazista"; "Althusser = assassino"; "Deleuze = fode a tua mãe"; "Cixous = fode comigo"; "Foucault = puta de Khomeiny"; "Barthes = social-traidor pró-chinês"; "Calliclès = SS"; "É proibido proibir de proibir"; "União das esquerdas = no teu cu"; "Vem pra minha casa, a gente vai ler O *capital*! Assinado: Balibar"... Estudantes fedendo a maconha o abordam com agressividade, passando-lhe toneladas de panfletos: "Camarada, sabe o que está acontecendo no Chile? Em El Salvador? Você se sente afetado com o que se passa na Argentina? E em Moçambique? Está pouco ligando para Moçambique? Sabe onde fica? Quer que eu te fale de Timor? Fora isso, a gente está coletando dinheiro para a alfabetização na Nicarágua. Me paga um café?". Ali ele se sente menos estrangeiro. Quando teve sua carteira do movimento Jeune Nation, estraçalhou aquelas carinhas de esquerdistas imundos. Joga os panfletos no tanque sem água que serve de lata de lixo.

Bayard vai parar, sem saber muito como, no Departamento de Cultura e Comunicação. Percorre a lista das u.v. ("unidades de valor") que estão afixadas no corredor, num quadro de cortiça, e acaba encontrando mais ou menos o que foi procurar: "Semiologia da imagem", um número de sala, um horário semanal e um nome de professor, um tal Simon Herzog.

10.

"Hoje vamos estudar os algarismos e as letras em James Bond. Se pensam em James Bond, qual é a letra que lhes vem à cabeça?" Silêncio na sala, os estudantes refletem. Pelo menos, Jacques Bayard, sentado no fundo da sala, conhece James Bond. "Como se chama o chefe de James Bond?" Bayard sabe! Ele se surpreende tendo vontade de dizer em voz alta, mas é precedido por vários estudantes que dão a resposta simultaneamente: M. "Quem é M e por que M? Que significa esse M?" Um tempo. Nada de resposta. "M é um velho mas é uma figura feminina, é o M de *Mother*, é a mãe nutriz, aquela que alimenta e protege, aquela que se zanga quando Bond faz besteiras mas que sempre demonstra grande indulgência por ele, aquela a quem Bond quer agradar ao realizar suas missões. James Bond é um homem de ação mas não é um franco-atirador, não está sozinho, não é órfão (ele o é, biograficamente, mas não simbolicamente: sua mãe é a Inglaterra; não está casado com sua pátria, mas é seu filho amado). É sustentado por uma hierarquia, uma logística, todo um país que lhe atribui missões impossíveis que ele executa, para grande orgulho deste (M, a representação metonímica da Inglaterra, o representante da rainha, lembra regularmente que Bond é seu melhor agente: é o filho predileto), mas que lhe fornece todos os meios materiais para executá-las. James Bond, na verdade, reúne tudo e mais alguma coisa, e é por isso que é um fantasma tão popular, um mito contemporâneo muito poderoso: James Bond é o aventureiro-funcionário. Ação E segurança. Comete infrações, delitos, crimes até, mas está coberto, é autorizado, não levará bronca, é a famosa *'license to kill'*, a autorização para matar justificada por sua credencial, o que nos leva aos três algarismos mágicos: 007.

"Duplo zero é o código para o direito ao assassinato, e aqui vemos uma aplicação genial do simbólico dos algarismos. Como se poderia representar com um algarismo a licença para matar? Dez? Vinte? Cem? Um milhão? A morte não é quantificável. A morte é o nada, e o nada é zero. Mas o assassinato é mais que simplesmente a morte, é a morte infligida ao outro. É duas vezes a morte, a dele, inevitável, e cuja probabilidade é aumentada pela periculosidade da profissão (a esperança de vida dos agentes duplo zero é muito baixa, volta e meia isso é lembrado), e a do outro. Duplo zero é o direito de matar e de ser morto. Quanto ao sete, foi evidentemente escolhido porque, de todos os números é, tradicionalmente, um dos mais elegantes, um número mágico carregado de história e símbolos, mas nesse caso responde a dois critérios: ímpar, necessariamente, como o número de rosas que se oferecem a uma mulher, e primo (um número primo só é divisível por um e por si mesmo) para expressar uma singularidade, uma unicidade, uma individualidade que se opõe à impressão de intermutabilidade e de impessoalidade induzida pelo recurso à credencial. Lembrem-se da série *O prisioneiro*, com o protagonista 'Número 6', que repete, desesperado, revoltado: 'Eu não sou um número!'. James Bond, de seu lado, se acomoda perfeitamente com seu número, com mais facilidade ainda porque tal número lhe confere privilégios inacreditáveis e, portanto, o torna um aristocrata (a serviço de sua rainha, como deve ser). 007 é o anti-Número 6: satisfeito com seu lugar ultraprivilegiado que a sociedade lhe confere, ele trabalha com dedicação para a preservação da ordem estabelecida, sem nunca fazer perguntas sobre a natureza e as motivações do inimigo. Assim como Número 6 é um revolucionário, 007 é um conservador. O sete reacionário opõe-se aqui ao seis revolucionário, e como o significado da palavra 'reacionário' supõe a ideia de posteridade (os conservadores 'reagem' à revolução, trabalhando pela volta do antigo regime, isto é, da ordem estabelecida), tem lógica o algarismo reacionário suceder ao algarismo revolucionário (claramente: que James Bond não fosse 005). A função de 007 é, portanto, garantir o retorno à ordem estabelecida, perturbada por uma ameaça que desestabiliza a ordem mundial. Aliás, o fim de cada episódio coincide sempre com um retorno 'ao normal', compreenda-se: 'À antiga ordem'. Umberto Eco afirma que James Bond é fascista. Na verdade, vemos que ele é, sobretudo, reacionário..."

Um estudante levanta a mão: "Mas há também Q, o responsável pelos gadgets. O senhor também enxerga uma significação para essa letra?".

Com uma presteza que surpreende Bayard, o professor engata:

"Q é uma figura paterna, pois é quem fornece as armas a James Bond e quem o ensina a usá-las. Transmite-lhe um conhecimento. Nesse sentido, deveria se chamar F, como *Father*... Mas se observarem atentamente as cenas com Q, o que veem? Um James Bond distraído, impertinente, jogador, que não escuta (ou finge não escutar). E no final, veem Q sempre lhe perguntando: 'Perguntas?' (ou variantes do tipo: 'Entendeu?'). Mas James Bond nunca tem perguntas; por trás de seus ares de aluno malandro, assimilou perfeitamente o que lhe explicaram pois tem capacidade de compreensão fora do comum. Então, Q é o Q de '*questions*', perguntas que Q fica louco para ouvir e que Bond nunca faz, ou então as faz na forma de piadas, e que nunca são as que Q esperaria."

Então, outro estudante toma a palavra: "E além disso, Q, em inglês, se pronuncia 'kiu', o que quer dizer 'queue', fila. É a sessão de compras: faz-se fila na loja de gadgets, espera-se ser atendido, é um lúdico tempo perdido entre duas cenas de ação".

O jovem professor faz um movimento entusiasta com o braço: "Perfeitamente! Muito bem observado! Excelente ideia! Lembrem-se de que uma interpretação nunca esgota o signo, e que a polissemia é um poço sem fundo de onde nos vêm ecos infinitos: nunca se esgota completamente uma palavra. Nem mesmo uma letra, como veem".

O professor olha o relógio: "Obrigado a vocês pela atenção. Terça que vem estudaremos as roupas em James Bond. Senhores, espero-os de smoking, naturalmente (risos na sala). E senhoritas, de biquíni à Ursula Andress (assobios e protestos das moças). Até semana que vem!".

Enquanto os estudantes saem da sala, Bayard se aproxima do jovem professor com um ricto discreto que o outro não consegue entender mas que diz: "Você vai pagar pelo careca".

11.

"Para que as coisas fiquem bem claras, delegado, não sou um especialista em Barthes, nem um semiólogo propriamente dito. Tenho um diploma de letras modernas sobre o romance histórico, preparo uma tese de linguística sobre os atos de linguagem e também sou encarregado dos estudos dirigidos. Neste semestre dou um curso especializado de semiologia da imagem, e no ano passado tive de dar um curso de introdução à semiologia. Era um estudo dirigido de iniciação para estudantes do primeiro ano; expus a eles as bases da linguística porque é o fundamento da semiologia, falei para eles de Saussure e de Jakobson, um pouco de Austin, um pouco de Searle, trabalhamos essencialmente sobre Barthes porque é o de acesso mais fácil e porque muitas vezes escolheu objetos de estudo tirados da cultura de massa, portanto mais adequados para despertar a curiosidade dos estudantes do que, digamos, suas críticas sobre Racine ou Chateaubriand, pois são estudantes de comunicação, não de literatura. Com Barthes podíamos passar muito tempo falando de bife com fritas, do último Citroën, de James Bond, é um enfoque muito mais lúdico da análise, e aliás é um pouco a definição da semiologia: é uma disciplina que aplica os processos da crítica literária a objetos não literários.

"Ele não morreu."

"Desculpe, como é mesmo?"

"Você disse 'podíamos', fala no passado, como se não fosse mais possível."

"Ahn, não, não era o que eu queria dizer..."

Simon Herzog e Jacques Bayard andam lado a lado pelos corredores da faculdade. O jovem professor segura a pasta numa das mãos, e a outra está atrapalhada com um monte de fotocópias. Faz não com a cabeça quando um estudante quer lhe dar um panfleto, o estudante o chama de fascista, ele responde com um sorriso culpado e retifica para Bayard:

"Mesmo se ele morresse, poderíamos muito bem continuar a aplicar seus métodos críticos, sabe..."

"O que o leva a crer que ele pode morrer? Eu não mencionei na sua frente a gravidade dos ferimentos dele."

"Bem, hum, desconfio que não se manda um delegado investigar todos os acidentes de carro, portanto deduzo que é sério, e que as condições do desastre são confusas."

"As condições do desastre são bastante claras, e o estado da vítima não inspira nenhum cuidado."

"Ah? Pois então, ahn, saiba que estou radiante, delegado..."

"Eu não lhe disse que era delegado."

"Ah, não? Pensei que Barthes era suficientemente famoso para que lhe despachassem um delegado..."

"Eu nunca tinha ouvido falar desse cara até anteontem."

O jovem doutorando se cala, parece desorientado, Bayard está satisfeito. Uma estudante de sandálias e meias lhe entrega um panfleto no qual se pode ler: *Esperando Godard, peça em um ato*. Ele enfia o panfleto no bolso e pergunta a Simon Herzog:

"O que você sabe sobre semiologia?"

"Ahn, é o estudo da vida dos signos no seio da vida social?"

Bayard repensa no seu *Roland-Barthes sans peine*. Trinca os dentes.

"E em francês?"

"Mas... é a definição de Saussure..."

"Esse Soçura conhece Barthes?"

"Ahn, não, já morreu, é o inventor da semiologia."

"Hum, sei."

Mas Bayard não sabe rigorosamente nada. Os dois atravessam a cafeteria. É uma espécie de galpão devastado, saturado por aromas de linguiça, crepes e maconha. Um cara bem alto, de-

37

sengonçado, de botas de lagarto malva está em pé em cima de uma mesa. Com o cigarro no bico, uma cerveja na mão, arenga jovens que o escutam, de olhos brilhantes. Já que Simon Herzog não tem sala, ele convida Bayard a se sentar e, mecanicamente, lhe oferece um cigarro. Bayard recusa, pega um Gitane e recomeça:

"Concretamente, para que serve essa... ciência?"

"Bem, ahn... para entender o real?"

Imperceptivelmente, Bayard faz uma careta.

"Ou seja?"

O jovem doutorando leva uns segundos para refletir. Avalia a capacidade de abstração de seu interlocutor, visivelmente limitada, para adaptar sua resposta em função disso, sem o que eles vão ficar dando voltas durante horas.

"Na verdade, é simples, há um monte de coisas no nosso ambiente que têm, ahn, uma função de uso. Entende?"

Silêncio hostil do interlocutor. No outro lado da sala, o cara de botas de lagarto malva conta a seus jovens discípulos a grande gesta de 1968 que, em sua boca, parece uma mistura de *Mad Max* e Woodstock. Simon Herzog tenta simplificar ao máximo: "Uma cadeira serve para se sentar, uma mesa, para se comer, uma escrivaninha, para trabalhar, uma roupa, para aquecer, et cetera. Concorda?".

Silêncio glacial.

"Salvo que, além de sua função de us..., de sua utilidade, esses objetos também são dotados de um valor simbólico... como se fossem dotados de palavra, se preferir: eles nos dizem coisas. Esta cadeira, por exemplo, na qual está sentado, com seu grau zero de design, sua madeira envernizada vagabunda e sua armação enferrujada, nos diz que estamos numa coletividade que não tem a menor preocupação com o conforto nem com a estética, e que não tem dinheiro. Somados a isso, esses aromas misturados de uma cantina qualquer e de canabis nos confirmam que estamos num local universitário. Da mesma maneira, o seu jeito de se vestir assinala a sua profissão: o senhor usa um terno, o que trai um emprego de funcionário público, mas suas roupas são baratas, o que implica um salário modesto e/ou uma ausência de interesse pela aparência, portanto o senhor exerce uma profissão em que a apresentação não conta, ou conta pouco. Seus sapatos estão muito estragados, quando na verdade o senhor veio de carro, e isso significa que não fica atrás de uma mesa, mas sim faz um trabalho de rua. Um funcionário público que sai de sua sala tem todas as chances de ser designado para um trabalho de inspeção."

"Hum, entendo", diz Bayard. (Longo silêncio durante o qual Simon Herzog pode ouvir o homem de botas de lagarto malva contar a seu auditório fascinado como, na época em que estava à frente da Fração Armada Spinozista, derrotou os Jovens Hegelianos.) "Dito isso, eu sei onde estou, está escrito 'Universidade de Vincennes — Paris 8' na entrada. E também está marcado 'Polícia' bem grande na carteira tricolor que lhe mostrei quando o abordei no final da sua aula, portanto continuo sem entender muito bem aonde quer chegar."

Simon Herzog começa a transpirar. Essa conversa lhe traz lembranças dolorosas de provas orais. Não entrar em pânico, concentrar-se, não focar nos segundos que são desfiados no silêncio, ignorar o ar falsamente bondoso do examinador sádico que goza internamente de sua superioridade institucional e do sofrimento que inflige porque ele também o sofreu, no passado. O jovem doutorando reflete depressa, observa atento o homem que está à sua frente, procede metodicamente, etapa por etapa, como lhe ensinaram e, quando se sente pronto, ainda deixa passar uns segundos e diz:

"O senhor foi para a guerra da Argélia, foi casado duas vezes, está separado de sua segunda mulher, tem uma filha de menos de vinte anos com quem o relacionamento é difícil, votou em Giscard nos dois turnos da última eleição presidencial e fará o mesmo no ano que vem, perdeu um companheiro de equipe no exercício de suas funções, talvez por culpa sua, em todo caso o senhor se recrimina por isso, ou não se sente muito à vontade com isso, mas a hierarquia considerou que a sua responsabilidade não está em causa. E foi ver o último James Bond no cinema, mas ainda assim prefere um bom Maigret na tevê ou os filmes com Lino Ventura."

Silêncio muito, muito longo. No outro canto da sala, Spinoza reencarnado conta, entre os vivas da multidão, como ele e seu bando derrotaram os Fourier Rosas. Bayard murmura com voz lívida:

"O que o leva a dizer isso?"

"Pois bem, é muito simples!" (Mais um silêncio, embora, desta vez, administrado pelo jovem professor. Bayard não se mexe, não fosse um leve estremecimento nos dedos da mão direita. O homem de botas de lagarto malva começa uma música dos Rolling Stones *a cappella*.) "Quando veio me ver no fim da aula, há pouco, na minha sala, colocou-se espontaneamente de maneira a não dar as costas para a porta nem para a janela. Não é na escola de polícia que lhe ensinam isso, mas no Exército. O fato de que esse reflexo lhe tenha ficado significa que a sua experiência militar não se limitou a um serviço simples, mas o marcou o suficiente para que ainda conserve hábitos inconscientes. Portanto, provavelmente combateu, e não é velho o bastante para ter estado na guerra da Indochina, o que me faz pensar que foi mandado para a Argélia. O senhor é da polícia, portanto necessariamente de direita, como confirma sua hostilidade de princípio aos estudantes e intelectuais (visível desde o início da nossa conversa), mas, como um veterano da Argélia, vivenciou a independência concedida por De Gaulle como uma traição, em consequência do que se recusou a votar em Chaban, o candidato gaullista, e é racional demais (qualidade requerida pelo seu ofício) para dar seu voto a um candidato como Le Pen, que não pesa nada e não tem rigorosamente a menor chance de algum dia estar no segundo turno, portanto o seu voto foi naturalmente para Giscard. Veio sozinho, o que é contrário a todas as regras da polícia francesa, pois os policiais sempre se deslocam pelo menos em dupla, portanto obteve um regime especial, um favor que só pode ter lhe sido concedido por um motivo grave como a perda de um companheiro de equipe. O trauma é tamanho que o senhor já não suporta a ideia de ter um novo companheiro, e seus superiores o autorizaram a operar *solo*. Assim, pode se considerar um Maigret que, a julgar por seu impermeável, constitui para o senhor uma referência, inconsciente ou não (o delegado Moulin, com seu blusão de couro, talvez seja jovem demais para que possa se identificar com ele, e hum, o senhor não tem meios para se vestir como James Bond). Usa uma aliança na mão direita mas ainda tem a marca de um anel no anular esquerdo. Com certeza quis evitar uma impressão de repetição, trocando de mão no segundo casamento, a fim de conjurar a sorte, de certo modo. Aparentemente, isso não bastou, já que sua camisa amarrotada, nessa hora matutina, demonstra que ninguém na sua casa cuida da função de passar roupa; ora, conforme o modelo pequeno-burguês que é o do seu meio sociocultural, sua mulher, se ainda vivesse com o senhor, não o teria deixado sair com roupas não passadas."

Pode-se pensar que o silêncio que se segue vai durar vinte e quatro horas.

"E quanto à minha filha?"

O doutorando, falsamente modesto, varre o ar com um gesto de mão:

"Seria muito longo explicar."

Na verdade, deixou-se levar pelo entusiasmo. Achou que acrescentar uma filha era uma boa coisa para o quadro.

"Está bem. Siga-me."

"Desculpe? Para onde? Vai me prender?"

"Vou requisitá-lo. Você tem um jeito um pouco menos imbecil do que os cabeludos habituais e preciso de um tradutor para todas essas cretinices."

"Mas... não, sinto muito, é absolutamente impossível! Tenho que preparar minha aula de amanhã, e devo escrever minha tese, e tenho um livro para devolver à biblioteca..."

"Escute aqui, seu idiotinha: você vem comigo, entendeu?"

"Mas... para onde?"

"Interrogar os suspeitos."

"Suspeitos? Mas eu achava que era um acidente!"

"Eu queria dizer as testemunhas. Vamos embora."

O bando dos jovens fãs reunidos em torno do homem de botas de lagarto malva escande: "Spinoza enraba Hegel! Spinoza enraba Hegel! Abaixo a dialética!". Ao saírem, Bayard e seu novo assistente deixam passar um grupo de maoistas aparentemente decididos a quebrar a cara do espinozista aos gritos de: "Badiou está com a gente!".

12.

Roland Barthes morava na Rue Servandoni, ao lado da igreja Saint-Sulpice, a poucos passos do Jardim du Luxembourg. Vou estacionar ali, onde, suponho, Bayard estacionou o seu Peugeot 504, defronte da entrada do número onze. Poupo vocês do copiar-colar, agora de praxe, do verbete da Wikipedia: o palacete desenhado por tal arquiteto italiano para tal bispo da Bretanha etc.

É um belo prédio burguês, feito de boa pedra branca, grande portão de ferro fundido. Diante do portão, um empregado da firma Vinci trabalha na instalação de um digicode. (Naquela época, Vinci ainda não se chamava Vinci, e pertencia à CGE, a Companhia Geral de Eletricidade, futura Alcatel, mas isso Simon Herzog não pode saber.) Tem que se atravessar o pátio e pegar a escada B, à direita, logo depois da casinha da zeladora. Barthes e sua família tinham dois apartamentos, no segundo e no quinto andares, e também dois quartinhos de empregada contíguos, no sexto, e que lhe serviam de escritório. Bayard pede as chaves à zeladora. Simon Herzog pergunta a Bayard o que foram procurar ali, Bayard não tem a menor ideia, e pegam a escada porque não há elevador.

No apartamento do segundo andar, a decoração é antiquada, tem relógios de madeira, está tudo muito bem-arrumado, muito limpo, inclusive o aposento que serve de escritório, ao lado da cama tem um transístor e um exemplar de *Mémoires d'Outre-tombe*, mas Barthes trabalhava sobretudo no quartinho de empregada, no sexto andar.

No apartamento do quinto andar, os dois homens são recebidos pelo irmão mais novo de Barthes e sua mulher, uma árabe — nota Bayard —, bonita — nota Simon —, que seguramente os convida para tomar chá. O irmão caçula explica que os dois apartamentos do segundo e do quinto são idênticos. Durante certo tempo, Barthes, a mãe e o irmão menor viviam no quinto andar, mas quando a mãe adoeceu, ficou muito fraca para subir os cinco lances de escada, então, como o apartamento do segundo estava desocupado, Barthes o comprou e se instalou ali junto com ela. Roland Barthes via muita gente, saía muito, e sobretudo depois da morte da mãe, mas o irmão mais novo diz que ignora tudo sobre quem ele frequentava. Só sabe que costumava ir ao Café de Flore, onde marcava seus compromissos profissionais e encontrava os amigos.

No sexto andar, trata-se, na verdade, de dois quartinhos de empregada contíguos que foram abertos para formar um quarto e sala. Há um tampo em cima de cavaletes, que serve de mesa, uma cama de ferro, um cantinho com cozinha, chá japonês em cima da geladeira, livros espalhados, xícaras de café ao lado de cinzeiros cheios até a metade; é mais velho, mais sujo e mais desarrumado, mas há um piano, um toca-discos, discos de música clássica (Schumann, Schubert), caixas de sapatos com fichas, chaves, luvas, mapas, artigos recortados.

Um alçapão permite a comunicação com o apartamento do quinto andar sem passar pela escada externa.

Na parede, Simon Herzog reconhece as fotos estranhas de *A câmara clara*, o último livro de Barthes, que acaba de ser publicado, e entre elas a foto amarelada de uma garotinha num jardim de inverno, sua mãe adorada.

Bayard pede a Herzog que dê uma olhada nas fichas e na biblioteca. Como todos os literatos do mundo fazem quando chegam à casa de alguém, mesmo quando não vieram expressamente para isso, ele examina com curiosidade os livros da biblioteca: Proust, Pascal, Sade, outro Chateaubriand, poucos contemporâneos, a não ser alguns livros de Sollers, Kristeva e Robbe-Grillet, ou senão, dicionários, obras críticas, Todorov, Genette, e obras de linguística, Saussure, Austin, Searle... Uma folha está enfiada na máquina de escrever em cima da mesa. Simon Herzog lê o título: "Sempre se fracassa ao se falar do que se ama". Ele percorre rapidamente o texto, é sobre Stendhal. Ele se comove ao imaginar Barthes sentado àquela mesa, pensando em Stendhal, no amor, na Itália, sem desconfiar que cada hora passada ao datilografar aquele artigo o aproximava do instante em que ia ser atropelado por uma caminhonete de lavanderia.

Ao lado da máquina de escrever, está *Linguística e comunicação*, de Jakobson, com um marcador de página que causa em

Simon Herzog o efeito de um relógio parado no pulso da vítima: quando Barthes foi atropelado pela caminhonete, eis, então, o que ocupava seu espírito. Ele estava, precisamente, relendo o capítulo sobre as funções da linguagem. À guisa de marcador de página, Barthes usou uma folha de papel dobrada em quatro. Simon Herzog desdobra a folha, são notas tomadas numa letra apertada, que ele não tenta decifrar, e dobra de novo a folha sem lê-la e a recoloca escrupulosamente no lugar certo para que, quando Barthes voltar para casa, possa encontrar a página.

Na beira da mesa, alguma correspondência aberta, muita correspondência fechada, outras folhas rabiscadas com a mesma letra miúda, alguns números do *Nouvel Observateur*, artigos de jornais e fotos recortadas de revistas. Cigarros estão empilhados como cubos de madeira. Herzog sente uma tristeza em invadi-lo. Enquanto Bayard vasculha debaixo da caminha de ferro, ele se debruça para olhar pela janela. Embaixo, avista um Citroën DS preto parado em fila dupla e sorri do símbolo, pois o DS é o emblema e a mais famosa das *Mitologias* de Barthes, aquela que ele escolheu para figurar na capa de sua famosa antologia de artigos. Ouve subir o eco do buril com que o empregado da Vinci fura na pedra o vão que deve receber o teclado metálico do futuro digicode. O céu embranqueceu. No horizonte, mais além dos prédios, ele adivinha as árvores do Luxembourg.

Bayard o tira de seu devaneio ao colocar sobre a mesa uma pilha de revistas que encontrou debaixo da cama, e não são números antigos do *Nouvel Observateur*. Com um ar de satisfação rabugenta, lança para Simon Herzog: "Ele gostava de paus, esse intelectual!". Espalhadas à sua frente, Simon Herzog vê capas com homens nus, jovens e musculosos, que fazem pose olhando com ar insolente. Não sei se, na época, era público e notório que Barthes era homossexual. Quando escreveu *Fragmentos de um discurso amoroso*, seu best-seller, tomou todo o cuidado de jamais caracterizar o gênero do objeto amoroso, esforçando-se para ficar nas formulações neutras do tipo "o parceiro" ou "o outro" (que, como quem não quer nada, requerem gramaticalmente repetições pronominais com "ele", já que em francês o neutro é masculino). Sei que Barthes, ao contrário de Foucault, que exibia uma homossexualidade mais reivindicativa, era muito discreto, envergonhado talvez, em todo caso, muito preocupado em preservar as aparências, pelo menos até a morte da mãe. Aliás, Foucault se zangou com ele e o desprezou por isso, creio. Mas ignoro se, junto ao grande público e nos círculos universitários, circulavam boatos, ou até se a coisa era conhecida por todos. Seja como for, se Herzog estava informado da homossexualidade de Barthes, não achou necessário, naquele estágio da investigação, informar o delegado Bayard.

No momento em que este abre, debochando, a página central de uma revista chamada *Gai Pied*, o telefone começa a tocar. Bayard para de debochar. Põe a revista em cima da mesa, sem se dar ao trabalho de dobrar de novo a página central, e se imobiliza. Olha para Herzog, que também olha para ele, enquanto o belo efebo da foto, que segura o próprio pau, olha para os dois e o telefone continua a tocar. Bayard ainda deixa tocar algumas vezes e tira o gancho, sem dar uma palavra. Simon Herzog o observa, mudo, por vários segundos. Também ouve o silêncio do outro lado da linha e, instintivamente, para de respirar. Quando Bayard acaba dizendo "alô", ouve-se um estalinho do outro lado, seguido do "bip-bib" que indica o fim da ligação. Bayard desliga, perplexo. Herzog pergunta, estupidamente: "Foi engano?". Na rua, pela janela aberta, ouve-se o motor de um carro que arranca. Bayard leva as revistas pornôs e os dois saem do quarto. Herzog pensa: "Eu deveria ter fechado a janela. Vai chover". Jacques Bayard pensa: "Esses putos de intelectuais veados...".

Batem na casinha da zeladora para lhe devolver as chaves

mas ninguém responde. O operário encarregado da instalação do código da porta principal propõe pegá-las e entregá-las quando ela chegar, mas Bayard prefere subir novamente e dá-las ao irmão mais novo.

Quando desce, Simon Herzog está fumando um cigarro junto com o operário, que faz uma pausa. Ao saírem, Bayard não se dirige para o Peugeot 504. "Aonde vamos?", Herzog pergunta. "Ao Café de Flore", Bayard responde. "Reparou no instalador do código?", Simon diz. "Tinha um sotaque eslavo, não é?", Bayard resmunga: "Contanto que não seja motorista de tanque, estou pouco ligando". Ao atravessarem a Place Saint-Sulpice, os dois homens cruzam com um Renault Fuego azul e Bayard assume ares de especialista para dizer a Simon Herzog: "É o novo Renault, está saindo de fábrica agorinha". Herzog pensa mecanicamente que os operários que montaram aquele carro não conseguiriam pagar um, nem se dez se juntassem para isso; perdido em suas considerações marxistas, não presta atenção nos dois japoneses que estão no carro.

13.

No Flore, ao lado de uma mulherzinha loura, avistam um homem vesgo de óculos grossos atrás, com cara de doente, e sua cabeça de rã diz vagamente algo a Bayard, mas não é por causa dele que estão ali. Bayard localiza os homens de menos de trinta anos e vai abordá-los. A maioria são gigolôs que paqueram pela área. Será que conhecem Barthes? Sim, todos. Bayard os interroga, um por um, enquanto Simon Herzog vigia Sartre, de rabo de olho: ele está bem ruinzinho, não para de tossir ao tragar o cigarro. Françoise Sagan, solícita, lhe dá uns tapinhas nas costas. O último a ter visto Barthes é um jovem marroquino:

o grande crítico estava em conversações com um sujeito novo, ele não sabe como se chama, saíram juntos outro dia, não sabe o que fizeram nem para onde foram, nem onde ele mora, mas sabe onde é possível encontrá-lo, esta noite: nos Banhos Diderot, é uma sauna, na Gare de Lyon. "Uma sauna?", espanta-se Simon Herzog, quando surge um energúmeno de cachecol que lança ao léu: "Olhem bem essas caras! Não vão durar muito! Na verdade vos digo: um burguês deve reinar ou morrer! Bebei! Bebei vosso Fernet, à saúde de vossa sociedade! Aproveitai, aproveitai! Caçai! Periclitai! Viva Bokassa!". Algumas conversas se interrompem, os habitués observam com olhar melancólico o recém-chegado, os turistas tentam aproveitar a atração sem entender direito do que se trata, mas os garçons continuam a servir como se nada houvesse. O braço dele varre a sala num atrevido gesto teatral e, se dirigindo a um interlocutor imaginário, o profeta de cachecol exclama em tom vitorioso: "Não adianta correr, camarada, o velho mundo está diante de ti!".

Bayard pergunta quem é esse homem; o gigolô responde que é Jean-Edern Hallier, uma espécie de escritor aristocrata que costuma fazer escândalo e diz que vai ser ministro se Mitterrand ganhar no ano que vem. Bayard nota a boca em v invertido, os olhos azuis brilhantes, o sotaque típico dos aristocratas ou dos grandes burgueses, que confina com o defeito de pronunciação. Recomeça o interrogatório: como é esse sujeito novo? O jovem marroquino lhe descreve um árabe com sotaque do Sul, brinquinho na orelha, e cabelos caindo no rosto. Jean-Edern louva, tudo junto, e sempre aos berros, os méritos da ecologia, da eutanásia, das rádios livres e das *Metamorfoses* de Ovídio. Simon Herzog olha para Sartre, que olha para Jean-Edern. Quanto este percebe que Sartre está ali, estremece. Sartre o encara com ar meditativo. Françoise Sagan lhe fala ao ouvido, como uma tradutora simultânea. Jean-Edern aperta os olhos, o que acentua sua cara de fuinha sob bastos cabelos crespos, cala-se alguns segundos parecendo refletir, e depois recomeça a declamar: "O existencialismo é um botulismo! Viva o terceiro sexo! Viva o quarto! Não se deve desesperar La Coupole!". Bayard explica a Simon que ele deve acompanhá-lo até os Banhos Diderot, para ajudá-lo a encontrar aquele gigolô desconhecido. Jean-Edern Hallier vai se postar na frente de Sartre, estica o braço no ar, com a mão espalmada, e grita fazendo bater os mocassins: "Heil Althusser!". Simon Herzog protesta dizendo que sua presença não é nem um pouco indispensável. Sartre tosse e acende outro Gitane. Bayard diz que, muito pelo contrário, um veadinho intelectual lhe seria muito útil para encontrar o suspeito. Jean-Edern começa a cantar obscenidades em cima da melodia da *Internacional*. Herzog diz que é tarde demais para comprar um calção de banho. Bayard debocha e diz que ele não precisará. Sartre abre o *Le Monde* e começa a fazer palavras cruzadas. (Como é quase cego, é Françoise Sagan que lhe lê a grade.) Jean-Edern avista alguma coisa na rua e se precipita lá para fora, gritando: "Modernidade! Cago teu nome!". Já são sete horas, caiu a noite. O delegado Bayard e Simon Herzog voltam para pegar o Peugeot 504 estacionado defronte a casa de Barthes, Bayard tira do para-brisa três ou quatro multas presas ali, e pegam a direção da République, seguidos por um Citroën DS preto e por um Renault Fuego azul.

14.

Jacques Bayard e Simon Herzog perambulam pelos vapores da sauna, com uma toalhinha branca amarrada na cintura, no meio de silhuetas em suor que se esfregam furtivamente. O delegado deixou sua carteira nos vestiários, estão ali incógnitos para não assustar o gigolô de brinquinho, caso o localizem.

A bem da verdade, formam um casal bastante verossímil: o velho musculoso, torso peludo, que está de olho em tudo, com ar inquisidor, e o jovem magrela, glabro, que dá umas olhadas furtivas. Simon Herzog, com seu jeito de antropólogo amedrontado, excita as cobiças, os homens com quem cruza o encaram longamente e se viram à sua passagem, mas Bayard também faz certo sucesso. Dois ou três jovens lhe lançam olhares provocantes e um gordo o encara à distância, com a mão tapando o sexo: aparentemente, o estilo Lino Ventura tem seus adeptos. Se Bayard se enfurece porque aquela cambada de veados pode confundi-lo com um deles, é bastante profissional para disfarçar, contentando-se em exibir um ar levemente hostil a fim de desencorajar qualquer iniciativa de aproximação.

O complexo se divide em diferentes espaços: sauna propriamente dita, banho turco, piscina, *backrooms* de tamanhos e configurações diversas. A fauna também é variada; todas as idades, todos os tamanhos, todas as corpulências estão representadas. Mas quanto ao que o delegado e seu ajudante foram buscar, há um problema: a metade dos homens presentes usa um brinquinho, e a percentagem atinge quase cem por cento para os abaixo de trinta anos, quase todos magrebinos. Infelizmente, o indício dos cabelos também não adianta: os que, entre os jovens, podem ter uma franja que lhes cai no rosto são indetectáveis num ambiente daqueles pois quando estão de cabelo molhado o alisam mecanicamente para trás.

Resta o último indício: o sotaque do Sul. Mas isso supõe, mais cedo ou mais tarde, estabelecer um contato verbal.

Num canto da sauna, sentados em um banco de cerâmica, dois jovens efebos se beijam masturbando-se mutuamente. Discreto, Bayard se inclina para ver se usam brinco. Sim, os dois. Mas se fossem gigolôs, perderiam tempo um com o outro? É possível, Bayard nunca trabalhou na Delegacia de Costumes e não é especialista em costumes. Arrasta Simon para uma volta pelo local. Vê-se mal, a luz é fraca, o vapor da água forma um nevoeiro denso, e alguns se isolam em *backrooms* de onde só é possível observá-los pelas janelas de grades. Cruzam com um árabe de cara assustada e que tenta tocar no sexo de todo mundo, dois japoneses, dois bigodudos de cabelos gordurentos, gordos tatuados, velhos lascivos, jovens com olhos de veludo. Usam a toalha amarrada na cintura ou no ombro, todos estão nus dentro da piscina, alguns ficam de pau duro, outros não. Ali também há todos os tamanhos e todas as formas. Bayard tenta selecionar os portadores de brinco e, quando localiza quatro ou cinco, aponta um para Simon e o manda ir falar com ele.

    Simon Herzog sabe muito bem que seria mais lógico Bayard abordar o gigolô, e não ele, mas diante da cara fechada do tira, compreende que é inútil discutir. Desajeitado, aproxima-se do gigolô e dá boa-noite. Sua voz treme. O outro sorri mas não responde nada. Fora de sua sala de aula, Herzog é de natureza mais tímida, nunca foi um grande paquerador. Consegue articular uma ou duas banalidades que logo considera deslocadas ou ridículas. Sem uma palavra, o outro pega sua mão e o arrasta para os *backrooms*. Simon, sem forças, o segue. Sabe que deve reagir depressa. Pergunta com voz lívida: "Como é seu nome?". O outro responde: "Patrick". Nem um *o* nem um *eu* para detectar o sotaque do Sul. Simon entra numa pequena cela seguindo o jovem, que o agarra pelos quadris e se ajoelha na frente dele. Simon resmunga, na esperança de fazê-lo proferir uma frase completa: "Não quer que eu comece?". O outro diz não e passa a mão debaixo da toalha de Simon, que estremece. A toalha cai. Simon constata com surpresa que seu pau, dentro dos dedos do rapaz, não está totalmente em repouso. Então resolve dar um xeque-mate: "Espere! Espere! Sabe o que eu gostaria?". O outro pergunta: "O quê?". Ainda sem sílabas suficientes para detectar o sotaque.

"Quero cagar em cima de você!" O outro olha, surpreso. "Posso?" Então, finalmente, Patrick responde sem nenhum sotaque meridional: "Tudo bem, mas vai ser mais caro!". Simon Herzog apanha sua toalha e foge, deixando escapar: "Azar! Fica para outra vez?". Se tiver de fazer isso com a dúzia de gigolôs potenciais que gravitam pela boate, a noite corre o risco de ser longa. Volta a cruzar com o árabe assustado que tenta, de passagem, tocar no seu pau, com os dois bigodudos, os dois japoneses, os gordos tatuados, os jovens efebos, e encontra Bayard na hora em que ressoa uma voz forte, professoral e fanhosa: "Um lacaio da ordem exibe seus músculos repressivos num lugar de biopoder? Nada mais normal!".

Atrás de Bayard, um careca de corpo seco e maxilar quadrado está sentado, nu, de braços cruzados, apoiado no encosto de um banco de madeira, as pernas largamente abertas, sendo chupado por um jovem filiforme que usa um brinco mas tem cabelo curto. "Encontrou alguma coisa interessante, delegado?", pergunta Michel Foucault encarando Simon Herzog.

Bayard disfarça a surpresa mas não sabe o que responder. Simon Herzog arregala os olhos. O eco dos *backrooms* enche o silêncio com gritos e gemidos. Os bigodudos, na sombra, estão de mãos dadas observando de soslaio Bayard, Herzog e Foucault. O árabe pegador de paus perambula. Os japoneses fingem ir tomar banho na piscina, com a toalha na cabeça. Os tatuados abordam os efebos, ou vice-versa. Michel Foucault interroga Bayard: "O que acha deste lugar, delegado?". Bayard nada responde, ouve-se apenas o eco dos *backrooms*: "Ahn! Ahn!". Foucault: "Veio procurar alguém mas pelo visto já encontrou". Aponta para Simon Herzog, rindo: "O seu Alcibíades!". Nos *backrooms*: "Ahn! Ahn!". Bayard: "Procuro alguém que viu Roland Barthes pouco tempo antes do acidente". Foucault, acariciando a cabeça do rapaz que se esfalfa entre suas pernas: "Roland tinha um segredo, sabe…".

Bayard pergunta qual. Os *backrooms* gemem cada vez mais alto. Foucault explica a Bayard que Barthes concebia o sexo à maneira ocidental, isto é, ao mesmo tempo como uma coisa secreta e como uma coisa cujo segredo precisava ser desvendado. "Roland Barthes", disse, "era a ovelha que queria ser pastor. E foi! E o mais brilhantemente impossível! Mas só para todo o resto. Para o sexo, sempre permaneceu ovelha." Os *backrooms* mugem: "Ah! Ah! Ah! Ah!". O árabe pegador tenta passar a mão debaixo da toalha de Simon, que o afasta suavemente, então ele vai abordar os bigodudos. "No fundo", diz Foucault, "Roland tinha um temperamento cristão. Vinha aqui como os primeiros cristãos iam à missa: sem entender nada mas com fervor. Acreditava, sem saber por quê." (Nos *backrooms*: "Vai! Vai!".) "A homossexualidade o repugna, não é, delegado? ('Mete mais! Mete mais!'). No entanto, vocês é que nos criaram. A noção de homossexualidade masculina não existia na Grécia Antiga: Sócrates podia enrabar Alcibíades sem passar por pederasta, os gregos tinham uma ideia mais elevada do que podia ser a corrupção da juventude..."

Foucault joga a cabeça para trás, fechando os olhos, sem que Bayard nem Herzog consigam determinar se ele se entrega ao prazer ou reflete. E, sempre, o coro que sobe dos *backrooms*: "Ai! Ai!".

Foucault reabre os olhos, como se acabasse de se lembrar de alguma coisa: "Os gregos tinham, porém, seus limites. Negavam ao rapaz sua parte de prazer. Não podiam proibi-lo, é claro, mas não o concebiam, e finalmente procediam como nós: contentavam-se em excluir em nome da decência. (Nos *backrooms*: "Não! Não! Não!".). "A decência é sempre o meio mais eficaz de coerção, no final das contas..." Aponta para o seu entrepernas: "Isto não é um cachimbo, como diria Magritte, rá-rá!", depois levanta a cabeça do rapaz, que não parou de chupá-lo conscienciosamente: "Mas você gosta de me chupar, não é, Hamed?".

O rapaz balança a cabeça, devagarinho. Foucault olha para ele com ternura e diz, acariciando-lhe a face: "Fica bem em você, esse cabelo curto". O rapaz responde sorrindo: "Fica *bieng*, sim!".

Bayard e Herzog apuram o ouvido, não garantem ter ouvido direito mas ele acrescenta: "Você é *bieng* legal, Michel, e *tieng* um *liendo* pau, pô!".

15.

Sim, ele viu Roland Barthes, há poucos dias. Não, não tiveram propriamente relações sexuais. Barthes chamava isso de "andar de barco". Mas não era muito ativo. Era mais sentimental. Pagou-lhe um omelete no La Coupole e depois insistiu para levá-lo ao seu quartinho de empregada. Tomaram chá. Não falaram de nada especial, Barthes não era muito falante. Era pensativo. Antes de deixá-lo, ele lhe perguntou: "O que faria se fosse dono do mundo?". O gigolô respondeu que aboliria todas as leis. Barthes dissera: "Até a gramática?".

16.

É uma calma relativa que reina no saguão do Hospital La Pitié-Salpêtrière. Os amigos, admiradores, conhecidos ou curiosos de Roland Barthes, revezando-se dia após dia à cabeceira do grande homem, povoam o saguão do hospital conversando em voz baixa, com um cigarro, um sanduíche, um jornal, um livro de Guy Debord ou um romance de Kundera na mão, quando de repente surgem três aparições, uma mulher, baixa, cabelo curto, enérgica, emoldurada por dois homens, um de camisa branca, desabotoada, deixando ver o peito, mantô preto comprido, cabeleira preta ao vento, o outro com cabeça de pássaro, piteira nos lábios, cabelo bege.

A esquadrilha cruza a multidão com passo decidido, sente-se que algo vai acontecer, há uma espécie de Operação Overlord no ar, enfiam-se no pavilhão dos comatosos. Os que estão ali por Roland Barthes se interrogam com o olhar, os outros visitantes também. Cinco minutos não se passaram quando se ouvem as primeiras explosões de voz: "Deixem-no morrer! Deixem-no morrer!".

Os três anjos da vingança voltam, enfurecidos, do reino dos mortos: "É um morredouro! É um escândalo! Estão zombando de quem? Por que ninguém nos avisou? Se tivéssemos vindo aqui!". Pena que não teve fotógrafo na sala para imortalizar aquele grande momento da história dos intelectuais franceses: Kristeva, Sollers, Bernard-Henri Lévy dando uma bronca no pessoal do hospital para denunciar as condições indignas em que se trata um paciente tão prestigioso como seu grande amigo Roland Barthes.

O leitor se espantará talvez com a presença de BHL, mas na época ele já participava de todos os lances de prestígio. Barthes o apoiou como "novo filósofo" em termos meio opacos mas relativamente oficiais, e, aliás, por causa disso Deleuze lhe passou um carão. Barthes sempre foi fraco, não sabia dizer não, segundo seus amigos. Quando BHL lhe envia um exemplar de *A barbárie de rosto humano*, publicado em 1977, ele retribui com uma resposta educada em que se contenta, sem se deter profundamente, com elogios sobre o estilo. Não seja por isso, BHL consegue publicar a carta em *Les Nouvelles littéraires*, liga-se a Sollers, e ei-lo, três anos depois, elevando a voz no La Salpêtrière, demonstrando uma solicitude barulhenta por seu amigo, o grande crítico.

Ora, enquanto ele e os dois acólitos prosseguem o escândalo latindo para cima da pobre equipe médica ("É preciso transferi-lo imediatamente! Para o Hospital Americano! Liguem para Neuilly!"), duas silhuetas de terno mal cortado se esgueiram pelo corredor e ninguém presta atenção neles. Jacques Bayard, presente no local, observa, perplexo, levemente assustado, os molinetes do moreno alto de mantô preto e os chilreios dos dois outros. A seu lado, Simon Herzog, cumprindo a tarefa para a qual foi requisitado, lhe explica quem são aquelas pessoas, debruçado em seu ouvido à maneira de um tradutor simultâneo, enquanto os três vingadores eructam, percorrendo o saguão do hospital num quadriculado aparentemente errático mas que não me surpreenderia se obedecesse a alguma obscura coreografia tática.

Eles continuam a latir ("Vocês viram quem é? E fingem acreditar que se pode tratar de Roland Barthes como um paciente qualquer?" Entre essa gente, é sempre a busca de privilégios a característica predileta…) quando as duas silhuetas malvestidas reaparecem no saguão antes de desaparecerem discretamente. E eles ainda estão ali quando surge uma enfermeira aflita, uma loura de pernas fuseladas, que vem cochichar alguma coisa ao ouvido do doutor. Segue-se um movimento geral, todos se acotovelam, metem-se pelo corredor, precipitam-se para o quarto de Barthes. O grande crítico jaz no chão, desentubado, com todos os fios arrancados, a bata de hospital, fina como papel, revelando suas nádegas moles. Ele emite um ronco, enquanto o viram, e revolve olhos desvairados, mas quando repara no delegado Jacques Bayard, que se juntou aos médicos, soergue-se num esforço sobre-humano, agarra-o pelo paletó, obrigando-o a se agachar, e pronuncia distintamente, embora com voz fraca, com sua famosa voz de baixo que lembra, a ponto de se confundir, a de Philippe Noiret, mas alquebrada e como que num soluço:

"Sophia! Ela sabe…"

Na moldura da porta, ele vê Kristeva, ao lado da enfermeira

loura, seus olhos se fixam nela por longos segundos, todos no quarto ficam imóveis, médicos, enfermeiras, amigos, policiais, paralisados pela intensidade de seu olhar perdido, e depois ele perde os sentidos.

Lá fora, um Citroën DS preto arranca, cantando os pneus. Simon Herzog, que ficou no saguão, não presta atenção.

Bayard pergunta a Kristeva: "Sophia é a senhora?". Kristeva responde não. Mas como ele espera a continuação, ela acaba por acrescentar, pronunciando à francesa, com o "j" e o "u" palatalizados: "Eu me chamo Julia". Bayard detecta vagamente seu sotaque estrangeiro, pensa que deve ser uma italiana, ou uma alemã, ou talvez uma grega ou uma brasileira, ou uma russa. Acha seu rosto duro, não gosta do olhar penetrante que ela lhe lança, e sente muito bem que aqueles olhinhos pretos querem lhe dizer que ela é uma mulher inteligente, mais inteligente que ele, e que o despreza por ser um policial cretino. Mecanicamente ele pergunta: "Profissão?". E quando ela assume um ar desdenhoso para responder "psicanalista", ele tem vontade, instintivamente, de lhe dar um tapa, mas se segura. Ainda tem os dois outros para interrogar.

A enfermeira loura põe novamente Barthes no leito, ele continua inconsciente, Bayard manda instalar dois policiais de plantão à porta do quarto e proíbe as visitas, até segunda ordem. Depois, dirige-se aos dois palhaços.

Nome, sobrenome, idade, profissão.

Philippe Joyaux, vulgo Sollers, quarenta e quatro anos, escritor, casado com Julia Joyaux, Kristeva de solteira.

Bernard-Henri Lévy, trinta e dois anos, filósofo, ex-aluno da Escola Normal Superior.

Os dois homens não estavam em Paris quando aconteceu. Barthes e Sollers eram muito ligados... Barthes participou da revista *Tel Quel* de Philippe Joyaux vulgo Sollers, e foram à China juntos, com Julia, há uns anos... Fazer o quê? Viagem de estudos... Comunistas nojentos, pensa Bayard. Barthes escreveu vários artigos louvando o trabalho de Sollers... Barthes é como um pai para ele, mesmo se às vezes se imaginasse que Barthes era um garotinho... E Kristeva? Barthes declarou um dia que, se gostasse de mulheres, seria apaixonado por Julia... Ele a adorava... E o senhor não era ciumento, sr. Joyaux? Hahaha... Não temos, Julia e eu, esse tipo de relação... E além disso, o pobre Roland já não era muito feliz com os homens... Por quê? Não sabia como abordá-los... Sempre era passado para trás!... Sei, sei. E o senhor, sr. Lévy? Eu o admiro muito, é um grande homem. Também viajou com ele? Eu tinha vários projetos para lhe apresentar. Que gênero de projetos? Um projeto de filme sobre a vida de Charles Baudelaire, pensei em lhe propor o papel principal, um projeto de entrevista cruzada com Soljenítsin, um projeto de petição para que a Otan vá liberar Cuba. Pode fornecer elementos que deem credibilidade a esses projetos? Sim, claro, falei deles com André Glucksmann, que pode testemunhar. Barthes tinha inimigos? Sim, muitos, responde Sollers. Todo mundo sabe que ele é nosso amigo e nós temos muitos inimigos! Quem? Os estalinistas! Os fascistas! Alain Badiou! Gilles Deleuze! Pierre Bourdieu! Cornelius Castoriadis! Pierre Vidal-Naquet! Ahnn, Hélène Cixous! (BHL: Ah, é? Ela e Julia estão brigadas? Sollers: Sim... não... ela tem ciúme de Julia por causa de Marguerite...)

Marguerite de quê? Duras. Bayard anota todos os nomes. O sr. Joyaux conhece um certo Michel Foucault? Sollers começa a girar sobre si mesmo como um dervixe, cada vez mais rápido, a piteira sempre presa aos lábios, com a ponta incandescente desenhando graciosas curvas alaranjadas pelo corredor do hospital: "A verdade, senhor delegado?... Nada mais que a verdade... toda a verdade... Foucault tinha ciúme da notoriedade de Barthes... e, sobretudo, ciúme de que eu, Sollers, amasse Barthes... pois Foucault é um tirano da pior espécie, senhor delegado: doméstico... Imagine só, senhor representante da ordem pública, huf, huf, que Foucault me lançou um ultimato... 'Você terá de escolher entre Barthes e eu!'... Melhor escolher entre Montaigne e La Boétie... Entre Racine e Shakespeare... Entre Hugo e Balzac... Entre Goethe e Schiller... Entre Marx e Engels... Entre Merckx e Poulidor... Entre Mao e Lênin... Entre Breton e Aragon... Entre Laurel e Hardy... Entre Sartre e Camus (hum, não, eles não)... Entre De Gaulle e Tixier-Vignancour... Entre o Planejamento e o Mercado... Entre Rocard e Mitterrand... Entre Giscard e Chirac...". Sollers diminui suas rotações. Tosse com a piteira na boca. "Entre Pascal e Descartes... cof cof... Entre Trésor e Platini... Entre Renault e Peugeot... Entre Mazarin e Richelieu... Sssss..." Mas quando se pensa que ele vai sossegar, Sollers recupera um novo fôlego. "Entre a Rive Gauche e a Rive Droite... Entre Paris e Pequim... Entre Veneza e Roma... Entre Mussolini e Hitler... Entre o chouriço e o purê..."

De repente ouve-se barulho no quarto. Bayard abre, vê Barthes sacudido por espasmos, falando em seu sono, enquanto a enfermeira tenta arrumá-lo na cama. Ele fala de "texto estrelado", à maneira de um "pequeno sismo", de "blocos de significação" cuja leitura só capta a superfície lisa, imperceptivelmente soldada pelo ritmo das frases, pelo discurso fluido da narração, pela grande naturalidade da linguagem corrente.

Bayard manda vir, imediatamente, Simon Herzog, para traduzir. Barthes se agita cada vez mais no leito. Bayard se debruça e lhe pergunta: "Sr. Barthes, viu o agressor?". Barthes abre olhos alucinados, agarra Bayard pela nuca e declara, com o fôlego curto, devorado de angústia: "O significante tutor será recortado numa sequência de curtos fragmentos contíguos, que chamaremos aqui de lexias, já que são unidades de leitura. Esse recorte, é preciso dizer, será absolutamente arbitrário; não implicará nenhuma responsabilidade metodológica, já que se referirá ao significante, enquanto a análise proposta se refere unicamente ao significado...". Bayard interroga Herzog com o olhar, e ele dá de ombros. Barthes assobia entre os dentes, com o ar ameaçador. Bayard lhe pergunta: "Sr. Barthes, quem é Sophia? O que ela sabe?". Barthes olha para ele sem entender ou entendendo bem demais, e começa a recitar com voz rouca: "O texto, em sua massa, é comparável a um céu, plano e profundo ao mesmo tempo, liso, sem beiras e sem referências; assim como o áugure recortando com a ponta de seu bastão um retângulo fictício para interrogar segundo certos princípios o voo dos pássaros, o comentarista traça ao longo do texto zonas de leitura, a fim de observar a migração dos sentidos, o afloramento dos códigos, a passagem das citações". Bayard fulmina Herzog, cujo rosto perplexo lhe indica sem equívoco que ele é incapaz de lhe traduzir aquela algaravia, mas Barthes está à beira da histeria quando começa a gritar, como se sua vida dependesse disso: "Tudo está no texto! Entende? Encontre o texto! A função! Ah, que idiotice!". E depois cai de novo sobre o travesseiro e murmura, como recitando: "A lexia é apenas o invólucro de um volume semântico, o divisor de águas do texto plural, disposto como uma banqueta de sentidos possíveis (mas regulados, atestados por uma leitura sistemática) sob o fluxo do discurso: a lexia e suas unidades formarão assim uma espécie de cubo de facetas, coberto pela palavra, pelo grupo de palavras, pela frase ou pelo parágrafo, ou seja, pela linguagem que é seu excipiente 'natural'". E perde os sentidos. Bayard o sacode para reanimá-lo, a enfermeira loura deve obrigá-lo a deixar o paciente repousando, e ela manda de novo evacuarem o quarto.

Quando Bayard pede a Simon Herzog que o esclareça, este quer lhe dizer que não se deve dar muita importância a Sollers e a BHL, mas ao mesmo tempo o doutorando vê nisso uma oportunidade, então diz, com avidez: "Deveríamos começar interrogando Deleuze".

Ao sair do hospital, Simon Herzog esbarra na enfermeira loura que cuida de Barthes. "Ah, desculpe, senhorita!" Ela lhe sorri com um sorriso sedutor: "Não se prrreocupe, senhorrr".

17.

Hamed acorda cedo. Os vapores e as substâncias da véspera que ainda impregnam amplamente seu corpo o arrancam de um sono ruim. Atordoado e maldisposto, desorientado, sem referências naquele quarto desconhecido, leva uns instantes até lembrar como chegou lá e o que fez. Sai da cama tentando não acordar o homem ao lado dele, enfia a camiseta sem mangas, pula dentro de seu jeans Lee Cooper, vai fazer um café na cozinha, termina, de passagem, o baseado de ontem que está ali num cinzeiro em forma de jacuzzi, apanha o blusão, um Teddy Smith preto e branco com um grande F vermelho no lugar do coração, e vai embora, batendo a porta.

Lá fora faz um dia bonito e um Citroën DS preto estaciona numa vaga da rua deserta. Hamed aproveita o ar fresco para ouvir Blondie no seu walkman e não vê o DS preto que arranca e anda devagar atrás dele. Atravessa o Sena, margeia o Jardin des Plantes, pensa que com alguma sorte haverá alguém no Flore para lhe pagar um café de verdade, mas no Flore só há seus colegas gigolôs e dois ou três velhos que não consomem, e Sartre também já está lá, tossindo ao fumar o cachimbo diante de um pequeno círculo de estudantes de pulôver, então Hamed pede um cigarro a um pedestre de impermeável que passeia com um beagle de olhos tristes, e o fuma defronte do Pub Saint-Germain, que ainda não abriu, junto com outros jovens gigolôs que, como ele, têm cara de quem dormiu pouco, bebeu demais e fumou demais, e que, quase todos, esqueceram de comer na véspera. Ali está Saïd, que lhe pergunta se ele passou ontem na Baleine Bleue, Harold, que lhe diz que quase trepou com Amanda Lear no Palace, e Slimane, que acabou de cara quebrada mas não sabe mais por quê. Todos concordam que estão ali, sem ter o que fazer, Harold adoraria ver *Le Guignolo* em Montparnasse ou em Odéon mas a primeira sessão é só às duas da tarde. Na calçada do outro lado, dois bigodudos estacionaram o Citroën DS e tomam um café na Brasserie Lip. A roupa deles está amarrotada, como se tivessem dormido no carro, e continuam levando o guarda-chuva. Hamed pensa que seria melhor ir para casa e dormir, mas não tem vontade de subir os seis andares, então descola outro cigarro com um negro que sai do metrô e reflete a fim de saber se deve passar no hospital ou não. Saïd lhe diz que "Babar" está em coma mas que talvez ficasse contente em ouvir sua voz; parece que os comatosos ouvem, como as plantas, quando escutam música clássica. Harold lhes mostra seu blusão bomber dupla-face preto forrado de laranja. Slimane diz que ontem viu na rua um poeta russo conhecido deles, com uma cicatriz, e que era ainda mais bonito assim, e isso o faz dar uns gritinhos. Hamed resolve ir dar um bordejo no La Coupole e sobe a Rue de Rennes. Os dois bigodudos vão atrás, esquecendo os guarda-chuvas, mas o garçom os alcança gritando: "Senhores! Senhores!". Brande os guarda-chuvas como se fossem espadas, mas ninguém presta atenção, embora o dia se anuncie, em princípio, ensolarado. Eles param diante do Cosmos, onde está passando *Stalker*, de Tarkóvski, e um outro filme de guerra soviético, e Hamed se adianta um pouco, mas como também está vendo as vitrines das lojas de roupas, não há o menor perigo de que os senhores o percam.

Porém, um dos dois retorna para ir pegar o Citroën DS.

18.

Na Rue de Bizerte, entre La Fourche e Place Clichy, Gilles Deleuze recebe os dois investigadores. Simon Herzog está radiante de encontrar o grande filósofo, na casa dele, no meio de seus livros, num apartamento que cheira a filosofia e a fumo frio. A tevê está ligada, transmitem um jogo de tênis, Simon observa uma profusão de obras de Leibniz espalhadas por todo canto, ouve-se o poc-poc das bolas, Connors contra Nastase.

Oficialmente, os dois homens estão ali porque Deleuze foi posto em causa por BHL. O interrogatório, portanto, começa por A de acusação.

"Sr. Deleuze, comunicaram-nos um contencioso entre o senhor e Roland Barthes. Qual era o teor?" Poc-poc. Deleuze leva à boca um cigarro fumado pela metade mas apagado. Bayard nota as unhas anormalmente compridas. "Ah, é? Ah, não. Não tenho nenhum contencioso com Roland, fora o fato de que ele apoiou essa nulidade, esse grande cretino de camisa branca."

Simon observa o chapéu posto numa chapeleira. Somado com o que está pendurado no cabideiro da entrada e com o que está sobre a cômoda, é muito chapéu, de todas as cores, estilo Alain Delon em O *samurai*. Poc-poc.

Deleuze afunda na poltrona: "Está vendo esse americano? É o anti-Borg. Bem, não, o anti-Borg é McEnroe: serviço egípcio, alma russa, hein, hum hum. (Ele tosse). Mas Connors (ele pronuncia 'Connorz'), com esse jogo horizontal, esse arriscar-se permanente, essas bolas rasantes... é muito aristocrático também. Borg: jogo de fundo de quadra, devolve a bola bem acima da rede graças ao *liftage*. Qualquer proleta pode entender isso. Borg inventa o tênis do proletário. McEnroe e Connors, evidentemente, jogam como príncipes".

Bayard senta no sofá, sente que terá de escutar um monte de asneiras.

63

Simon permite-se objetar: "Mas Connors é o arquétipo do povo, não é? É o bad boy, o pivete, o bandidinho, que tapeia, contesta, reclama, não sabe perder, é brigão, batalhador, inacreditavelmente tenaz...".

Deleuze reprime um gesto de impaciência: "É? Hum, hum, é interessante como objeção".

Bayard pergunta: "É possível que tenham desejado roubar alguma coisa do sr. Barthes. Um documento. Teria alguma ideia, sr. Deleuze?".

Deleuze vira-se para Simon: "Não é certo que a pergunta *o que é?* seja uma boa pergunta. Pode ser que perguntas do tipo *quem? quanto? como? onde? quando?* sejam melhores".

Bayard acende um cigarro e pergunta, paciente, quase resignado:

"O que quer dizer?"

"Bem, é evidente que se o senhor vem me encontrar, mais de uma semana depois dos fatos, para jogar na minha cara as insinuações nojentas de um filósofo imbecil, é porque o acidente de Roland com certeza não é acidente. Portanto, procura um culpado. Isto é, um motivo. Mas o caminho é longo até o *por quê*, não é? Suponho que a pista do motorista não deu em nada? Ouvi que Roland tinha voltado a si. Ele não quis dizer nada? Então, muda-se de *por quê*."

Na tevê ouve-se Connors ofegante toda vez que lança a bola. Simon dá uma olhada pela janela. Avista um Renault Fuego azul estacionado embaixo.

Bayard pergunta por que Barthes, segundo Deleuze, não deseja revelar o que sabe. Deleuze responde que não tem ideia mas que sabe uma coisa: "O que quer que aconteça, ou o que quer que seja oferecido, há pretendentes. Isto é, há pessoas que dizem: para isso aí, sou eu o melhor".

Bayard puxa o cinzeiro em forma de mocho que está na mesa de centro: "E o senhor, o que pretende, sr. Deleuze?".

Deleuze emite um leve ruído entre a chacota e a tosse: "Sempre pretendemos aquilo que não podemos ser ou aquilo que fomos um dia e nunca mais tornaremos a ser, senhor delegado. Mas não creio que seja essa a questão, não é mesmo?".

Bayard pergunta qual é a questão.

Deleuze reacende o cigarro: "Como selecionar os pretendentes".

No prédio, ouve-se o eco de uma mulher que grita. Não se sabe se é de prazer ou de raiva. Deleuze aponta um dedo para a porta: "As mulheres, senhor delegado, não são assim de nascença, não são mulheres por natureza. As mulheres têm um tornar-se-mulher". Levanta-se, também arfando um pouco, e vai se servir de um copo de vinho tinto. "Nós, é a mesma coisa."

Bayard, desconfiado, pergunta: "Acredita que somos todos iguais? Pensa que o senhor e eu somos iguais?".

Deleuze sorri: "Sim... bem, em certo sentido".

Bayard, tentando demonstrar boa vontade, mas deixando insinuar-se uma forma de reticência:

"Também procura a verdade?"

"Ora! A verdade... Onde é que ela começa, onde é que termina... Estamos sempre no meio de alguma coisa, sabe."

Connors ganha o primeiro set, 6-2.

"Como determinar, entre os pretendentes, qual é o certo? Se tiver o *como*, terá o *por quê*. Pegue os sofistas, *por exemplo*: o problema, quando seguimos Platão, é que eles pretendem alguma coisa a que não têm direito... Pois é, esses danadinhos enganam!". Esfrega as mãos. "Os processos são sempre os pretendentes..."

Desce o copo de um gole e acrescenta, olhando para Simon: "É tão divertido como um romance".

Simon cruza seu olhar.

19.

"Ah, não, é absolutamente impossível, me recuso categoricamente! Não irei! Chega! Está fora de questão pôr os pés naquele palácio! Não sou necessário para decodificar a palavra daquele filho da mãe! E não preciso escutá-lo; vou resumir: 'Sou o lacaio servil do grande capital. Sou o inimigo da classe operária. Detenho todos os meios de informação. Quando não caço elefante na África, pratico a caça às rádios piratas. Amordaço a liberdade de expressão. Meto centrais nucleares por todo lado. Sou um cafetão demagógico que se convida para a casa de gente pobre. Sou um receptador de diamantes. Gosto de me fingir de proletário no metrô. Gosto dos negros quando são imperadores ou lixeiros. Quando ouço a palavra humanitário, despacho os paraquedistas. Utilizo os bastidores da extrema direita para resolver meus probleminhas. Estou cagando para a Assembleia Nacional. Eu sou... Eu sou... Um GRANDE FASCISTA!'"

Simon acende um cigarro, trêmulo. Bayard espera que sua crise termine. Nesse estágio da investigação, tendo em vista os elementos de que dispõe, ele fez chegar aos superiores um primeiro relatório, e desconfiava que tudo aquilo ganharia amplitude, mas não a ponto de ser convocado por lá. Com o jovem.

"De qualquer maneira, não irei, não irei, não irei", disse o jovem.

20.

"O senhor presidente vai recebê-los."

Jacques Bayard e Simon Herzog penetram numa sala de canto bem iluminada, paredes forradas com seda verde. Simon está lívido mas nota instintivamente as duas poltronas que ficam em frente à mesa atrás da qual está Giscard e, do outro lado da sala, outras poltronas com um sofá instalados em torno de uma mesa de centro. O estudante logo percebe os termos da alternativa: caso o presidente deseje estabelecer uma distância com os visitantes ou, ao contrário, dar ao encontro um tom mais convivial, ele os recebe atrás da escrivaninha, que usa como muralha, ou os acomoda em torno da mesa de centro sobre a qual todos se debruçam para comer uns docinhos. Simon Herzog também nota um livro sobre Kennedy, colocado em evidência sobre um atril para sugerir a imagem do chefe de Estado jovem e moderno que Giscard também pretende encarnar; duas caixas, uma azul e uma vermelha, postas em cima de uma escrivaninha roll; bronzes aqui e acolá; pilhas de pastas numa altura sabiamente calculada: baixas demais, dariam a impressão de que o presidente não mexe numa palha; altas demais, que está abarrotado de trabalho. Várias telas de mestres ornamentam as paredes. Giscard, em pé atrás de sua mesa maciça, aponta uma delas, que representa uma mulher bela e severa, braços afastados, usando um fino vestido branco aberto até o ventre, cobrindo apenas seus seios pesados e leitosos: "Tenho a sorte de ter conseguido do museu de Bordeaux o empréstimo de uma das mais belas obras da pintura francesa: A *Grécia sobre as ruínas de Missolonghi*, de Eugène Delacroix. Magnífico, não é? Conhecem Missolonghi, é claro: é a cidade onde morreu Lord Byron, durante a guerra de independência contra os turcos. Em 1824, acho. (Simon repara o coquetismo do 'acho'.) Uma guerra pavorosa, os otomanos eram de grande ferocidade".

Sem sair da mesa, sem esboçar um gesto para cumprimentá-los, convida-os a se sentarem. Para eles, nada de canapé, nada de docinhos. Sempre em pé, o presidente prossegue: "Sabem o que Malraux disse de mim? Que eu não tinha o sentido do trágico da história". De canto de olho, Simon observa Bayard, que espera, calado, dentro de seu impermeável.

Giscard volta ao quadro, então os dois visitantes se sentem obrigados a se virar para mostrar que o estão seguindo: "Talvez eu não tenha o sentido do trágico da história, mas pelo menos sinto a emoção da beleza trágica diante dessa jovem mulher, ferida no flanco, e que carrega a esperança da libertação de seu povo!". Não sabendo como pontuar a fala presidencial, os dois homens se calam, o que não parece perturbar Giscard, acostumado com os sinais silenciosos do assentimento cortês. Quando o homem de fala chiante gira para olhar pela janela, Simon entende que aquele momento serve de transição e que agora vão chegar aos fatos.

Sem se virar, oferecendo aos interlocutores o espetáculo de seu crânio careca, o presidente recomeça: "Encontrei Roland Barthes uma vez. Convidei-o ao Elysée. Um homem absolutamente encantador. Tinha analisado o cardápio durante quinze minutos e nos deu uma demonstração muito brilhante do valor simbólico de cada prato. Era absolutamente apaixonante. Pobre homem, eu soube que ele se recuperou muito mal da morte da mãe, não é?".

Sentando-se, enfim, Giscard se dirige a Bayard: "Delegado, no dia do atropelamento o sr. Barthes estava em posse de um documento que lhe foi furtado. Desejo que encontre tal documento. Trata-se de um caso de segurança nacional".

Bayard pergunta: "Qual é a natureza exata desse documento, senhor presidente?".

Giscard se inclina para frente e, com os dois punhos sobre a mesa, pronuncia em tom grave: "É um documento vital que põe em jogo a segurança nacional. Utilizado com maus propósitos, poderia causar estragos incalculáveis e pôr em perigo os próprios fundamentos da democracia. Infelizmente não posso lhe dizer mais. O senhor deverá agir com absoluta discrição. Mas terá carta branca".

Depois, fixa enfim os olhos em Simon: "Meu jovem, disseram-me que servia de... guia para o delegado? Então conhece bem o meio da linguística em que evoluía o sr. Barthes?".

Simon não se faz de rogado para responder: "Não, não exatamente".

Giscard lança um olhar interrogativo para Bayard, que explica: "O sr. Herzog tem conhecidos que podem ser úteis na investigação. Compreende como essa gente funciona e, ahn, do que se trata exatamente. E pode ver coisas que a polícia não veria".

Giscard sorri: "Então, meu jovem, você é vidente, como Arthur Rimbaud?".

Simon resmunga timidamente: "Não, de jeito nenhum".

Giscard lhe aponta as duas caixas, vermelho e azul, postas sobre a escrivaninha roll, atrás deles, debaixo da Grécia de Delacroix: "A seu ver, o que há ali dentro?".

Simon não entende que está sendo submetido a um teste e, antes de considerar se vale a pena passar, responde, por reflexo: "Medalhas da Legião de Honra, imagino?".

O sorriso de Giscard alarga-se. Ele se levanta para ir abrir uma das caixas, de onde tira uma medalha:

"Posso lhe perguntar como adivinhou?"

"Bem, hum. Toda a sala está saturada de símbolos: os quadros, as tapeçarias, as sancas do teto... Cada objeto, cada detalhe tem a vocação de expressar o fausto e a majestade do poder republicano. A escolha de Delacroix, a foto de Kennedy na capa do livro exposto no atril: tudo é pesadamente significante. Mas o símbolo só tem valor quando se exibe. Um símbolo escondido no fundo de uma caixa não serve para nada, e eu diria até: não existe.

"Ao mesmo tempo, suponho que não é nesta sala que o senhor guarda as lâmpadas e as chaves de fenda. Parecia-me pouco provável que essas duas caixas servissem de caixa de ferramentas. E se servissem para guardar clipes ou o grampeador, estariam sobre sua mesa de trabalho, ao alcance da mão. Portanto, o conteúdo não é simbólico nem funcional. Mas deve ser um ou outro. O senhor poderia guardar suas chaves ali dentro, mas suponho que no Elysée não é o presidente que é encarregado de abrir ou fechar as portas, e o senhor também não precisa de suas chaves do carro já que tem motorista. Então, só restava uma solução: um símbolo adormecido, que aqui não significaria nada em si mesmo mas só seria ativado em outro lugar, fora desta sala: o símbolo miniatura e móvel do que simboliza este lugar, a saber, a grandeza republicana. Assim, uma medalha, tudo indica, visto o local, a Legião de Honra. Hum."

Giscard troca um olhar entendido com Bayard: "Creio que vejo o que quer dizer, delegado".

21.

Hamed beberica seu Malibu-sunrise contando um pouco sua vida marselhesa e seu interlocutor bebe suas palavras sem realmente escutá-lo. Hamed conhece esse olhar de cocker: ele é o dono desse homem, porque suscita nele o desejo alucinado de possuí-lo. Talvez ele tope, ou não, e talvez tenha um certo prazer, mas esse prazer será, tudo indica, menor que o sentimento de potência que lhe proporciona sua posição de objeto de desejo, e é o lado bom de ser jovem, bonito e pobre: pode desprezar tranquilamente, sem pensar no assunto, aqueles que, de um jeito ou de outro, estão dispostos a pagar para tê-lo.

A festa está no auge, e como sempre o sentimento de não estar no seu lugar, naquele grande apartamento burguês, no centro da capital, naquele inverno que está terminando, o inebria com uma alegria ruim. O que se rouba vale duas vezes o que se ganha com o suor do rosto, então ele volta para o bufê, para se servir de mais canapés de tapenade, que lhe lembram vagamente o Sul, e abre caminho entre as pessoas que rebolam ao som de "Gaby oh Gaby", de Bashung. Encontra Slimane, que engole umas torradinhas com escargots esforçando-se para rir das piadas de um editor barrigudo que lhe bolina discretamente a bunda. Ao lado deles, uma jovem cai na gargalhada, jogando com exagero a cabeça para trás: "Então ele para... e dá marcha a ré!". Na janela, Saïd fuma um baseado na companhia de um negro com cara de diplomata. As caixas de som sopram os primeiros compassos de "One Step Beyond" e um arrepio de falsa histeria percorre a sala, as pessoas gritam como se a música as transportasse, como se uma onda de prazer percorresse seus corpos, como se a loucura fosse um cão fiel que tivessem perdido e que voltasse para junto delas abanando o rabo, como se pudessem parar de pensar ou não pensar durante um solo bem ritmado do saxofone meio gutural. Em seguida, haverá músicas *disco* para manter o bom humor. Hamed se serve de um prato de tabule com trufas, localizando os convidados capazes de lhe oferecer uma carreirinha de cocaína ou, na falta disso, um pouco de *speed*. Os dois lhe dão vontade de trepar mas o *speed* o deixa de pau meio mole, o que, pensa ele, não tem muita importância. Aguentar o máximo possível para não voltar para casa. Hamed se junta a Saïd, na janela. Um poste ilumina o painel publicitário, na esquina do Boulevard Henri-IV, mostrando Serge Gainsbourg de terno e gravata e com os dizeres: "Um Bayard te transforma em homem. Não é, sr. Gainsbourg?". Hamed não consegue se lembrar por que aquele nome lhe é familiar, e como é meio hipocondríaco vai buscar mais um copo, recitando em voz alta seus compromissos do ano que passou. Slimane contempla uma série de litografias penduradas na parede, representando um degradê arco-íris de cachorros que comem em cumbucas cheias de notas de um dólar, e finge ignorar o editor barrigudo que agora se esfrega em seus quadris e solta um bafo na sua nuca. A voz de Chrissie Hynde escapa das caixas de som para intimar os convidados — nunca se sabe — a pararem de choramingar. Dois cabeludos conversam sobre a morte de Bon Scott e sua possível substituição na banda AC/DC por um caminhoneiro de boné. Um jovem de terno, gravata frouxa, e com cabelo repartido pro lado, repete muito excitado para quem quiser ouvi-lo que sabe de fonte segura que se veem os seios de Marlène Jobert em *Guerra de polícias*. Também dizem que Lennon prepara um single com McCartney. Um gigolô cujo nome Hamed esqueceu vem lhe perguntar se ele tem um pouco de maconha, e de passagem fala mal da festa, que considera muito "Rive Gauche", e lhe aponta pela janela a estátua do gênio da liberdade, na coluna da Bastille: "Sacou o problema, cara? Tudo bem que alguém seja jacobino, mas, vamos e venhamos, isso tem limites". Alguém derruba no tapete o copo de curaçao blue. Hamed hesita em ir embora para retornar a Saint-Germain, mas Saïd lhe faz um sinal em direção do banheiro: duas moças e um velho entram ali ao mesmo tempo. Como eles sabem que não é para trepar mas para cheirar (o que o velho finge ignorar, porque, na falta daquelas duas presas, terá pelo menos um devaneio com elas durante cinco minutos), deduzem que, manobrando habilmente, poderão negociar uma carreirinha, talvez duas. Alguém pergunta a um bigodudo careca se ele é Patrick Dewaere. Para escapar do editor barrigudo, Slimane agarra uma loura de jeans skinny e dança um rock com ela ao som de "Sultans of Swing", de Dire Straits. O editor barrigudo, surpreso, olha o casal rodopiando, tenta um olhar a um só tempo irônico e benevolente para mostrar uma atitude que não engana ninguém. Está sozinho, como nós todos, mas não pode esconder, e ninguém realmente presta atenção nele, a não ser para observar que vive muito mal aquela solidão. Slimane mantém a parceria na música seguinte, "Upside Down", de Diana Ross. Foucault chega no meio da festa com Hervé Guibert, no momento do riff introdutório de "Killing an Arab", de The Cure. Está usando um blusão largo, de couro preto, com correntes, e se cortou ao raspar a cabeça. Guibert é jovem e bonito, de uma beleza tão caricatural que não é possível, senão sendo parisiense, levá-lo a sério como escritor. Saïd e Hamed tamborilam na porta do banheiro, tentando afagar os ocupantes com palavras falaciosas e pretextos alucinantes, mas a porta continua desesperadamente fechada, e de trás dela só chegam ruídos furtivos de metal, esmalte e aspiração... *Standing on a beach, with a gun in my hand...* Como sempre quando chega a algum lugar, Foucault provoca uma espécie de excitação amedrontada, a não ser entre os que estão muito loucos com o *speed* e que pulam por todo lado, escutando o que acham que é uma música de praia: *Staring at the see, staring at the sand...* A porta do banheiro se abre, as duas moças saem junto com o velho, olhando de cima abaixo Saïd e Hamed, fungando ostensivamente, com esse orgulho característico do drogado mundano que ainda não foi agarrado pelos litros de serotonina que partiram em fumaça dentro de seu cérebro e cujos estoques levarão, no correr dos meses e dos anos, cada vez mais tempo para se reconstituir. *I'm alive, I'm dead...* No meio do círculo que já se formou em torno dele, Foucault conta uma história para o jovem Guibert, como se não tivesse notado a efervescência que sua presença provoca, continuando uma conversa iniciada antes da chegada: "Quando eu era pequeno, queria me tornar um peixe vermelho. Minha mãe me dizia: 'Mas, afinal, meu coelhinho, não é possível, você detesta água fria'". A voz de Robert Smith diz: *I'm the stranger!* Foucault: "Isso me afundava num abismo de perplexidade, e eu lhe dizia: então só um segundinho, eu gostaria tanto de saber em que ele pensa...". Robert Smith: ... *Killing an Arab!* Saïd e Hamed resolvem ir para outro lugar, talvez para La Noche. Slimane, de seu lado, retorna para perto do editor barrigudo, porque afinal é preciso comer. *Staring at myself, reflected in the eyes...* Foucault: "Alguém vai ter de confessar. Há sempre um que acaba confessando...". Robert Smith: "... *of the dead man on the beach*...". Guibert: "Ele estava nu no sofá, e impossível encontrar uma cabine telefônica que funcionasse...". *The dead man on the beach...* "E quando finalmente encontra uma, se dá conta de que não tem ficha..." Hamed olha de novo para fora, através da cortina, vê um DS preto estacionado embaixo e diz: "Vou ficar um pouco mais". Saïd acende um cigarro e as silhuetas dos dois se recortam perfeitamente na moldura da janela iluminada pela festa.

22.

"Georges Marchais, dane-se Georges Marchais, é bom que se saiba!"
Daniel Balavoine finalmente conseguiu tomar a palavra, sabe que vão cassá-la por bem ou por mal em menos de três minutos, então solta a todo vapor o seu monólogo irritado para dizer que os políticos são velhos, corruptos e estão completamente por fora.
"Não falo pelo senhor, sr. Mitterrand..."
Mas mesmo assim.
"O que eu queria saber, o que interessaria pra mim, é pra quem os trabalhadores imigrantes pagam os aluguéis que pagam... Eu gostaria... Quem se atreve, todo mês, pra pedir setecentos francos por mês pros trabalhadores imigrantes para viver numas latas de lixo e numas favelas?..." É confuso, não estruturado, cheio de erros de francês, o ritmo é rápido demais, e é magnífico.
Os jornalistas, que como de costume não entendem nada,

praguejam quando Balavoine os critica por nunca convidarem jovens (e o inevitável deboche retórico: bem, a prova é que sim, já que você está aí, imbecil!).

Mas Mitterrand compreendeu muito bem o que está acontecendo. Aquele jovem irritante está lhes mostrando exatamente como eles são, os jornalistas em torno da mesa e todos os seus semelhantes: uns velhos cretinos que vivem parados no seu mundinho já há tanto tempo que, para todo mundo, estão mortos e sequer se deram conta. Ele tenta concordar com o jovem enfurecido, mas cada tentativa de dizer alguma coisa soa como marca de paternalismo deslocado.

"Tento ler rapidamente minhas notas... Em todo caso, o que posso lhe dar é uma recomendação..." Mitterrand mexe nos óculos, mordiscando os lábios, está sendo filmado, é uma transmissão ao vivo, é uma catástrofe. "O que posso lhe dizer é que o desespero é mobilizador e que quando é mobilizador, é perigoso."

O jornalista, com uma ponta de ironia sádica: "Sr. Mitterrand, o senhor queria dialogar com um jovem, e o escutou com muita atenção...". Se vira, meu chapa.

E Mitterrand então começa a se esforçar: "O que me interessa muito é que esse modo de pensar... de reagir... e também de se expressar!, porque Daniel Balavoine também se expressa por escrito, e pela música... tenha direito de existir... possa ser ouvido e, portanto, compreendido". Dá duro, dá duro. "Ele diz isso a seu jeito! É responsável por suas palavras. É um cidadão. Como qualquer outro."

Estamos no dia 19 de março de 1980, no estúdio do telejornal do Antenne 2, são 13h30 e Mitterrand tem mil anos.

23.

Em que pode pensar Barthes morrendo? Em sua mãe, dizem

eles. Foi sua mãe que o matou. Claro, claro, de novo e mais uma vez o probleminha particular, o segredinho horroroso. Como diz Deleuze, todos nós temos uma avó com quem aconteceram coisas inacreditáveis, e daí? "De tristeza." Sim, senhor, ele vai morrer de tristeza e não de outra coisa. Pobres pensadorezinhos franceses trancados em sua visão de um mundo que se reduz à mais mesquinha, mais convencional, mais banalmente egocêntrica esfera do íntimo. Sem enigma, sem mistério, a mãe, a mãe de todas as respostas. O século XX nos livrou de Deus e nos pôs a mãe em seu lugar. Negócio da China. Mas Barthes não pensa na mãe.

Se vocês pudessem captar o fio de seu devaneio acolchoado, saberiam: o homem que vai morrer pensa no que ele foi mas, sobretudo, no que poderia ter sido, e no que mais? Revê, não toda a sua vida, mas o atropelamento. Quem comandou a operação? Ele se lembra de que o manipularam. E em seguida, o documento desapareceu. Seja quem for o cérebro, estamos provavelmente na véspera de uma catástrofe sem precedentes. Ao passo que ele, o Roland de sua mamãe, saberia fazer um bom uso do documento: um pouco para ele, o resto para o mundo. Sua timidez enfim vencida. Que desperdício. Mesmo se escapar, já será tarde demais para festejar.

Roland não pensa na sua mamãe. Não estamos em *Psicose*.

Em que pensa? Talvez ele veja passar esta ou aquela lembrança, coisas íntimas ou insignificantes ou conhecidas só dele. Era uma noite — ou ainda era dia? —, ele dividia um táxi com seu tradutor americano de passagem por Paris, e com Foucault. Os três se sentaram atrás, o tradutor está no meio e Foucault, como de hábito, monopoliza a conversa, fala com sua voz animada, segura, fanhosa como as vozes do tempo antigo, é ele que controla, como sempre, improvisa uma pequena conferência para explicar a que ponto detesta Picasso, a que ponto Picasso é uma nulidade, e ele ri, evidentemente, e o jovem tradutor escuta comportado, em seu país é um escritor e um poeta, mas ali, escuta com deferência a palavra daqueles dois brilhantes intelectuais franceses e Barthes já sabe que não tem peso diante da facúndia de Foucault, mas deve mesmo assim dizer alguma coisa para não parecer em segundo plano e também ganha tempo rindo, mas sabe que seu riso soa falso, e está constrangido porque tem um jeito constrangido, e é um círculo vicioso, conheceu isso a vida toda, gostaria tanto de ter a segurança de Foucault, mesmo quando fala para seus estudantes e que eles o escutam compungidos, abriga sua timidez por trás de um tom professoral, mas só no escrito é que se sente seguro de si, que está seguro de si, sozinho, refugiado atrás de sua página e de todos os seus livros, seu Proust, seu Chateaubriand, e Foucault continua a tagarelar sobre Picasso, e então Barthes, para não ficar atrás, diz que ele também, ele também detesta Picasso, e ao dizer isso ele se detesta, porque vê muito bem o que está acontecendo, é sua profissão ver o que acontece, e ele se avilta diante de Foucault e provavelmente o jovem e belo tradutor se dá conta, ele cospe em Picasso, mas timidamente, uma pequena cuspida, ao passo que Foucault também ri às gargalhadas, e diz que Picasso é sobrestimado, que ele nunca entendeu bem o que achavam dele e não posso ter certeza de que ele não pensasse isso, afinal, é verdade que Barthes era, em primeiro lugar, um clássico, que no fundo não gostava da modernidade, mas no limite isso pouco importa: embora detestasse Picasso, sabe muito bem que não se trata disso, mas apenas de não ficar em segundo plano diante de Foucault, e que a partir do momento em que Foucault proclama uma asserção tão iconoclasta, ele pareceria um velho imbecil a se espantar e, portanto, ainda que não gostasse realmente de Picasso, agora o denigre e caçoa dele por motivos errados, naquele táxi que o leva Deus sabe para onde.

E é assim, talvez, que Barthes morre, pensando naquele trajeto de táxi, que fecha os olhos e adormece, triste, com a tristeza que sempre o habitou, com mãe ou sem mãe, e talvez também tenha um pequeno pensamento para Hamed. O que acontecerá com ele? E com o segredo de que é depositário? Ele afunda lentamente, suavemente, em seu derradeiro sono e, juro, não é desagradável, mas enquanto suas funções corporais se extinguem uma a uma, seu espírito continua a vagabundear. Aonde esse último devaneio o leva?

Ele deveria ter dito que não gostava de Racine, taí. "Os franceses se orgulham incansavelmente de terem tido seu Racine (o homem das duas mil palavras) e nunca se queixam de não terem tido seu Shakespeare." Eis algo que teria impressionado o jovem tradutor. Mas Barthes escreveu isso bem mais tarde. Ah, se tivesse tido a função, então...

A porta do quarto se abre devagar mas Barthes, em seu sono comatoso, não ouve.

Não é verdade que ele seja "clássico": no fundo, não gosta da secura do século XVII, daqueles alexandrinos cortados à faca, daqueles aforismos cinzelados, daquelas paixões intelectualizadas...

Não ouve os passos que se aproximam de seu leito.

Eram, claro, retóricos fora do comum, mas ele não gosta de sua frieza, de sua pouca carne. As paixões racinianas, pff, grande coisa! Fedra, sim, bem, a cena da confissão, no subjuntivo mais-que-perfeito com valor de futuro do pretérito, tudo bem, isso era genial, Fedra que reescreve a história com ela no lugar de Ariadne e Hipólito no lugar de Teseu...

Não sabe que estão se debruçando sobre seu eletrocardiograma.

Mas Berenice? Tito não a amava, isso salta aos olhos. É muito simples, pareceria Corneille...

Não vê a silhueta remexer nos seus pertences.

E La Bruyère, tão escolar. Pelo menos Pascal conversava com Montaigne, Racine com Voltaire, La Fontaine com Valéry... Mas quem deseja dialogar com La Bruyère?

Não sente a mão que gira delicadamente o potenciômetro do respiradouro.

La Rochefoucauld, sim, sem dúvida. Afinal de contas, Barthes deve muito às *Máximas*. Era um semiólogo precursor, no sentido de que sabia decodificar a alma humana nos signos de nossos comportamentos... O maior senhor da literatura francesa, nada menos... Barthes vê o príncipe de Marcillac cavalgar altivamente ao lado do grande Condé, nos fossos do Faubourg Saint-Antoine, sob o fogo das tropas de Turenne, pensando que, palavra de honra, é um belo dia para morrer...

O que está acontecendo? Ele não consegue mais respirar. Sua garganta encolheu de repente.

Mas a Grande Mademoiselle abrirá as portas da cidade para deixar passarem as tropas de Condé, e La Rochefoucauld, ferido nos olhos, cego por certo tempo, não morrerá, não dessa vez, e se recuperará...

Abre os olhos. E a vê, recortada num halo de luz ofuscante, como uma figura marial. Ele se sufoca, quer chamar por socorro mas nenhum som sai de sua boca.

Ele se recuperará, não é? Não é?

Ela lhe sorri docemente e lhe põe a cabeça em cima do travesseiro para impedi-lo de se soerguer, mas de qualquer maneira ele não tem força para isso. Desta vez vai ser sério, ele sabe disso, gostaria de se abandonar, mas seu corpo involuntariamente convulso, seu corpo quer viver, seu cérebro aflito busca o oxigênio que já não chega ao sangue, seu coração se embala sob o efeito de um último estímulo de adrenalina, e depois desacelera.

"Sempre amar, sempre sofrer, sempre morrer." Finalmente, seu último pensamento será um alexandrino de Corneille.

24.

Telejornal, 26 de março de 1980, 20h, Patrick Poivre D'Arvor: "Senhoras e senhores, boa noite, muitas informações concretas que... (PPDA faz uma pausa) interessam nossa vida de todo dia. Pois é, algumas são rosas, outras menos, deixo que façam a seleção. (De seu apartamento, dos lados da Place Clichy, Deleuze, que nunca perde um telejornal, responde em voz alta, afundado na poltrona: 'Obrigado!'.)

20h01: "Para começar, aumento do custo de vida no mês de fevereiro: 1,1%. 'Não é um índice muito bom', diz René Monory, ministro da Economia — melhor, ainda assim (era difícil ser pior, diz PPDA, e diante de seu televisor, na Rue de Bièvre, Mitterrand pensa a mesma coisa), que o do mês de janeiro: 1,9%. Melhor também que o dos Estados Unidos e da Grã-Bretanha e... igual ao dos alemães ocidentais". (Diante da menção a seu rival alemão, Giscard, que está rubricando documentos na sua sala do Elysée, solta um gritinho mecânico sem levantar os olhos. No seu quarto de empregada, Hamed se prepara para sair, mas não consegue encontrar a outra meia.)

20h09: "Greves também no ensino, amanhã de novo, é o Sindicato que convoca os professores primários de Paris e da Essone para protestarem contra os fechamentos de salas de aula no próximo ano letivo". (Sollers, com uma cerveja chinesa na mão, a piteira vazia na outra, pragueja no sofá: "País de funcionários!...". Kristeva, da cozinha, lhe responde: "Fiz um ensopado de vitela".)

20h10: "Por último, essa informação um pouquinho 'oxigenante', se posso dizer assim (Simon levanta os olhos): em sete anos, na França, há uma considerável diminuição da poluição atmosférica, 30% menos de emissões de enxofre, disse Michel d'Ornano, ministro do meio ambiente, e 46% menos de óxido de carbono também". (Mitterrand tenta fazer uma careta de nojo, mas na verdade isso não muda nada sua expressão habitual.)

20h11: "Agora, no exterior, com o que está acontecendo hoje no Chade... Afeganistão... Colômbia...". (Os países desfilam, ninguém escuta, a não ser Foucault. Hamed encontra a outra meia.)

20h12: "Vitória muito surpreendente de Edward Kennedy nas primárias do estado de Nova York...". (Deleuze pega o telefone para ligar para Guatarri. Em casa, Bayard passa suas camisas diante da tevê ligada.)

20h13: "O número de acidentes em estradas aumentou no ano passado, informa a Polícia Rodoviária: 12 480 mortos e 250 mil acidentes em 1979... portanto, foi o equivalente a toda uma cidade como Salon-de-Provence que desapareceu no ano passado nesses desastres. (Hamed se pergunta por que Salon-de-Provence.) Números que levam a refletir, na véspera das férias de Páscoa...". (Sollers levanta um dedo e exclama: "Refletir!... Refletir, está ouvindo Julia?... Não é maravilhoso? ... Números que levam a refletir, haha!..." Kristeva responde: "Está na mesa!".)

20h15: "Um desastre na estrada que poderia ter tido consequências muito graves: ontem um caminhão que transportava material radioativo bateu em outro de carga antes de capotar numa vala. Não houve vazamento radioativo graças à eficácia dos sistemas de proteção". (Mitterrand, Foucault, Deleuze, Althusser, Herzog, Lacan caem na gargalhada diante de seus respectivos televisores. Bayard acende um cigarro, continuando a passar roupa.)

20h23: "E a entrevista de François Mitterrand em *La Croix*

traz essas frasezinhas que marcarão este momento (sorriso de bem-estar de Mitterrand): 'Giscard continua a ser o homem de um clã, de uma classe e de uma casta. Seu balanço são seis anos de imobilidade, a dança do ventre diante do Velocino de Ouro. E merda, dizia Ubu'. ('Isso é François Mitterrand que diz', esclarece PPDA. Giscard levanta os olhos.) Isso quanto ao Presidente. Quanto a Georges Marchais e seu bando dos três, o seguinte: 'Quando ele quer, diz François Mitterrand, Marchais é um cômico irresistível'. (Althusser, no seu apartamento da Rue d'Ulm, dá de ombros. Grita para a mulher, que está na cozinha: 'Está ouvindo, Hélène?'. Nenhuma resposta.) Enfim, François Mitterrand respondeu à pergunta sobre um possível ticket Mitterrand-Rocard no seio do Partido Socialista, e se conteve... (a língua de PPDA escorrega mas ele se refaz, impassível), se contentou em responder que essa expressão americana não tinha tradução francesa em nossas instituições".

20h24: "Roland Barthes... (pausa de PPDA) morreu esta tarde no Hospital La Pitié-Salpêtrière, em Paris. (Giscard para de rubricar, Mitterrand para de fazer careta, Sollers para de remexer dentro da cueca com a piteira, Kristeva para de mexer o ensopado de vitela e sai correndo da cozinha, Hamed para de enfiar a meia, Althusser para de tentar não brigar com a mulher, Bayard para de passar suas camisas, Deleuze diz a Guattari: 'Depois te ligo!', Foucault para de pensar no biopoder, Lacan continua a fumar seu charuto.) O escritor e filósofo fora vítima de um atropelamento há um mês. Tinha... (pausa de PPDA) sessenta e quatro anos. Ilustrou-se por suas obras sobre a escrita moderna e sobre a comunicação. Bernard Pivot o recebeu em *Apostrophes*: Roland Barthes apresentava seu livro, *Fragmentos de um discurso amoroso*, um livro que fez grande sucesso (Foucault levanta os olhos); e no trecho que vocês vão ver ele explica de um ponto de vista sociológico (Simon levanta os olhos) as relações entre sentimentalismo... (pausa de PPDA) e sexualidade. (Foucault levanta os olhos.) Vamos ouvi-lo". (Lacan levanta os olhos.)

Roland Barthes (voz de Philippe Noiret): "Pretendo que um sujeito — digo um sujeito para não tomar partido de antemão sobre, ahn, o sexo desse sujeito, não é — mas um sujeito amoroso, ahn, pois bem, terá de fato muita dificuldade para... para... para vencer a espécie de tabu do sentimentalismo, ao passo que o tabu da sexualidade hoje se transgride muito facilmente".

Bernard Pivot: "Porque ser apaixonado é ser bobinho?". (Deleuze levanta os olhos. Mitterrand pensa que precisa ligar para Mazarine).

Roland Barthes: "Ahn... sim, em certo sentido, é o que o mundo acredita. O mundo atribui ao sujeito apaixonado duas qualidades, ou duas más qualidades: a primeira costuma ser essa de ser bobo, de fato — há uma bobagem do apaixonado, que aliás ele mesmo sente —, e há também uma loucura do apaixonado — e isso, os discursos populares dizem abundantemente! —, só que é uma loucura comportada, não é mesmo, é uma loucura que não tem a glória da grande loucura transgressiva". (Foucault baixa os olhos, sorrindo.)

Fim do trecho. PPDA recomeça: "Então, como vemos, ahn, Jean-François Kahn, ahn, Roland Barthes era apaixonado por tudo, falava de tudo, ahn, como vimos, ahn, no cinema... Em papéis... Recentemente, ahn, era, afinal, um topa-tudo?". (De fato, ele representou Thackerey em *As irmãs Brontë*, de Téchiné, um pequeno papel que não manchou seu talento, lembra-se Simon.)

J.-F. Kahn (muito exaltado): "Ou seja, aparentemente é um topa-tudo! Sim, ele se dedicou, ahn, ahn, escreveu sobre a moda, as gravatas ou sei lá o quê, escreveu sobre luta livre!... Escreveu sobre Racine, sobre Michelet, sobre a fotografia, sobre o cinema, escreveu sobre o Japão, portanto é um topa-tudo! (Sollers debocha, Kristeva lhe lança um olhar severo.) Mas, pensando bem, há uma unidade. Por exemplo, o último livro dele! Sobre o discurso amoroso... Sobre a linguagem do amor, pois é, na verdade Roland Barthes sempre escreveu sobre a linguagem! Mas acontece que... A gravata dele, a nossa gravata, é um modo de dizer. (Sollers, vagamente indignado: 'Um modo de dizer... Pois sim!...') É um modo de se expressar, a moda. A moto: é um modo que uma sociedade tem de se expressar. O cinema: evidentemente! A fotografia: também. Ou seja, no fundo Roland Barthes é um homem que passou o tempo a perseguir os signos!... Os signos pelos quais uma sociedade, uma coletividade se exprime. Exprime sentimentos difusos, confusos, embora não tenha consciência disso! Nesse sentido, era um excelente jornalista. Aliás, era o mestre de uma ciência que se chama semiologia, ou seja, a ciência dos signos.

"E então, evidentemente, foi um imenso crítico literário! Porque, o mesmo fenômeno: o que é uma obra? Uma obra é aquilo pelo que um escritor se exprime. E o que Roland Barthes mostrou é que há numa obra literária três níveis: há a língua — Racine escreve em francês, Shakespeare escreve em inglês, isso é a língua. Há o estilo: isso é o resultado da técnica deles, do talento deles. Mas entre o estilo — voluntário, hein, pois o controlamos — e a língua!, há um terceiro nível que é: a escrita. E a escrita, ele dizia, é o lugar... do político, no sentido amplo, ou seja, a escrita é aquilo que expressa, ainda que o escritor não seja consciente disso, o que ele é socialmente, sua cultura, sua origem, sua classe social, a sociedade que o cerca... e embora às vezes ele escreva alguma coisa porque lhe parece óbvio — sei lá, numa peça de Racine: 'Retiremo-nos para nossos aposentos', ou uma frase óbvia — pois bem, não! Isso não tem nada de óbvio, diz Barthes. Embora ele diga que é óbvio, na verdade é suspeito, tem algo que se expressa por baixo disso."

PPDA (que não ouviu nada ou não entendeu nada ou está pouco ligando, com ar compenetrado): "Porque cada palavra é dissecada!".

J.-F. Kahn (que não leva isso em conta): "Então, então, além disso... O que é formidável em Barthes é que é um homem que escreveu coisas muito... Matemáticas, muito frias sobre o estilo, e ao mesmo tempo compôs verdadeiros hinos à beleza do estilo. Mas, se preferir, para concluir, é um homem muito importante. Que exprime, creio, o gênio de nossa época. Vou dizer por que, porque há épocas que se exprimem pelo teatro, pois é, realmente. (Aqui, Kahn solta um gorgolejo intraduzível.) Outros, pelo romance: por exemplo, os anos 1950, Mauriac, ahn, Camus, ahn etc. Mas penso que os anos 1960... A França... O gênio cultural da França se exprimiu pelo discurso sobre o discurso. Sobre o discurso À MARGEM. Notaremos sem dúvida que não produzimos imensos romances... Talvez não, e nem grandes peças; o que produzimos de melhor é um modo de explicar o que outros disseram ou fizeram, e, explicando, os fazemos dizer melhor, e dizer outra coisa, dinamizando um discurso antigo".

PPDA: "Futebol, daqui a poucos minutos, no Parc des Princes, a seleção da França vai enfrentar a da Holanda (Hamed sai de casa, bate a porta e despenca pelas escadas): um jogo amistoso muito mais importante do que parece (Simon Herzog desliga o televisor), porque os holandeses foram os infelizes finalistas, como sabem, das duas últimas Copas do Mundo (Foucault desliga a tevê), e depois, sobretudo, porque França e Holanda figuram na mesma chave classificatória para a próxima Copa do Mundo em 1982, na Espanha. (Giscard recomeça a rubricar seus documentos. Mitterrand pega o telefone para ligar para Jack Lang). Vocês poderão acompanhar esse jogo, em retransmissão, depois do último telejornal que será apresentado por Hervé Claude, por volta das 22h50". (Sollers e Kristeva passam à mesa. Kristeva faz o gesto de enxugar uma lágrima e diz: "A vida rrretoma seus direitos." Dali a duas horas, Bayard e Deleuze assistirão ao jogo.)

25.

Estamos na quinta-feira, 27 de março de 1980, e Simon Herzog lê o jornal num bar cheio de jovens, sentados à mesa em torno de um café bebido há tempos, e que eu situo na Rue de la Montagne-Sainte-Geneviève, mas, mais uma vez, vocês podem colocá-lo onde quiserem, pois isso não tem a menor importância. É mais prático e mais lógico estar no Quartier Latin para explicar a presença dos jovens. Há um pequeno bilhar, e o barulho das bolas que se entrechocam marca como uma pulsação no burburinho das conversas de fim de dia. Simon Herzog também toma um café, porque ainda é um pouco cedo, segundo suas próprias representações psicossociais, para pedir uma cerveja.

A manchete do *Le Monde* datado de sexta-feira 28 de março de 1980 (pois com o *Le Monde* já é sempre amanhã) é sobre o orçamento "anti-inflacionário" de Thatcher (que prevê, ó surpresa, "uma redução das despesas públicas") e sobre a guerra civil no Chade, mas mesmo assim o jornal mencionou a morte de Barthes na primeira página, embaixo à direita. A homenagem do famoso jornalista literário Bertrand Poirot-Delpech começa com esta frase: "Depois de exatos vinte anos em que Camus rendeu a alma num porta-luvas, a literatura terá pagado à deusa cromada um tributo um pouco rude!...". Simon relê a frase várias vezes e dá uma olhada no salão.

Em volta do bilhar, dois rapazes de uns vinte anos se enfrentam diante dos olhos de uma moça no mínimo maior de idade. Simon identifica mecanicamente a configuração: o rapaz mais bem vestido está de olho na jovem que está de olho no outro rapaz, mais desleixado, cabelo comprido meio sujo, e cujo distanciamento levemente arrogante ainda não permite afirmar se também se interessa pela moça e simula uma indiferença tática que ele imagina ser uma marca de superioridade, indiferença estatutária ligada à sua condição de macho dominante que sabe, obviamente, que a moça lhe cabe por direito, ou se ele espera alguém, uma mais bonita, mais rebelde, menos tímida, mais conforme a seu padrão (as duas hipóteses não são, claro, incompatíveis.)

Poirot-Delpech prossegue: "Se Barthes é desses que, com Bachelard, mais fertilizaram a crítica nos últimos trinta anos, não é como teórico de uma semiologia que permaneceu vaga, mas como campeão de um novo prazer de ler". O semiólogo que existe em Simon Herzog solta um grunhido. Prazer de ler, quá-quá-quá. Semiologia permanecendo vaga, que cretino. Mesmo se, bem... "Mais que um novo Saussure, ele terá sido um novo Gide." Simon bate a xícara no pires e o café transborda para o jornal. O barulho seco se confunde com o das bolas, tanto assim que ninguém presta atenção, a não ser a moça, que se vira. Simon cruza seu olhar.

Os dois rapazes jogam, sensivelmente, muito mal, o que não os impede de usar o bilhar como terreno de exibição, com cenhos franzidos, abanos de cabeça, queixo inclinado bem rente às bolas, fases de reflexão intensa materializada em inúmeras voltas em torno da mesa, cálculos técnico-táticos do ponto de impacto da bola branca sobre a colorida (ela mesma escolhida segundo critérios sinuosos), repetição da tacada vazia (a fase que se chama "limagem") com vários gestos compassados e muito rápidos evocando ao mesmo tempo o lado erótico da partida e a falta de experiência dos jogadores, seguida de uma tacada seca cuja rapidez não basta para disfarçar a inabilidade. Simon torna a mergulhar no *Le Monde*.

Jean-Philippe Lecat, ministro da Cultura e da Comunicação, declarou: "Todas as suas pesquisas sobre a escrita e o pensamento tendiam ao aprofundamento do homem a fim de ajudá-lo a melhor conhecer e, assim, viver melhor em sociedade". Novo estalo do pires, mais controlado. Simon verifica se a moça se vira (ela se vira.) Aparentemente, ninguém no Ministério da Cultura teve a incumbência de parir algo melhor que aquela banalidade. Simon fica pensando se não é uma fórmula-padrão na medida em que pode ser aplicada, grosso modo, a qualquer escritor, filósofo, historiador, sociólogo, biólogo... O aprofundamento do homem, sei, sei, legal, cara, você se superou. Poderá pegar a mesma frase para Sartre, Foucault, Lacan, Lévi-Strauss e Bourdieu.

Simon ouve o jovem mais bem vestido contestar um ponto do regulamento: "Não, as duas tacadas, em caso de erro do adversário, não são cumulativas se você encaçapar uma bola sua na sua primeira tacada". Estudante de direito, segundo ano (provavelmente repetiu o primeiro ano). Tendo em vista as roupas, paletó, camisa, Simon diria faculdade de Assas. O outro lhe responde, insistindo nas palavras: "O.k., tudo bem, legal, como você preferir. Não ligo. Para mim tanto faz". Psicologia, segundo ano (ou repetindo o primeiro), faculdades de Censier ou Jussieu (ele joga em casa, é visível). A moça dá um sorrisinho falsamente discreto mas que pretende ser de entendida. Usa kickers bicolores, jeans com debrum azul elétrico, rabo de cavalo preso por um elástico, e fuma Dunhill light: letras modernas, primeiro ano, Sorbonne ou Sorbonne Nouvelle, provavelmente um ano adiantada.

"Ele abriu um campo na análise dos meios de comunicação, das mitologias e das linguagens para toda uma geração. A obra de Roland Barthes permanecerá no coração de todos como um apelo vibrante à liberdade e à felicidade." Mitterrand não está mais inspirado que os outros, mas pelo menos evoca vagamente os campos de competência de Barthes.

Depois de um final de partida interminável, Assas vence, uma vitória arrancada numa improvável tacada (a preta de banda, como deve ser, segundo a regra imaginária inventada por bêbados bretões para fazer o prazer durar) e levanta os braços imitando Borg, Censier tenta fazer cara de deboche, a Sorbonne vai consolar Censier esfregando-lhe o braço, e todos fingem rir, como se fosse apenas um jogo.

O Partido Comunista também ofereceu uma declaração: "É a este intelectual que dedicou o essencial de seu trabalho a uma reflexão nova sobre o imaginário e a comunicação, o prazer do texto e a materialidade da escrita, que hoje prestamos homenagem". Simon isola imediatamente o elemento importante da frase: "'É a este' intelectual que prestamos homenagem", subentendendo-se não ao outro, o homem do neutro, pouco engajado, que almoça com Giscard ou vai à China com seus amigos maoistas.

Mais uma moça entra no bar, cabelos compridos encaracolados, blusão de couro, botas Dr. Martens, brincos, jeans rasgado. Simon pensa: história da arte, primeiro ano. Ela vai beijar na boca o rapaz desleixado. Simon observa atentamente a moça de rabo de cavalo. Lê em seu perfil o despeito, a raiva recalcada, o irreprimível sentimento de inferioridade que sobe nela (evidentemente infundado) e distingue nas dobras de sua boca, sem erro possível, os traços da luta interior que a amargura trava com o desprezo. De novo seus olhares se cruzam. Os olhos da moça brilham por um segundo com um brilho indefinível. Ela se levanta, dirige-se até ele, inclina-se sobre sua mesa, encara-o nos olhos e diz: "Qual é a sua, babaca? Quer uma foto minha?". Simon, atrapalhado, resmunga qualquer coisa incompreensível e mergulha num artigo sobre Michel Rocard.

26.

A boa cidade de Urt nunca tinha visto tantos parisienses. Pegaram o trem até Bayonne, foram para o enterro. Um vento gelado sopra sobre o cemitério, chove a cântaros, e todos se apertam, em grupinhos, ninguém tendo tido a ideia de pegar um guarda-chuva. Bayard também fez a viagem, novamente requisitou Simon Herzog e observam a fauna encharcada de Saint-Germain. Estamos a setecentos e oitenta e cinco quilômetros do Flore, e ao ver Sollers mordiscando nervosamente a piteira ou BHL abotoando a camisa, pensa-se que a cerimônia não deveria se eternizar. Simon Herzog e Jacques Bayard, juntos, conseguem identificar quase todo mundo: há o grupo Sollers, Kristeva, BHL; o grupo Youssef, Paul e Jean-Louis; o grupo Foucault, com Daniel Defert, Mathieu Lindon, Hervé Guibert, Didier Eribon; o grupo faculdade: Todorov, Genette; o grupo Vincennes: Deleuze, Cixous, Althusser, Châtelet; o irmão Michel e sua mulher Rachel; seu editor e estudantes, Eric Marty, Antoine Compagnon, Renaud Camus, antigos amantes, bem como um grupo de gigolôs, Hamed, Saïd, Harold, Slimane; gente de cinema: Téchiné, Adjani, Marie-France Pisier, Isabelle Huppert, Pascal Greggory; gêmeos com roupa preta de cosmonauta (vizinhos que trabalham para a televisão, parece) e gente da cidadezinha...

Todos em Urt gostavam dele. Na entrada do cemitério, dois homens descem de um DS preto e abrem um guarda-chuva. Um dos presentes avista o carro e exclama: "Olhem: um DS!". Um murmúrio radiante percorre o público, que vê aquilo como uma homenagem, pois foi com patrocínio do famoso Citroën que Barthes publicou suas *Mitologias*. Simon cochicha com Bayard: "Acha que o assassino está entre os presentes?". Bayard nada responde, observa cada pessoa e pensa que todos têm uma boa cara de culpados. Sabe que para que a investigação avance ele deve compreender o que busca. O que Barthes possuía e que valia tanto para que não apenas alguém lhe roubasse mas, ademais, quisessem matá-lo?

27.

Estamos na casa de Fabius, em seu esplêndido apartamento do Panthéon, tendo, tal como imagino, sancas por todo lado e um soalho com tacos em zigue-zague. Jack Lang, Robert Badinter, Régis Debray, Jacques Attali e Serge Moati estão reunidos para listar as forças e fraquezas de seu candidato, em termos de imagem e de — na época a palavra ainda é meio vulgar — "comunicação".

A primeira coluna está quase vazia. A única inscrição é: *obrigou o general a ir para o segundo turno*. E Fabius observa que, mesmo assim, isso data de quinze anos.

A segunda coluna é mais fornida. Por ordem crescente de importância:
Madagascar
Observatório
velho demais (muito IV República)
caninos muito compridos (cínico)
perde sempre
Estranhamente, na época a sua condecoração recebida das próprias mãos de Pétain, e suas funções, sem dúvida modestas, no governo de Vichy, nunca são evocadas, nem pelos meios de comunicação (amnésicos, como sempre) nem por seus inimigos políticos (que talvez não desejem aborrecer o próprio eleitorado com lembranças desagradáveis). Apenas a extrema direita, então grupuscular, espalha o que a nova geração considera uma calúnia.

Mas, mesmo assim. O que motiva aquele grupo de jovens

socialistas, brilhantes, ambiciosos, e no caso de alguns, ainda idealistas, sonhando cautelosos com futuros que cantam, a apoiar esse arqueossocialista, esse detrito da Federação da Esquerda Democrática e Socialista, esse vestígio da IV República, esse partidário de Guy Mollet, colonialista guilhotinado (quarenta e cinco execuções na Argélia quando ele era ministro do Interior, e depois ministro da Justiça), e não Rocard, que agrada a Mauroy, a Chevènement, que tem o apoio de um europeísta como Delors e de um sindicalista como Edmond Maire? Rocard, dirá Moati, "era o socialismo 'autogestionário' mais a Inspeção de Finanças que vinha ao nosso encontro". Mas esse mesmo Moati se ligou a Mitterrand quando, reconhecendo a bagunça de 1968, este infletira seu discurso para uma linha nitidamente mais à esquerda e declarara: "Creio na socialização dos meios de produção, de investimento e de intercâmbio. Creio na necessidade de um setor público importante capaz de arrastar o conjunto da economia".

Começa a reunião de trabalho. Fabius serviu bebidas quentes, biscoitos e sucos de frutas sobre uma grande mesa de madeira envernizada. Para avaliar exatamente a amplidão da tarefa, Moati pega um velho editorial de Jean Daniel sobre Mitterrand, que ele recortou de um *Nouvel Observateur* datado de 1966: "Esse homem não dá apenas a impressão de não acreditar em nada: sentimo-nos, diante dele, culpados por acreditar em alguma coisa. Ele insinua, como sem querer, que nada é puro, que tudo é sórdido e que nenhuma ilusão é permitida".

Em volta da mesa, todos concordam em dizer que têm trabalho pela frente.

Moati come palmiers.

Badinter defende a causa de Mitterrand: o cinismo, na política, é uma desvantagem relativa, que transmite tão bem habilidade como pragmatismo. Afinal de contas, maquiaveliano não é o mesmo que maquiavélico. Compromisso não significa obrigatoriamente compromissão. É a própria essência da democracia que precisa da flexibilidade e do cálculo. Diógenes, o cínico, era um filósofo particularmente esclarecido.

"Tudo bem, e quanto ao Observatório?", pergunta Fabius.

Lang protesta: esse caso sinistro de falso atentado nunca foi esclarecido, e tudo é baseado no testemunho suspeito de um ex-gaullista que passou para a extrema direita e modificou várias vezes sua versão dos fatos. E, mesmo assim, encontrou-se o carro de Mitterrand crivado de balas! Lang, realmente, tem um ar indignado.

"Vá lá", diz Fabius. Tudo bem quanto à maquinação. Resta o fato de que até agora ele não se mostrou excessivamente simpático, nem excessivamente socialista.

Jack Lang lembra que Jean Cau disse que ele era um sacerdote, e que seu socialismo era "a luva virada de seu cristianismo".

Debray suspira: "Quanta bobagem".

Badinter acende um cigarro.

Moati come uns chokinis.

Attali: "Ele decidiu virar o leme à esquerda. Pensa que é necessário para circunscrever o PC. Mas isso afugenta os eleitores de esquerda moderados".

Debray: "Não, o que você chama de eleitor de esquerda moderado eu chamo de centrista. Ou, no máximo, de radical de centro-direita. Essa gente vota à direita, de qualquer maneira. São giscardianos".

Fabius: "Você inclui aí os radicais de esquerda?".

Debray: "Naturalmente".

Lang: "Bem, e os caninos?".

Moati: "Marcaram hora para ele num dentista no Marais. Vão deixá-lo com o sorriso de Paul Newman".

Fabius: "A idade?".

Attali: "Experiência".

Debray: "Madagascar?".

Fabius: "Dane-se, todo mundo esqueceu".

Attali esclarece: "Ele era ministro das Colônias em 1951, os massacres ocorreram em 1947. Sem dúvida, houve frases infelizes, mas ele não tem sangue nas mãos".

Badinter não diz nada. Debray também não. Moati bebe um chocolate quente.

Lang: "Mas houve aquele filme em que o vemos com um capacete colonial diante dos africanos de tanga…".

Moati: "A televisão não vai desencavar essas imagens".

Fabius: "O colonialismo não é bom para a direita, que não deseja transformá-lo em tema de campanha".

Attali: "É válido também para a guerra da Argélia. A Argélia é, antes de mais nada, a traição de De Gaulle. É muito sensível. Giscard não se arriscará com o voto dos franceses repatriados".

Debray: "E os comunistas?".

Fabius: "Se Marchais nos desencavar a Argélia, nós desencavaremos Messerschmitt. Na política, como em qualquer lugar, ninguém tem muito interesse em remexer no passado".

Attali: "E se ele insistir, a gente joga na cara dele o Pacto Germano-soviético".

Fabius: "Hum, bem, e os pontos positivos?".

Silêncio.

Serve-se mais um café.

Fabius acende um cigarro.

Jack Lang: "Ele tem, ainda assim, uma imagem de homem de letras".

Attali: "Ninguém liga para isso. Os franceses votam em Napoleão III, e não em Victor Hugo".

Lang: "É um grande orador".

Debray: "É".

Moati: "Não é".

Fabius: "Robert?".
Badinter: "Sim e não".
Debray: "Num comício ele levanta as massas".
Badinter: "Ele é bom quando tem tempo de desenvolver seu pensamento, e quando se sente em confiança".
Moati: "Mas não é bom de televisão".
Lang: "É bom numa conversa entre duas pessoas".
Attali: "Mas não num cara a cara".
Badinter: "Ele não fica muito à vontade quando alguém lhe resiste ou o contradiz. Sabe defender uma causa, mas não quer ser interrompido. Assim como pode ser lírico num comício, arrastado pela multidão, assim também pode ser absconso e maçante com os jornalistas".
Fabius: "É que, em geral, na tevê ele despreza o interlocutor".
Lang: "Ele adora ter todo o tempo, ir acelerando, fazer suas escalas. Na tribuna, aquece a voz, testa seus efeitos, se adapta ao auditório. Na tevê, é impossível".
Moati: "Mas a tevê não mudará para ele".
Attali: "Seja como for, não no ano que vem. Quando chegarmos ao poder...".
Todos: "... Demitiremos Elkabbach!". (risos)
Lang: "Ele precisaria captar a tevê como um comício gigante. Que pense que a multidão está amontoada atrás da câmera".
Moati: "Cuidado, lirismo em comício é uma coisa, mas dá menos certo num estúdio".
Attali: "Ele tem de aprender a ser mais conciso e mais direto".
Moati: "Tem de progredir. Tem de treinar. Vamos fazê-lo ensaiar".
Fabius: "Hum, sinto que ele vai adorar tudo isso".

28.

Depois de quatro ou cinco dias fora, Hamed se decide enfim a voltar para casa e, pelo menos, verificar se não lhe sobraria uma camiseta limpa em algum lugar, então sobe, ofegante, os seis ou sete andares que o levam a seu quartinho de empregada onde não poderá tomar banho pois não tem banheiro, mas pelo menos desabar na cama para se purgar por algumas horas do cansaço físico e nervoso e da inutilidade do mundo e da existência, mas quando gira a chave na fechadura sente um jogo inabitual e verifica que a porta foi quebrada, então empurra de leve o batente que range discretamente, e descobre o espetáculo de seu quarto saqueado, a cama virada, as gavetas fora das corrediças, os rodapés das paredes arrancados, suas roupas espalhadas no chão, sua geladeira aberta com uma garrafa de suco deixada intacta na porta, o espelho acima da pia quebrado em vários pedaços, suas latinhas de Gini e de Seven Up jogadas pelos quatro cantos do quarto, sua coleção de *Yacht Magazine* rasgada página por página, bem como sua história da França em quadrinhos (o volume sobre a Revolução Francesa e o de Napoleão parecem ter desaparecido), seu *Petit Larousse* e seus livros espalhados, as cassetes de música meticulosamente desenroladas e seu aparelho de som parcialmente desossado.

Hamed rebobina uma cassete de Supertramp, a enfia no gravador e aperta play para ver se ainda funciona. Depois cai no colchão revirado e dorme, todo vestido, com a porta aberta, ao som dos primeiros acordes de "Logical Song", pensando que ele também, quando era jovem, achava que a vida era bela, milagrosa e mágica mas que se agora as coisas mudaram um bocado não é por isso que se sente muito responsável nem muito radical.

29.

Uma fila de uns bons dez metros se formou diante da entrada do Gratte-Ciel, vigiada por um cérbero severo, preto e fortão. Hamed avista Saïd e Slimane com um cara altão, seco e magro, que atende por "o Sargento". Juntos, furam a fila, cumprimentam o cérbero pelo nome e lhe dizem que Roland, não, Michel, os espera lá dentro. As portas do Gratte-Ciel se abrem para eles. Dentro, são invadidos por um cheiro esquisito, como uma mistura de estrebaria, canela com baunilha e porto de pesca. Cruzam com Jean-Paul Goude, que deixa seu cinto no vestiário, e logo percebem, por seu comportamento, que ele já está doidão. Saïd se inclina para Hamed para lhe dizer que não, decididamente, os anos Giscard não são mais possíveis, a vida está muito cara, mas que ele precisa da droga. Slimane localiza o jovem Bono Vox no bar. No palco, uma banda de reggae gótico apresenta um set vaporoso e vulgar. O Sargento se rebola despreocupado, no ritmo, em contratempo com a banda, diante do olhar curioso e sombrio de Bono. Yves Mourousi fala de Grace Jones. Bailarinos brasileiros circulam entre os clientes, executando movimentos soltos da capoeira. Um ex-ministro muito importante na IV República tenta pegar os seios de uma jovem atriz que começa a ser conhecida. E há sempre aquele cortejo de rapazes e moças que levam lagostas vivas sobre a cabeça ou passeiam com elas na coleira, sendo que a lagosta é, por uma razão desconhecida, o animal em voga em Paris nos anos 1980.

Na entrada, dois bigodudos malajambrados enfiam uma nota de quinhentos francos na mão do vigia para que possam entrar. Deixam seus guarda-chuvas no vestiário.

Saïd interpela Hamed a respeito da droga. Hamed lhe faz um sinal pedindo que relaxe, e enrola um baseado numa mesinha baixa em forma de mulher nua de quatro, como no Moloko

Bar de *Laranja mecânica*. Ao lado de Hamed, num sofá de canto, Alice Sapritch traga sua piteira, com um sorriso imperial nos lábios, um boá em torno do pescoço (um boá de verdade, pensa Hamed, mas ele logo pensa que se trata de mais um acessório idiota). Ela se debruça para eles e grita: "E aí, meus queridinhos, a noite está legal?". Hamed sorri acendendo o baseado mas Saïd responde: "O quê?".

No bar, o Sargento consegue que Bono lhe pague uma bebida e Slimane se pergunta em que língua se comunicam, mas na verdade eles não têm cara de se falar. Os dois bigodudos se instalaram num canto e pediram uma garrafa de vodca polonesa, aquela com a grama-de-búfalo dentro, o que tem como efeito atrair para a mesa deles belos jovens de diferentes sexos e, em seu rastro, uma ou duas vedetes de segunda categoria. Perto do bar, Victor Pecci, moreno, camisa aberta, diamante na orelha, conversa com Vitas Gerulaitis, louro, camisa aberta, argola na orelha. Slimane cumprimenta de longe uma jovem anoréxica que conversa com o cantor do Taxi Girl. Bem ao lado dele, encostado numa coluna de concreto que imita uma coluna dórica quadrada, a baixista do Téléphone, impassível, é lambida na face por uma amiga que tenta lhe explicar como se bebe tequila em Orlando. O Sargento e Bono desapareceram. Slimane é atormentado por Yves Mourousi. Foucault surge dos toaletes e começa uma discussão apaixonada com a cantora do ABBA. Saïd interpela Hamed: "Quero coca, pó, bagulho, branquinha, moreninha, *sugar*, cheirinho da loló, cola, qualquer coisa, mas me arranja alguma coisa, porra!". Hamed lhe passa o baseado, que ele pega furiosamente, com jeito de dizer "olha o que eu vou fazer com o teu baseado", e o leva à boca tragando com nojo e avidez. No canto deles, os dois bigodudos simpatizam com seus novos amigos e brindam, exclamando: "*Na zdravé!*". Jane Birkin tenta dizer alguma coisa a um rapaz que é a cara dela, como se fosse seu irmão, mas este a faz repetir cinco vezes antes de dar de ombros, em sinal de impotência. Saïd grita para Hamed: "O que é que nos resta? A Política Agrícola Comum? É esse o plano?". Hamed se dá conta de que Saïd vai ficar insuportável enquanto não tiver sua droga, então o agarra pelos ombros e diz: "Olhe só", encarando-o como faria com alguém em estado de choque ou todo retesado, e tira do bolso uma folha no formato A5 dobrada no meio. É um convite para o Adamantium, a boate que acaba de abrir defronte do Rex, e naquela noite, justamente, um traficante que ele conhece deve estar lá, como está escrito no folheto, abaixo de uma cabeça grande desenhada que lembra vagamente Lou Reed, uma festa especial anos 1970. Ele pede uma caneta a Alice Sapritch e escreve com cuidado, em maiúsculas, o nome do traficante nas costas do folheto, que entrega solenemente a Saïd, que o guarda delicadamente no bolso de dentro do casaco e dá no pé, na mesma hora. No seu canto, os dois bigodudos malvestidos parecem se divertir muito com os novos amigos, inventaram um novo coquetel pastis-vodca-Suze e Inès de La Fressange se juntou à mesa, mas quando veem Saïd se dirigir para a saída, param de rir, declinam, corteses, as solicitações do baterista do Trust, que quer lhes dar um beijinho gritando "*Brat! Brat!*", e se levantam ao mesmo tempo.

Nos Grands Boulevards, Saïd anda resoluto, sem ver atrás de si os dois homens, armados com o guarda-chuva, que o seguem à distância. Calcula o número de trepadas que terá de dar nos banheiros do Adamantium para conseguir seu grama de cocaína. Talvez tenha de pegar umas anfetaminas, não é tão bom mas é mais barato. E dura mais tempo. Mas o pau fica meio mole. Mas mesmo assim dá vontade de trepar. Em suma. Cinco minutos para descolar o cliente, cinco minutos para encontrar uma cabine livre, cinco minutos de michê, contando quinze minutos no total, três michês devem ser suficientes, talvez dois se ele encontrar uns caras cheios da grana e realmente no cio, ele acha que o Adamantium quer atrair gente chique e da alta roda, nada a ver com o gênero lésbicas doidonas e baratas. Se for bom, daqui a uma hora terá seu pó. Mas os dois homens atrás dele se aproximaram e, na hora em que ele se prepara para cruzar o Boulevard Poissonnière, o primeiro aponta o guarda-chuva para baixo e lhe espeta a perna, passando por seus jeans *stonewashed*, enquanto o segundo, justo quando Saïd dá um pulo e solta um grito, passa a mão em seu blusão e rouba o folheto que estava no bolso de dentro. Até que ele se vire, os dois homens já cruzaram a faixa de pedestre, e Saïd sente sua perna, e também sentiu o contato furtivo da mão no seu torso, e então pensa que está lidando com dois batedores de carteira e verifica que continua com seus documentos (ele não tem dinheiro) mas a cabeça começa a rodar quando entende que lhe roubaram o convite, então sai atrás deles gritando "meu convite! meu convite!", mas uma tonteira o agarra, suas forças o abandonam, sua vista embaça, as pernas não respondem mais, ele para no meio da rua, passa a mão nos olhos e desaba, no meio dos carros que buzinam.

Amanhã, no *Le Parisien libéré*, se anunciará a morte de duas pessoas: um jovem argelino de vinte anos, vítima de uma overdose no meio da rua, e um traficante de drogas, torturado até a morte nos banheiros do Adamantium, uma boate recém-aberta, cujo fechamento administrativo foi imediatamente providenciado pelo chefe de polícia.

30.

"Aqueles caras procuram alguma coisa. A única pergunta, Hamed, é por que não encontraram."

Bayard mastiga o cigarro, Simon brinca com uns clipes.

Barthes esmagado, Saïd envenenado, seu traficante massacrado, seu apartamento saqueado, Hamed considerou que era hora de ir à polícia, pois não disse tudo sobre Roland Barthes: no último encontro deles, Barthes lhe deixou um papel. O barulhinho das máquinas de escrever ressoa nas salas. O prédio do Quai des Orfèvres ferve com a atividade policial e administrativa.

Não, os que vasculharam seu apartamento não o encontraram. Não, não está com ele.

Como então pode ter certeza de que os outros não pegaram o papel? Porque não estava escondido no seu quarto. É óbvio: ele o queimou.

Tudo bem.

Acaso o leu? Leu. Pode dizer de que se trata? De certa maneira. De que se trata? Silêncio.

Barthes lhe pediu para decorar o documento e destruí-lo em seguida. Aparentemente, ele considerava que o sotaque do Sul era um método mnemotécnico que facilitava a memorização. Hamed o fez porque, no fundo, embora o outro fosse velho e feio com sua barriga e seu queixo duplo, gostava dele, daquele velho que falava da mãe como um menino triste, e além disso se sentia lisonjeado por aquele grande professor lhe confiar uma missão que, pelo menos uma vez, não fosse da ordem bucogenital, e também porque Barthes tinha lhe prometido três mil francos.

Bayard pergunta: "Pode nos recitar esse texto?". Silêncio. Simon interrompeu a confecção de seu colar de clipes. Lá fora o canto das máquinas de escrever continua.

Bayard oferece um cigarro ao gigolô, que o aceita por reflexo de gigolô, mesmo que não fume cigarros fortes.

Hamed fuma e mantém silêncio.

Bayard sublinha que visivelmente ele está em posse de uma informação importante que provocou a morte de pelo menos três pessoas e que, enquanto essa informação não se tornar pública, sua vida estará ameaçada. Hamed objeta que, ao contrário, enquanto seu cérebro for o único depositário dessa informação, não poderão matá-lo. Seu segredo é seu seguro de vida. Bayard lhe mostra as fotos do traficante que foi torturado no banheiro do Adamantium. Hamed contempla longamente as fotos. Depois, vira-se para trás na cadeira e começa a recitar: *"Felizes os que como Uliesses fizieram uma bela viagem/ Ou como aquele quie conquistou o Velocino..."*. Bayard lança um olhar interrogativo para Simon, que lhe explica que é um poema de Du Bellay: *"Quando reverei, aie, da minha pequiena aldeia/ Fumegar a chaminé e em quie estação..."*. Hamed diz que o aprendeu na escola e que ainda se lembra, faz cara de orgulhoso de sua memória. Bayard assinala a Hamed que pode detê-lo por vinte e quatro horas em prisão preventiva. Hamed responde que então prenda. Bayard acende outro Gitane com a guimba do primeiro, ajustando mentalmente sua tática. Hamed não pode voltar para casa. Ele terá um lugar seguro onde dormir? Sim, Hamed pode dormir na casa de seu amigo Slimane, em Barbès. Deverá ficar esquecido por um tempo, não ir aos lugares que costuma frequentar, não abrir a porta para desconhecidos e prestar atenção quando sair, virar-se frequentemente na rua, em suma, se esconder. Bayard pede a Simon que o acompanhe de carro. Sua intuição lhe diz que o gigolô se abrirá mais facilmente com um jovem não policial do que com um velho tira, e além disso, ao contrário dos tiras dos romances ou dos filmes, ele tem outros casos para resolver, não pode dedicar cem por cento de seu tempo a este, embora Giscard o tenha decretado prioritário, e embora tenha votado nele.

    Dá as ordens necessárias para que ponham uma viatura à disposição de ambos. Antes de deixá-los ir embora, pergunta a Hamed se o nome de Sophia lhe diz alguma coisa, mas Hamed diz que não conhece nenhuma Sophia. Um funcionário de uniforme, a quem falta um dedo, os leva à garagem e lhes entrega a chave de um Renault 16 descaracterizado. Simon assina um formulário, Hamed entra no lugar do carona e saem do Quai des Orfèvres em direção ao Châtelet. Atrás deles, arranca o DS preto, que esperava quietinho em fila dupla, sem que nenhum policial fardado tivesse se incomodado. No cruzamento, Hamed diz a Simon (com sua ponta de sotaque do Sul): "Olhie! Um Renault Fuego". Azul.

Simon atravessa a Île de la Cité, passa diante do Palais de Justice, chega ao Châtelet. Pergunta a Hamed por que veio morar em Paris. Hamed explica que em Marseille, para os bichas, é muito ruim, Paris é melhor, ainda que não seja uma panaceia (Simon anota o emprego da palavra "panaceia"), os bichas são mais bem considerados, porque ser veado na província é pior que ser árabe. E além disso, em Paris há um monte de bichas com um monte de grana e a gente se diverte mais. Simon passa com o sinal fechado, na altura da Rue de Rivoli, e o DS atrás dele avança o sinal vermelho para não perder o contato. Em compensação, o Fuego azul para. Simon explica a Hamed que ele ensina Barthes na faculdade e pergunta, prudente: "De que aquele texto fala?". Hamed lhe pede um cigarro e diz: "Na verdade, eu não sei".

Simon fica pensando se Hamed os tapeou, mas Hamed diz que decorou o texto sem tentar entender. As recomendações eram de que se algum dia acontecesse alguma coisa, ele teria que ir a um lugar para recitá-lo diante de uma pessoa específica, e não outra. Simon pergunta por que não fez isso. Hamed pergunta o que o faz pensar que ele não fez. Simon diz que pensa que jamais teria ido à polícia se tivesse feito. Hamed confessa que não, que não fez, porque é longe demais, a pessoa não mora na França, e ele não tinha dinheiro suficiente. Os três mil francos que Barthes lhe deu, preferiu gastar de outra maneira.

Simon observa pelo retrovisor que o DS continua atrás deles.

Na altura de Strasbourg-Saint-Denis, avança um sinal vermelho e o DS também avança. Desacelera, o carro desacelera. Para em fila dupla, disposto a tirar tudo a limpo. O DS para atrás. Sente que seu coração começa a bater um pouco forte. Pergunta a Hamed o que quer fazer mais tarde, quando tiver bastante dinheiro, se um dia tiver dinheiro. Hamed não entende na hora por que Simon parou, mas não faz perguntas e diz que gostaria de comprar um barco e organizar passeios para turistas, porque gosta muito do mar, porque ia pescar nas calhetas com o pai quando era pequeno (mas isso foi antes que seu pai o pusesse no olho da rua). Simon arranca de novo, brutalmente, cantando pneu, e vê pelo retrovisor as suspensões hidráulicas que levantam o grande Citroën preto e o arrancam do asfalto. Hamed se vira e vê o DS, e então se lembra do carro embaixo de sua casa, e da festa na Bastille, e compreende que está sendo seguido há semanas e que poderiam tê-lo matado dez vezes, mas que isso não significa que não o matarão na décima primeira, então se segura na alça de apoio acima do vidro e não diz mais nada, senão: "Pegue à direita".

Simon freia sem refletir e se vê metido numa ruelinha paralela ao Boulevard Magenta, e o que mais o assusta, agora, é perceber que o carro atrás dele não faz nada para disfarçar a presença, e então, como o outro se aproxima, movido por uma inspiração incerta ele dá uma freada de repente e o DS entra na traseira do R16.

Por alguns segundos os dois carros ficam imóveis, um atrás do outro, como se tivessem perdido o sentido, e os passantes também estão petrificados, estupefatos com a batida. Depois ele vê um braço que sai do DS e um objeto metálico que brilha, e pensa que é uma arma de fogo, então embreia e não engata a primeira, o que provoca um rangido horroroso, e o R16 dá um pulo para frente. O braço desaparece e o DS também arranca.

Simon avança todos os sinais e buzina o tempo todo, tanto assim que a impressão é de uma sirene de alerta rasgando o 10º Arrondissement, como para anunciar um bombardeio iminente ou o alarme antiaéreo testado toda primeira quarta-feira do mês, e o DS gruda nele como um caça que tivesse captado um avião inimigo em seu radar. Simon bate num Peugeot 505, resvala sobre uma caminhonete, derrapa na calçada, quase esmaga dois ou três pedestres e pega a Place de la République. Atrás dele, o DS vai passando entre os obstáculos, como uma serpente. Simon ziguezagueia no trânsito e evita os pedestres e grita para Hamed: "O texto! Recite o texto!". Mas Hamed não consegue se concentrar, sua mão está crispada na alça de apoio acima do vidro e nenhuma palavra escapa de sua boca.

Simon dá a volta na praça tentando refletir. Não sabe onde ficam as delegacias do bairro, mas se lembra de um baile de Catorze de Julho no quartel dos bombeiros perto da Bastille, no Marais, então se enfia pelo Boulevard des Filles-du-Calvaire e grita para Hamed: "Do que ele fala? Qual é o título?". E Hamed, lívido, articula: "A sétima função da linguagem". Mas na hora em que ele vai começar a recitar, o DS emparelha com o R16, o vidro do lado do carona se abre e Simon vê um bigodudo que aponta uma pistola para ele, e justo antes de o tiro espoucar Simon freia com todas as suas forças e o DS o ultrapassa quando o tiro parte, mas atrás um Peugeot 404 bate nele e a batida projeta o R16 para frente, ficando assim de novo emparelhado com o DS, então Simon dá uma guinada à esquerda com todas as suas forças e manda o DS para a outra pista, e por milagre este evita um Renault Fuego azul que chega na contramão e escapa por uma alameda lateral na altura do Cirque d'Hiver e depois desaparece na Rue Amelot, paralela ao Boulevard Beaumarchais que prolonga o Filles-du-Calvaire.

Simon e Hamed pensam então terem se livrado de seus perseguidores mas Simon continua a dirigir rumo à Bastille, não lhe vem a ideia de se perder nas ruazinhas do Marais, tanto assim que quando Hamed começa a recitar mecanicamente: "Existe uma função que escapa aos diferentes fatores inalienáveis da comunicação verbal... e que de certa forma engloba a todos. Essa função, vamos chamá-la de...", nesse exato instante o DS surge de uma perpendicular e vai bater na lateral do R16, que vai se esmagar contra uma árvore num uivo de aço e de vidro.

Simon e Hamed ainda estão tontos quando um bigodudo armado com um revólver e um guarda-chuva surge do DS fumegante, se precipita para cima do R16 e arranca a porta balançante do lado do carona. Aponta o revólver para o rosto de Hamed e aperta o gatilho, mas nada acontece, o revólver travou, ele tenta de novo, clic-clic, não funciona, então brande como uma lança o guarda-chuva fechado e quer fincá-lo nas costelas de Hamed, mas Hamed se protege com o braço e vira a ponta que lhe espeta o ombro, a dor lhe arranca um grito estridente e depois, com o medo se tornando fúria, ele solta o cinto de segurança, joga-se sobre o agressor e lhe espeta o guarda-chuva no meio do peito.

Enquanto isso, o outro bigodudo se aproximou do lado do motorista. Simon está consciente e tenta sair do R16 mas a porta está travada, ele está preso dentro do carro, e quando o segundo bigodudo aponta a arma e o mira, ele fica paralisado de terror e olha para o buraco negro de onde sairá a bala que vai perfurar sua cabeça, e tem tempo de pensar "um raio, e depois a noite", quando de repente um ronco rasga o ar e um Renault Fuego azul vem bater no bigodudo, que volteia e fica estatelado na calçada. Dois japoneses descem do Fuego.

Simon sai do veículo, rastejando, pelo lado do carona e engatinha na direção de Hamed, que se jogou em cima do corpo do primeiro bigodudo; vira-o e constata com alívio que ele ainda se mexe. Um dos dois japoneses vem apoiar a cabeça do jovem gigolô ferido, pega seu pulso e diz: "Envenenamento", mas Simon primeiro entende "envasilhamento" e repensa nas análises de Barthes sobre a comida, antes de entender, olhando para Hamed, de tez amarela e olhos amarelos e corpo agitado de espasmos, e grita para que alguém chame uma ambulância e Hamed quer lhe dizer alguma coisa, soergue-se a duras penas, Simon se debruça e lhe pede a função, mas Hamed está totalmente incapaz de recitar o texto e já tudo voa em sua cabeça, ele revê a infância pobre em Marseille e a vida em Paris, os amigos, os michês, as saunas, Saïd, Barthes, Slimane, o cinema, os croissants no La Coupole e os reflexos acetinados dos corpos untuosos nos quais se esfregou, e bem antes de morrer, enquanto as sirenes ressoam ao longe, tem tempo de murmurar: "Eco".

31.

Quando Jacques Bayard chega, a polícia já isolou o perímetro mas os japoneses desapareceram e o segundo bigodudo, aquele que foi atropelado pelo Renault Fuego, também. O corpo de Hamed ainda está esticado na rua, assim como o de seu agressor, com o guarda-chuva fincado no peito. Simon Herzog fuma um cigarro, com um cobertor nas costas. Não, ele não tem nada. Não, não sabe quem são os japoneses. Não disseram nada, lhe salvaram a vida e foram embora. No Renault Fuego. Sim, o segundo bigodudo está provavelmente ferido. Só mesmo sendo muito forte para ter se refeito de uma pancada daquelas. Jacques Bayard, perplexo, contempla os dois destroços encastrados. Por que um Citroën DS? A produção parou em 1975. Por outro lado, o Fuego é um modelo que acaba de sair de fábrica e nem sequer está à venda. Desenha-se a giz o contorno do cadáver de Hamed. Bayard acende um Gitane. Então o cálculo do gigolô era falso: a informação que detinha não o protegeu. Bayard conclui que os que o mataram não queriam fazê-lo falar, mas fazê-lo calar. Por quê? Simon lhe diz as últimas palavras de Hamed. Bayard pergunta o que ele sabe dessa sétima função da linguagem. Dolorido, mas professoral por automatismo, Simon explica: "As funções da linguagem são categorias linguísticas que outrora foram teorizadas por um grande linguista russo chamado...".

Roman Jakobson.

Simon não vai mais longe na exposição que se preparava para iniciar. Lembra-se do livro sobre a mesa de Barthes, *Linguística e comunicação*, de Roman Jakobson, aberto na página das funções da linguagem, e da folha com anotações que servia de marcador de página.

Explica a Bayard que o documento pelo qual já mataram quatro pessoas estava talvez diante de seus olhos quando esquadrinharam o apartamento da Rue Servandoni, e não presta atenção ao policial que se posta atrás deles, e que depois se afasta para dar um telefonema quando já ouviu o suficiente. Não consegue ver que falta um dedo na mão esquerda desse policial.

Bayard também estima que já sabe o suficiente, embora continue sem entender essa história de Jakobson; leva Simon no seu Peugeot 504 e sai à toda em direção do Quartier Latin, escoltado por um camburão cheio de policiais fardados, entre eles o do dedo cortado. Chegam à Place Saint-Sulpice com todas as sirenes uivando, o que sem a menor dúvida é um erro.

Há um código naquela porta-cocheira pesada, e devem tamborilar na janela da zeladora para que, apavorada, lhes abra.

Não, ninguém pediu para ver o quarto de empregada. Nada de especial a assinalar desde a instalação do código de porta pelo técnico da empresa Vinci, no mês passado. Sim, aquele com um sotaque russo, ou iugoslavo, ou talvez grego. Justamente, é engraçado, ele voltou hoje. Disse que queria fazer um orçamento para instalar os interfones. Não, não pediu a chave do quarto do sexto andar, por quê? Ela está pendurada no quadro, junto com as outras, olhem. Sim, subiu aos andares, não faz cinco minutos. Bayard pega a chave e sobe as escadas quatro a quatro degraus, seguido por uma meia dúzia de policiais. Simon fica no térreo, com a zeladora. No sexto, a porta do quartinho de empregada está fechada. Bayard enfia a chave na fechadura, que está obstruída por alguma coisa: uma chave por *dentro*. A chave que não encontramos com Barthes, pensa Bayard, que bate à porta gritando: "Polícia!". Lá dentro ouve-se um barulho. Bayard manda arrombarem a porta. A mesa de trabalho parece intacta, mas o livro não está mais lá, nem a folha com anotações, e não há ninguém no quarto. As janelas estão fechadas.

Mas o alçapão que comunica com o apartamento do quinto andar está aberto.

Bayard berra para seus homens tornarem a descer, mas enquanto fazem meia-volta o indivíduo já está na escada e eles esbarram no irmão de Barthes, Michel, que sai de casa, apavorado porque um intruso irrompeu pelo teto, o que permite ao técnico da Vinci ganhar dois andares de vantagem e, lá embaixo, evidentemente, Simon, que não entendeu nada, é empurrado pelo homem que foge à toda velocidade, e quando este fecha a porta-cocheira o mecanismo que ele mesmo instalou dispara e bloqueia a fechadura.

Bayard se precipita para a casinha da zeladora e pega o telefone. Quer pedir reforço mas é um telefone de disco, e o tempo que leva compondo o número lhe parece suficiente para que o homem alcance a Porte d'Orléans ou até mesmo Orléans.

Mas o homem não pega essa direção. Quer fugir de carro, e dois policiais que ficaram de plantão o impedem de pegar seu carro estacionado no fim da rua, então ele corre para o Luxembourg enquanto, atrás, os dois policiais lançam suas primeiras intimações. Pela porta-cocheira Bayard grita: "Não atirem!". Ele o quer vivo, naturalmente. Quando seus homens conseguem enfim desbloquear o mecanismo, apertando o botão incrustado na parede, o fugitivo desapareceu, mas Bayard deu o alerta, sabe que o bairro está sendo todo cercado e que o outro não irá longe.

O homem cruza os jardins do Luxembourg rapidamente e ouvem-se apitos dos policiais atrás dele, mas os passantes, acostumados com a turma do jogging e com os apitos dos guardas do parque, não prestam atenção até que ele topa, cara a cara, com um policial que quer imobilizá-lo no chão, mas o homem bate nele como no rúgbi, derruba-o, pula por cima e continua a corrida. Aonde vai? Ele sabe? Muda de direção. O que é certo é que deve sair dos jardins antes que tenham fechado todas as saídas.

Agora Bayard está no camburão e dá ordens pelo rádio. As forças policiais se espalham por todo o Quartier Latin, ele está cercado, está frito.

Mas o homem vende saúde, e o encontram descendo pela Rue Monsieur-le-Prince, uma rua estreita, em sentido único, o que impede segui-la de carro. Por uma razão que só ele conhece, deve passar para a Rive Droite. Indo dar na Rue Bonaparte, pega a Pont-Neuf mas é aí que sua corrida termina, pois no final da ponte já estão os camburões da polícia e, quando ele se vira, vê a caminhonete de Bayard, que vem bloquear sua retirada. Está preso numa ratoeira, mesmo se pular na água não irá longe, mas pensa que talvez tenha uma última cartada a jogar.

Sobe no parapeito e segura na mão um papel que tirou do casaco. Bayard se aproxima, sozinho. O homem lhe diz que mais um passo e ele joga o papel no Sena. Bayard se imobiliza como diante de um muro invisível.

"Calma."

"Rrrecue!"

"O que você quer?"

"Um carrro com tanque cheio. Do contrrrário eu jogo o ducumento."

"Vai, joga."

O homem faz um movimento com o braço. Bayard estremece, sem querer. "Espere!". Sabe que aquele pedaço de papel pode permitir-lhe solucionar a morte de pelo menos quatro pessoas. "Vamos conversar, tudo bem? Como é o seu nome?" Simon veio encontrá-lo. Nas duas extremidades da ponte os policiais estão de olho no homem. Sem fôlego, com o peito alquebrado pelo esforço, este leva a outra mão ao bolso. Nesse exato instante ouve-se uma detonação. O homem gira sobre si mesmo. Bayard dá um grito: "Não atirem!". O homem cai como uma pedra, mas o papel voeja acima do rio e Bayard e Simon, que se precipitaram, contemplam, debruçados no parapeito de pedra e como que hipnotizados, as curvas graciosas da descida errática. Finalmente, o papel aterrisa delicadamente na água. E boia. Bayard, Simon, os policiais que instintivamente entenderam que aquele documento era seu verdadeiro objetivo, observam, petrificados, prendendo a respiração, a folha de papel que deriva ao sabor da corrente.

Depois Bayard sai desse torpor contemplativo e, resolvendo que a esperança é a última que morre, tira o casaco, a camisa, a calça, passa pelo parapeito, hesita um punhado de segundos. Pula. Desaparece num grande feixe de respingos.

Quando volta à tona, está a cerca de vinte metros da folha e, do alto da ponte, Simon e os policiais começam todos juntos a gritar para lhe indicar a direção, como torcedores que berram. Bayard começa a nadar com todas as suas forças, tenta se aproximar mas o papel se afasta, levado pela corrente; mesmo assim, a distância diminui, ele vai apanhá-lo, mais alguns metros, desaparece debaixo da ponte, Simon e os policiais correm para o outro lado e esperam que reapareça, e quando reaparece os gritos continuam, mais um metro e conseguirá apanhá-lo, mas um bateau-mouche passa naquele instante e a marola submerge o papel, justo quando Bayard o tem ao alcance da mão, o papel afunda, então Bayard também afunda, por um instante vê-se apenas sua cueca, e quando volta à tona está com o papel encharcado na mão, e retorna a duras penas para a margem, em meio aos hurras e vivas.

Mas quando o alçam da margem, ele abre a mão e verifica que a folha não passa de uma pasta disforme e que a escrita foi apagada pois Barthes escrevia com caneta-tinteiro. E como ninguém está no seriado *CSI: Crime Scene Investigation*, não haverá como fazer o texto reaparecer, nem scanner mágico, nem luz violeta, o documento está irremediavelmente perdido.

O policial que atirou vem se explicar, viu que o homem ia sacar uma arma do bolso e não teve tempo de refletir, atirou. Bayard nota que lhe falta uma falange na mão esquerda. Pergunta o que aconteceu com seu dedo. O policial responde que o decepou cortando lenha na casa dos pais, no campo.

Quando os mergulhadores da polícia repescarem o cadáver, encontrarão no bolso de seu blusão, não uma arma, mas o exemplar de Barthes de *Linguística e comunicação*, e Bayard, que acaba de se enxugar, perguntará a Simon: "Mas quem é esse tal Jakobson, pô?". Então, finalmente, Simon poderá retomar sua exposição.

32.

Roman Jakobson é um linguista russo, nascido no fim do século XIX, que está na origem de um movimento chamado "Estruturalismo". Depois de Saussure (1857-1913) e Peirce (1839-1914), e junto com Hjelmslev (1899-1965), é sem dúvida o teórico mais importante entre os fundadores da linguística.

A partir de duas figuras de estilo vindas da retórica antiga, que são a metáfora (substitui-se uma palavra por outra, com a qual ela mantém uma relação de semelhança qualquer, por exemplo "pássaro de metal" para o Concorde, ou "touro raivoso" para o boxeador Jake La Motta), e a metonímia (substitui-se uma palavra por outra com a qual ela mantém uma relação de contiguidade, por exemplo "uma caixa de gilete" para designar uma lâmina ou "beber um copo" para dizer que se bebe o líquido dentro do copo — o continente substituindo o conteúdo), ele conseguiu explicar o funcionamento da linguagem segundo dois eixos, o eixo paradigmático e o eixo sintagmático.

Grosso modo, o eixo paradigmático é vertical e diz respeito à escolha do vocabulário: sempre que se pronuncia uma palavra, escolhe-se numa lista de palavras que se tem na cabeça e que se faz desfilar. Por exemplo, "a cabra", "a economia", "a morte", "a calça", "eu-tu-ele", sei lá.

Depois se encadeia com outras palavras, "do Monsieur Seguin", "doente", "com sua foice", "amassada", "abaixo-assinados", para formar uma frase: essa cadeia é o eixo horizontal, a ordem das palavras que permitirá compor uma frase, depois várias frases, e enfim um discurso. É o eixo sintagmático.

Depois de um substantivo, devemos decidir se encadeamos com um adjetivo, um advérbio, um verbo, uma conjunção coordenativa, uma preposição... e devemos escolher qual adjetivo ou qual advérbio ou qual verbo: renova-se a operação paradigmática a cada etapa sintagmática.

O eixo paradigmático nos faz escolher entre uma lista de palavras de classe gramatical equivalente, um substantivo ou um pronome, um adjetivo ou uma proposição relativa, um advérbio, um verbo etc.

O eixo sintagmático nos faz escolher a ordem das palavras: sujeito-verbo-complemento ou verbo-sujeito ou complemento-sujeito-verbo...

Vocabulário e sintaxe.

Toda vez que formulamos uma frase, praticamos essas duas operações, sem nos darmos conta. Grosso modo, o eixo paradigmático mobiliza o nosso disco rígido e o sintagmático se refere ao nosso processador. (Duvido, porém, que Bayard tenha noções de informática.)

Mas, no caso, não é isso que nos interessa.

(Bayard resmunga.)

Jakobson sintetizou, por outro lado, o processo de comunicação na forma de um esquema que comporta os seguintes polos: o emissor, o receptor, a mensagem, o contexto, o canal e o código. Foi a partir deste esquema que separou as funções da linguagem.

— a função "referencial" é a primeira função da linguagem e a mais evidente. Utiliza-se a linguagem para falar de alguma coisa. As palavras usadas remetem a um certo contexto, a uma certa realidade, a respeito dos quais se trata de dar informações.

— a função dita "emotiva" ou "expressiva" visa manifestar a presença e a posição do emissor em relação à sua mensagem: interjeições, advérbios modalizadores, vestígios de julgamento, recurso à ironia... O modo como o emissor exprime uma informação se referindo a um sujeito exterior dá, ela mesma, informações sobre o emissor. É a função do "eu".

— a função "conativa" é a função do "tu". Ela é dirigida ao receptor. Ela se exerce principalmente com o imperativo ou o vocativo, isto é, a interpelação daquele ou daqueles a quem nos dirigimos: "Soldados, estou contente com vocês!", por exemplo. (E pode notar, de passagem, que quase nunca uma frase se reduz a uma só função, mas em geral combina várias. Quando Napoleão se dirige às suas tropas depois de Austerlitz, combina a função emotiva — "estou contente" — com a conativa — "Soldados/com vocês!")

— a função "fática" é a mais divertida, é a função que pensa a comunicação como um fim em si. Quando dizemos "alô" ao telefone, não dizemos nada senão "eu o estou escutando". Quando discutimos horas no bar com os amigos, falamos do tempo que está fazendo ou do jogo de futebol da véspera, não nos interessamos propriamente pela informação em si, mas falamos por falar, sem outro objetivo além de entreter a conversa. O que significa dizer que ela está na fonte da maioria de nossas falas.

— a função "metalinguística" visa verificar que o emissor e o receptor se compreendem, isto é, utilizam o mesmo código. "Entende?", "Viu o que eu quero dizer?", "Conhece?", "Deixa eu te explicar...", ou então, do lado do receptor, "O que você quer dizer?", "O que isso significa?" etc. Tudo o que se refere à definição de uma palavra ou à explicitação de um desenvolvimento, tudo o que tem a ver com o processo de aprendizagem da linguagem, toda fala sobre a linguagem, toda metalinguagem, remete à função metalinguística. Um dicionário não tem outra função além da metalinguística.

— por fim, a última função é a função "poética". Ela considera a linguagem em sua dimensão estética. Os jogos com a sonoridade das palavras, aliterações, assonâncias, repetições, efeitos de eco ou de ritmo, têm a ver com essa função. Encontramo-la nos poemas, é claro, mas também nas canções, nos títulos de jornais, nos discursos oratórios, nos slogans publicitários ou políticos... Por exemplo, "CRS = SS"* usa a função poética da linguagem.

Jacques Bayard acende um cigarro e diz:
"Estas somam seis."
"Desculpe?"

---

* Slogan do Maio de 1968 na França, aproximando a truculência policial das Compagnies Républicaines de Sécurité aos SS nazistas. (N. T.)

"Somam seis funções."
"Ah, sim, isso mesmo."
"Não tem a sétima função?"
"Hum, hum, bem, ahn... Aparentemente, sim..."
Simon dá um sorriso bobo.

Bayard se pergunta em voz alta por que está pagando a Simon. Simon lembra que não pediu nada e que está ali a contragosto, por ordem expressa de um presidente fascista à frente de um Estado policial.

No entanto, refletindo, ou melhor, relendo Jakobson, Simon Herzog encontra o rastro de uma potencial sétima função, designada pelo nome de "função mágica ou encantatória", cujo mecanismo é descrito como "a conversão de uma terceira pessoa, ausente ou inanimada, em destinatária de uma mensagem conativa". E Jakobson dá como exemplo uma fórmula mágica lituana: "Que este terçol seque, tuf tuf tuf tuf". Sei, sei, sei, pensou Simon.

Ele menciona também essa encantação do norte da Rússia: "Água, rainha dos rios, aurora! Leva a tristeza para além do mar azul, para o fundo do mar, que jamais a tristeza venha pesar no coração leve do servo de Deus...". E para ser generoso, uma citação da Bíblia: "Sol, detém-te sobre Gibeão, e tu, ó lua, no vale de Aijalom. E o sol parou e a lua não se moveu". (Josué 10:12).

Perfeito, mas tudo isso parece anedótico, não é possível falar de fato de uma função integral, no máximo de uma utilização ligeiramente delirante da função conativa, por um uso essencialmente catártico, na melhor das hipóteses poético, mas de jeito nenhum efetivo: a invocação mágica só funciona nos contos, por definição. Simon tem a convicção de que isto não é a sétima função da linguagem, e aliás Jakobson só a evoca por desencargo de consciência, por preocupação com a exaustividade, antes de retomar a continuação séria de sua análise. A "função mágica ou encantatória"? Uma curiosidade desprezível. Uma bobaginha, mencionada de passagem. Em todo caso, nada que justifique matar.

33.

"*Pelos manes de Cícero, esta noite, eu vos digo, meus amigos, choverá entimema! Vejo os que estudaram seu Aristóteles, conheço uns que sabem seu Quintiliano, mas serááá suficiente para vencer os obstáculos do léxico no sinuoso percurso da sintaxe? Croá croá! É o espírito de Corax que vos fala. Glória aos pais fundadores! O vencedor, esta noite, ganha uma viagem a Siracusa. Quanto aos vencidos... terão os dedos presos na porta. O que é sempre melhor do que a língua... Não esqueçais que os oradores hoje são os tribunos de amanhã. Glória ao logos! Viva o Clube Logos!*"

34.

Simon e Bayard estão numa sala que é metade laboratório, metade depósito de armas. Na frente deles, um homem de avental examina a pistola do bigodudo que deveria ter explodido o cérebro de Simon. ("É uma Q", pensa Simon.). O técnico de balística, manipulando a arma de fogo, comenta em voz alta: "nove milímetros; oito tiros; dupla ação; aço, acabamento em bronze, coronha de nogueira; peso: setecentos e trinta gramas sem o carregador". Aquilo parece um Walther PPK mas a trava de segurança é invertida: é um Makarov PM, uma pistola soviética. A menos que.

As armas de fogo, explica o especialista, são como as guitarras elétricas. Fender, por exemplo, é uma marca americana que fabrica a Telecaster usada por Keith Richards ou a Stratocaster de Jimi Hendrix, mas também existem modelos mexicanos ou japoneses produzidos por franquia, que são réplicas da versão americana original, mais baratas e em geral não tão bem-acabadas, embora via de regra bem-feitas.

Esse Makarov não é um modelo russo, mas búlgaro. Provavelmente foi por isso que emperrou: os modelos russos são muito fiáveis, as cópias búlgaras, um pouco menos.

"Ora, o senhor vai rir, delegado", diz o especialista mostrando o guarda-chuva que retiraram do peito do bigodudo. "Está vendo este buraco? A ponta é oca. Ela funciona como uma seringa alimentada pelo cabo. Basta apertar este gatilho instalado no punho e ele abre uma válvula que libera o líquido com a ajuda de um cilindro de ar comprimido. O mecanismo é de tremenda simplicidade. É idêntico àquele que serviu para eliminar Georgi Markov, o dissidente búlgaro, há dois anos em Londres, lembra-se?" O assassinato tinha sido atribuído, como de fato o delegado Bayard se lembra, aos serviços secretos búlgaros. Na época, usavam a ricina. Mas agora recorrem a um veneno mais forte, a toxina botúlica, que age bloqueando a transmissão neuromuscular, provocando assim a paralisia dos músculos e causando a morte em poucos minutos, por asfixia ou parada cardíaca.

Pensativo, Bayard brinca com o mecanismo do guarda-chuva.

Por acaso Simon Herzog conheceria búlgaros no meio universitário? Ele reflete.

Sim, conhece um.

35.

Os dois Michel, Poniatowski e Ornano, estão conversando na sala do presidente. Giscard, preocupado, se posta diante da janela, no primeiro andar, que dá para os jardins do Elysée. Como Ornano está fumando, Giscard lhe pede um cigarro. Poniatowski, sentado numa das vastas poltronas do canto do salão, serviu-se de um uísque que pôs à sua frente, na mesinha de centro. É ele que toma a palavra: "Falei com meus contatos, que estão em ligação com Andropov". Giscard não diz nada porque, como todo homem de poder que chegou a esse nível, espera de seus colaboradores que o dispensem de formular as perguntas importantes. Poniatowski responde, portanto, à pergunta muda: "Segundo eles, a KGB não está implicada".

Giscard: "O que o faz pensar que se possa dar crédito a essa opinião?".

Ponia: "Vários elementos. O mais convincente é que, de imediato, eles não fariam uso de um documento desses. Num plano político".

Giscard: "A propaganda é um fator decisivo nesse país. O documento poderia lhes ser útil".

Ponia: "Duvido. Não se pode dizer que Brejnev tenha favorecido tanto assim a liberdade de expressão desde que sucedeu a Kruschev. Não há debates na URSS, e se há, são internos ao partido, que não os leva ao conhecimento do público. Portanto, o critério não é a força de persuasão, mas a relação das forças políticas".

Ornano: "Pode-se muito bem imaginar que Brejnev ou outro membro do partido deseje fazer um uso interno do documento, justamente. O Comitê Central é um saco de gatos. O trunfo não seria de desprezar".

Ponia: "Não imagino Brejnev desejando afirmar sua preeminência dessa maneira. Não precisa disso. A oposição é inexistente. O sistema está aferrolhado. E nenhum outro membro do Comitê Central poderia comandar uma operação dessas em benefício próprio sem que o aparelho fosse informado".

Ornano: "Salvo Andropov".

Ponia (agastado): "Andropov é um homem da sombra. Tem mais poder como chefe da KGB do que em nenhum outro posto. Vejo-o mal se lançando numa aventura política".

Ornano (irônico): "É verdade, não é o tipo de coisa dos homens da sombra. Talleyrand, Fouché não tinham nenhuma ambição política, todos sabem".

Ponia: "Em todo caso, não as realizaram".

Ornano: "É discutível. No Congresso de Viena...".

Giscard: "Em suma! O que mais?".

Ponia: "Parece altamente improvável que a operação tenha sido montada pelos serviços búlgaros sem o aval do grande irmão. Em compensação, pode-se imaginar agentes búlgaros tendo vendido seus serviços para interesses particulares, cuja natureza nos resta determinar".

Ornano: "Os serviços búlgaros controlariam tão pouco seus homens?".

Ponia: "A corrupção é generalizada e não poupa nenhum setor da sociedade, os serviços de inteligência menos que o resto".

Ornano: "Agentes que fazem uns extras em suas horas de folga? Francamente...".

Ponia: "Agentes que trabalham para diversos patrões, isso lhe pareceria inédito?". (Ele esvazia o copo.)

Giscard (esmagando o cigarro num pequeno hipopótamo de marfim que serve de cinzeiro): "Tudo bem. Outra coisa?".

Ponia (virando-se para trás na poltrona, com as mãos na nuca): "Bem, parece que o irmão de Carter é um agente a serviço dos líbios".

Giscard (espantado): "Qual? Billy?".

Ponia: "Andropov parecia ter essa informação da CIA. Aparentemente, ele achou muita graça".

Ornano (reenquadrando a conversa): "O que fazemos, então? Na dúvida, liquidamos?".

Ponia: "O presidente não precisa do documento, só precisa saber que a parte adversária não o detém".

Pelo que eu saiba, ninguém notou que o famoso chiado de Giscard se acentuava nas situações embaraçosas ou de prazer. Ele disse: "Cherto, cherto... Mas se pudéssemos encontrá-lo... Ao menos localizá-lo, e se possível recuperá-lo, eu ficaria mais tranquilo. Em relação à França. Imaginem se esse documento cair, hum, em mãos erradas... Não é que... Mas, pensando bem".

Ponia: "Portanto é preciso esclarecer a missão de Bayard: trazer o documento, sem deixar ninguém lê-lo. Não esqueçamos que o jovem linguista cujos serviços ele contratou é capaz de decriptá-lo, portanto de usá-lo. Ou, senão, ter certeza de que está destruído, até a última cópia. (Levanta-se e dirige-se ao bar, resmungando.) Esquerdista. Necessariamente esquerdista...".

Ornano: "Mas como saber se o documento já serviu?".

Ponia: "Segundo minhas informações, se alguém o utilizasse deveríamos perceber muito depressa...".

Ornano: "Mas, e se a pessoa for discreta? Se ficar na moita?".

Giscard (encostando no bufê debaixo do quadro de Delacroix, e mexendo nas medalhas da Legião de Honra guardadas dentro das caixinhas): "Isso parece pouco plausível. Um poder, seja qual for, tem vocação para ser exercido".

Ornano (curioso): "É válido para a bomba atômica?".

Giscard (professoral): "Sobretudo para a bomba atômica".

A evocação de um possível fim do mundo mergulha o presidente, por instantes, num leve devaneio. Ele pensa na autoestrada A71 que deve atravessar Auvergne, na prefeitura de Chamalières, na França cuja responsabilidade é dele. Seus dois colaboradores esperam respeitosamente que retome a palavra. "Enquanto isso, um só objetivo deve governar todos os nossos atos: impedir a esquerda de chegar ao poder".

Ponia (cheirando uma garrafa de vodca): "Comigo vivo, não haverá ministros comunistas na França".

Ornano (acendendo um cigarro): "Justamente, você deveria se controlar se quer ganhar a presidência".
Ponia (levantando o copo): "*Na zdrowie!*".

36.

"Camarada Kristoff, você sabe, naturalmente, quem é o maior homem político do século xx?"
Emil Kristoff não foi convocado à Lubianka, mas teria preferido.
"Naturalmente, Iúri Vladimirovitch. É Georgi Dimitrov."
O caráter falsamente informal de seu encontro com Iúri Andropov, diretor da KGB, no subsolo de um velho bar, como são quase todos os bares de Moscou, não ajuda a sossegá-lo, e o fato de se encontrarem num lugar público não muda nada a situação. É possível ser preso num lugar público. É possível até mesmo morrer. Ele sabe muito bem do que está falando.
"Um búlgaro." Andropov ri. "Quem diria?"
O garçom pôs dois copinhos de vodca e dois copos grandes de suco de laranja sobre a mesa, com dois grandes pepinos num pratinho, e Kristoff se pergunta se ele seria um informante. Ao redor, pessoas fumam, bebem e falam alto, e é a regra de base quando se quer ter certeza de que uma conversa não será ouvida: manter-se num local barulhento, com ruídos aleatórios, de modo que um eventual microfone não consiga isolar uma voz em particular. Caso se esteja num apartamento, é preciso abrir a torneira da banheira. Mas o mais simples ainda é ir tomar uma bebida. Kristoff olha para os rostos dos clientes e localiza pelo menos dois agentes na sala, mas supõe que haja outros.
Andropov insiste sobre Dimitrov: "É uma loucura como, desde 1933, durante o processo do Reichstag, tudo estava escri-

to. O enfrentamento entre Göring, citado como testemunha, e Dimitrov, no banco dos réus, prenuncia e representa a agressão fascista que virá, a resistência heroica dos comunistas e nossa vitória final. Esse processo é altamente simbólico da superioridade comunista de todos os pontos de vista, político e moral. Dimitrov, imperial e zombeteiro, dominando perfeitamente a dialética histórica, quando na verdade arrisca a própria cabeça, diante de um Göring eructando e brandindo o punho... Que espetáculo! Göring, presidente do Reichstag, primeiro-ministro e ministro do Interior da Prússia, nada menos. Mas Dimitrov inverte os papéis, e é Göring que deve responder às suas perguntas. Dimitrov o demole completamente. Göring fica louco de raiva, esperneia, parece um garoto privado de sobremesa. Diante dele, imperial no banco dos réus, Dimitrov expõe aos olhos de todos a loucura dos nazistas. O próprio presidente do tribunal toma consciência disso. É hilário, porque se diria que ele pede a Dimitrov para desculpar o comportamento do gordo Göring. Ele lhe diz, lembro-me como se fosse ontem: 'Tendo em vista que o senhor se dedica à propaganda comunista, não deveria se surpreender por a testemunha estar tão agitada'. Agitada! E Dimitrov, que responde que está plenamente satisfeito com a resposta do primeiro-ministro. Rá-rá! Que homem! Que talento!".

Kristoff vê alusões e subentendidos por todo lado, mas tenta separar as coisas pois sabe que seu grau de paranoia o impede de avaliar corretamente as palavras do chefe da KGB. No entanto, sua convocação a Moscou é em si um indício incontestável. Não se pergunta se Andropov sabe alguma coisa. Pergunta-se o que ele sabe. É uma pergunta muito mais complicada de responder.

"Na época, no mundo inteiro se dizia: 'Só resta um homem na Alemanha, e esse homem é búlgaro'. Eu o conheci, sabe, Emil. Um orador nato. Um mestre."

Enquanto ouve Andropov exaltar o grande Dimitrov, o camarada Kristoff avalia sua própria situação. Não há nada mais desconfortável para alguém que se prepara a mentir do que ignorar o nível de informação de seu interlocutor. Mais hora menos hora, sabe que deverá fazer uma aposta.

E tal hora chega: Andropov, fechando a página Dimitrov, pede a seu colega búlgaro detalhes sobre os últimos relatórios que chegaram à sua mesa, na Lubianca. O que é exatamente essa operação em Paris?

Pronto. Kristoff sente o coração disparar mas tenta não respirar muito forte. Andropov dá uma dentada num pepino. É preciso decidir agora. Seja assumir a operação, seja alegar não estar sabendo de nada, mas essa segunda opção tem o inconveniente de fazê-lo passar por incompetente, o que, no ambiente da informação, nunca é um bom cálculo. Kristoff sabe perfeitamente como funciona uma boa mentira: ela deve estar afundada num oceano de verdade. Confessar noventa por cento permite, de um lado, credibilizar os dez por cento que se tenta dissimular, e, de outro, reduz os riscos de se dar mal. Ganha-se tempo e evita-se ficar atrapalhado. Quando se mente, é preciso mentir num ponto e num só, e ser perfeitamente honesto em todo o resto. Emil Kristoff inclina-se para Andropov e diz: "Camarada Iúri, conhece Roman Jakobson? É um compatriota seu. Escreveu coisas muito bonitas sobre Baudelaire".

37.

Minha Julenka,
Voltei ontem de Moscou, minha visita correu bem, pelo menos creio eu. Em todo caso, voltei. Bebemos bastante, o velho e eu. Ele foi amável e no final da noite parecia bêbado, mas não creio que estivesse. Eu também faço de conta, às vezes, que estou bêba-

do para ganhar a confiança das pessoas ou baixar a guarda. Mas eu, como você imagina, não baixei a minha. Disse a ele tudo o que ele queria saber, mas, evidentemente, não falei de você. Disse que não acreditava no poder do manuscrito e que era por isso que não o havia informado de minha missão em Paris, porque queria primeiro ter certeza. Mas como alguns em meus serviços acreditam nisso, então na dúvida despachei uns agentes, e disse que tinham pecado por excesso de zelo. Parece que os serviços franceses investigam neste momento, mas aparentemente Giscard finge não estar informado. Talvez você pudesse utilizar as relações do seu marido para se informar? Em todo caso, deve tomar muito cuidado, e agora que o velho está de olho em mim não poderei mais lhe enviar homens suplementares.

O motorista da caminhonete chegou bem, o falso médico que entregou a você o documento, também. Os franceses jamais conseguirão encontrá-los, pois eles estão de férias às margens do mar Negro, e são os únicos que podiam permitir chegar a você, junto com os dois outros agentes, que morreram, e aquele que sobra para vigiar a investigação. Sei que ele foi ferido mas é forte, pode contar com ele. Se a polícia encontrar alguma coisa, ele saberá o que fazer.

Deixe-me lhe dar um conselho. Você precisa arquivar esse documento. Nós aqui temos o costume de conservar e esconder um documento precioso que não nos permitimos perder, mas cujo conteúdo não deve ser divulgado em nenhuma hipótese. Você deve fazer uma cópia, e só uma, e dá-la para ser guardada a alguém digno de confiança, que ignorará do que se trata. O original, deve guardar consigo.

Mais uma coisa, desconfie dos japoneses.

Aí vão alguns conselhos, minha Julechka. Faça bom proveito. Espero que esteja bem e que tudo se passe como previsto, embora saiba, por experiência, que nada jamais acontece como previsto.

Seu velho pai que cuida de você,
Tatko

P.S.: *Responda-me em francês, é mais seguro e me faz praticar.*

38.

Há alojamentos da Escola Normal Superior, atrás do Panthéon. Estamos num grande apartamento e o homem de cabelos brancos, bolsas sob os olhos, ar cansado, diz:
"Estou sozinho."
"Onde está Hélène?"
"Não sei. Brigamos de novo. Ela teve uma crise horrível por um motivo absurdo. Ou então fui eu."
"Precisamos de você. Pode guardar este documento? Não deve abri-lo, não deve lê-lo, não deve falar com ninguém a respeito, nem sequer com Hélène."
"Tudo bem."

39.

Difícil imaginar o que Kristeva pensa de Sollers em 1980. Que seu dandismo histriônico, sua libertinagem *so French*, sua presunção patológica, seu estilo de adolescente panfletário e sua cultura *épate-bourgeois* tenham conseguido seduzir a bulgarazinha recém-desembarcada da Europa oriental, nos anos 1960, admitamos. Quinze anos depois, seria de imaginar que ela está menos encantada, mas quem sabe? O que parece evidente é que a associação deles é sólida, que funcionou perfeitamente desde o início e que continua a funcionar: um time consolidado em que os papéis estão bem atribuídos. Para ele, a fanfarronice, as mundanidades e as palhaçadas idiotas. Para ela, o charme eslavo venenoso, glacial, estruturalista, os arcanos do mundo universitário, a gestão dos manda-chuvas, os aspectos técnicos, institucionais e, como deve ser, burocráticos da ascensão de ambos. (Ele não sabe "preencher um formulário bancário", reza a lenda.) Já os dois formam uma máquina de guerra política em marcha para o que será, no século seguinte, a apoteose de uma carreira exemplar: quando Kristeva aceitar receber a Legião de Honra das mãos de Nicolas Sarkozy, Sollers, presente à cerimônia, não esquecerá de debochar do presidente que pronuncia "Barthés" em vez de "Barthes". *Good cop, bad cop*, o privilégio das honrarias e o suplemento da insolência. (Mais tarde, François Hollande elevará Kristeva ao grau de comandante da ordem. Os presidentes passam, os condecorados voltam.)

Dupla infernal, casal político: guardemos tudo isso na memória, por enquanto.

Quando Kristeva abre a porta e constata que Althusser veio com a mulher, não consegue ou não quer reprimir uma careta de desagrado, e em troca Hélène, mulher de Althusser, perfeitamente a par da consideração que lhe demonstram tais pessoas em cuja casa ela vai esta noite, mostra um sorriso amarelo, pois o ódio instintivo e mútuo das duas mulheres chega às raias de uma forma de cumplicidade. Althusser, de seu lado, exibe um ar de criança culpada entregando um ramo de flores. Kristeva trata de ir pôr as flores num lavabo. Sollers, visivelmente já um pouco alterado pelo aperitivo, recebe os dois recém-chegados soltando exclamações afetadas: "Mas com que então, queridos amigos... Só estávamos esperando por vocês... Para passar à mesa... Caro Louis, um martíni... Como de costume?... Tinto!... Hu-hu!... Hélène... O que lhe agradaria?... Eu sei... Um bloody mary!... Hi-hi!... Julia... Traga o salsão... Minha querida?... Louis... Como vai o partido?...".

Hélène observa os outros convidados como um gato velho amedrontado e não reconhece ninguém, além de BHL, que ela viu na tevê, e Lacan, que veio com uma moça alta de tailleur de couro preto. Sollers faz as apresentações enquanto todos se sentam, mas Hélène não se dá ao trabalho de guardar os nomes: há um jovem casal nova-iorquino em traje esporte, uma chinesa adida da embaixada ou trapezista do Circo de Pequim, um editor parisiense, uma feminista canadense e um linguista búlgaro. "A vanguarda do proletariado", Hélène zomba de si para si.

Os convivas mal se instalaram e Sollers, meloso, começa uma discussão sobre a Polônia: "Aí está um assunto que nunca sai de moda!... Solidarnosc, Jaruzelski, sim, sim... De Mickiewicz e Slovacki a Walesa e Wojtyla... Podemos falar deles daqui a cem anos, mil anos, e a Polônia estará sempre se dobrando ao jugo da Rússia... É prático... Isso torna nossas conversas imortais... E quando não é a Rússia, é a Alemanha, evidentemente, não é?... Rhôôô, ora, ora... camaradas. Morrer por Gdansk... Morrer por Dantzig... Que deliciosa gagueira!... Como é mesmo que vocês dizem?... Ah, sim: trocar seis por meia dúzia...".

A provocação se dirige a Althusser mas o velho filósofo de olhar apagado mergulha suavemente os lábios no martíni, parece que vai se afogar ali dentro, então Hélène, com a audácia dos bichinhos selvagens, responde por ele: "Compreendo a sua solicitude com o povo polonês: acho que eles não enviaram membros da sua família para Auschwitz". E como Sollers hesita um segundo (um só) em encadear com uma provocação sobre os judeus, ela resolve ampliar sua vantagem: "Mas esse novo papa lhe agrada?". (Ela mergulha o nariz no prato.) Eu desconfio que não". (Ela insiste na entonação popular.)

Sollers afasta os braços como se batesse asas, e declara entusiasmado: "Esse papa é perfeitamente do meu gosto! (Dá uma dentada num aspargo.) Não é sublime quando desce de seu avião para beijar a terra que o acolhe?... Seja qual for o país, o papa se ajoelha, como uma prostituta magnífica que se prepara para nos pegar em sua boca, e beija o solo... (Brande o aspargo meio mastigado.) Esse papa é um beijoqueiro, não acham... Como eu poderia não gostar dele?".

O casal de nova-iorquinos dá gritinhos ao mesmo tempo. Lacan solta um grito de pássaro, levantando a mão, mas desiste de tomar a palavra. Hélène, que é tenaz, como todo bom comunista, pergunta: "E você acha que ele gosta dos libertinos? Pelas últimas notícias, não é muito aberto sobre a sexualidade. (Ela dá um olhar para Kristeva.) Politicamente, quero dizer".

Sollers solta uma risada barulhenta que anuncia uma estratégia de que ele é useiro e vezeiro, e que consiste em engatar, a partir do assunto inicial, mais ou menos qualquer coisa, sem transição: "É porque é mal aconselhado... Aliás, tenho certeza de que está cercado de homossexuais... Os homossexuais são os novos jesuítas... Mas sobre essas coisas, não são necessariamente tão bons conselheiros... Se bem que... Parece que há uma nova doença que os dizima... Deus disse: Crescei e multiplicai-vos... A camisinha... Que abominação!... O sexo asséptico... Os corpos calosos que não se tocam... Uah... Eu nunca usei uma camisinha em toda a minha vida... E olhe que vocês conhecem minha simpatia pela moda... Enrolar meu pau que nem um bife rolê... Nunca!...".

Nesse instante Althusser acorda:

"Se a URSS atacou a Polônia foi por motivos altamente estratégicos. Precisavam a qualquer preço impedir Hitler de se aproximar da fronteira russa. Stálin se serviu da Polônia como de um tampão: tomando posição no solo polonês, obtinha uma segurança contra a invasão que viria..."

"... e essa estratégia, como todos sabem, funcionou maravilhosamente", diz Kristeva.

"Depois de Munique, o Pacto Germano-Soviético se tornara uma necessidade, que digo, uma evidência", especula Althusser.

Lacan solta um ruído de coruja, Sollers se serve novamente de bebida. Hélène e Kristeva se olham, ninguém consegue saber se a chinesa fala francês, nem o linguista búlgaro nem a feminista canadense, nem sequer o casal nova-iorquino, até que Kristeva lhes pergunta, em francês, se eles jogaram tênis recentemente (são seus parceiros de dupla, fica-se sabendo, e Kristeva insiste no último encontro deles, em que ela demonstrou uma combatividade deslumbrante, para sua própria surpresa pois não sabe jogar muito bem, pensa ser útil esclarecer). Mas Sollers não os deixa responder, sempre feliz de mudar de assunto:

"Ah, Borg!... O messias que veio do frio... Quando cai de joelhos na grama de Wimbledon... os braços em forma de cruz... Os cabelos louros... Seu bandó... Sua barba... É Jesus-Cristo no gramado... Se Borg ganhar Wimbledon, é para a redenção de todos os homens... Como há muito o que fazer a esse respeito, ele ganha todo ano... Quantas vitórias serão necessárias para nos lavar de nossos pecados?... Cinco... Dez... Vinte... Cinquenta... Cem... Mil..."

Eu pensava que você preferia McEnroe", diz o jovem nova-iorquino com seu sotaque nova-iorquino.

"Ah, McEnroe... *The man you love to hate*... Um bailarino, esse aí... A graça do diabo... Mas por mais que voe na quadra... McEnroe é Lúcifer... O mais belo de todos os anjos... Lúcifer sempre cai no final..."

Enquanto se embala numa exegese bíblica em que compara são João com McEnroe (*Saint... John*), Kristeva, com a desculpa de tirar os pratos da entrada, some na cozinha junto com a chinesa. A jovem amante de Lacan se descalça, debaixo da mesa, a feminista canadense e o linguista búlgaro se lançam olhares interrogativos, Althusser brinca com a azeitona de seu martíni. BHL bate com a mão na mesa e diz: "É preciso intervir no Afeganistão!".

Hélène vigia todo mundo.

Diz: "E não no Irã?". O linguista búlgaro acrescenta, misterioso: "A hesitação é mãe do fantástico". A feminista canadense sorri. Kristeva volta com o gigô e a chinesa. Althusser diz: "O partido errou em apoiar a invasão no Afeganistão. Não se deve invadir um país por um comunicado de imprensa. Os soviéticos são mais espertos, vão se retirar". Sollers pergunta, debochando: "O partido, quantas divisões?". O editor olha o relógio e diz: "A França se atrasa". Sollers sorri olhando para Hélène e diz: "Ninguém é sério quando tem setenta anos". A amante de Lacan acaricia com o pé descalço a braguilha de BHL, que fica de pau duro, sem se mexer.

A conversa deriva para Barthes. O editor lhe faz um ambíguo elogio fúnebre. Sollers explica: "Muitos homossexuais me deram, mais hora menos hora, a mesma impressão estranha, a de serem como que comidos por dentro…". Kristeva esclarece para o conjunto dos onze convivas: "Vocês devem saber que éramos muito ligados. Roland adorava Philippe e… (Assume um ar modesto e meio misterioso) gostava muito de mim". BHL faz questão de acrescentar: "Ele NUNCA conseguiu tolerar o marxismo-leninismo". O editor: "Mesmo assim, ele adorava Brecht". Hélène, venenosa: "E a China? O que foi que ele achou?". Althusser franze o cenho. A chinesa levanta a cabeça. Sollers responde, descontraído: "Maçante, mas não mais que o resto do mundo". O linguista búlgaro, que o conhecia bem: "Excetuando o Japão". A feminista canadense, que fez mestrado sob sua orientação, relembra: "Ele era muito bondoso e muito solitário". O editor, com ares entendidos: "Sim e não. Sabia se cercar… Quando queria. Enfrentava qualquer situação, apesar dos pesares". A amante de Lacan se abaixa cada vez mais na cadeira para massagear as bolas de BHL com a ponta do pé.

BHL, imperturbável: "É muito bom ter um mestre. Ainda assim, é preciso saber se separar dele. Eu, por exemplo, na Escola Normal...". Kristeva o corta, rindo com um riso seco: "Por que os franceses são tão ligados à sua escolaridade? Parece que não conseguem ficar duas horas sem evocá-la. Ficam parecendo ex-combatentes, acho". O editor confirma: "É verdade, na França nós todos temos saudade da escola". Sollers, implicante: "Aliás, alguns nela permanecem toda a sua vida". Mas Althusser não reage. Hélène pragueja por dentro contra essa mania dos burgueses de tomarem seu caso como uma generalidade. Ela não gostava da escola, onde aliás não ficou muito tempo.

Tocam a campainha. Kristeva se levanta para ir atender. No vestíbulo, vê-se que conversa com um bigodudo malvestido. A conversa dura menos de um minuto. Depois volta a se sentar como se nada fosse, dizendo simplesmente (e seu sotaque aparece por um instante): "Desculpem, errram uns negócios desagrrradáveis. Do meu consultórrrio". O editor prossegue: "Na França, o peso de nossos êxitos escolares é excessivo em nossa ascensão social". O linguista búlgaro encara Kristeva: "Mas felizmente não é o único fator. Não é, Julia?". Kristeva lhe responde algo em búlgaro. Começam a falar na língua materna deles, réplicas curtas, proferidas à meia voz. Na atmosfera ambiente, se há hostilidade entre eles os outros convivas não têm condições de detectar. Sollers intervém: "Vamos, crianças, nada de missas rezadas, rá-rá...". Depois se dirige à feminista canadense: "Cara amiga, seu romance avança? Concordo com Aragon, sabe... A mulher é o futuro do homem... Portanto, da literatura... Já que a mulher é a morte... E a literatura está sempre do lado da morte...". E enquanto imagina com nitidez a canadense tirando a sua camisinha, pergunta a Kristeva se ela pode ir pegar a sobremesa. Kristeva se levanta e começa a tirar a mesa, ajudada pela chinesa, e enquanto as duas mulheres desaparecem de novo na cozinha o editor puxa um charuto, cuja ponta ele corta com a faca de pão. A amante de Lacan continua a se contorcer na cadeira. O casal nova-iorquino se mantém comportadamente de mãos dadas, sorrindo com polidez. Sollers imagina um encontro a quatro, com a canadense e raquetes de tênis. BHL, que está de pau duro como um cavalo, diz que da próxima vez deveria se convidar Soljenítsin. Hélène ralha com Althusser: "Porco! Você se sujou!". Ela enxuga sua camisa com um guardanapo molhado em um pouco de água com gás. Lacan cantarola em voz baixa uma espécie de cantiga infantil judaica. Todos fingem nada notar. Na cozinha, Kristeva agarra a chinesa pela cintura. BHL diz para Sollers: "Pensando bem, Philippe, você é melhor que Sartre: estalinista, maoista, papista... Dizem que ele sempre se enganou, mas você!... Você muda de opinião tão depressa que não tem tempo de se enganar". Sollers enfia um cigarro na piteira. Lacan resmunga: "Sartre, esse aí não existe". BHL encadeia: "Eu, no meu próximo livro...". Sollers o interrompe: "Sartre dizia que todo anticomunista é um cachorro... Eu digo que todo anticatólico é um cachorro... Aliás, é muito simples, não há um só judeu válido que não tenha sido tentado a se converter ao catolicismo... Não é?... Querida, você nos traz a sobremesa?...". Da cozinha, a voz abafada de Kristeva responde que está indo.

O editor diz a Sollers que talvez vá publicar Hélène Cixous. Sollers responde: "Esse pobre Derrida... Não é Cixous que vai derrubá-lo... Hu-hu...". BHL novamente faz questão de esclarecer: "Tenho muita afeição por Derrida. Foi meu professor na Escola. Como você, caro Louis. Mas não é um filósofo. Filósofos franceses ainda em vida, só conheço três: Levinas, Sartre e Althusser". Althusser não reage à pequena lisonja. Hélène disfarça a irritação. O americano pergunta: "E Pierre Bowrdieu, não é um bom filósofo?". BHL responde que ele é formado pela Escola Normal mas com certeza não é filósofo. O editor esclarece, pensando no americano, que Bourdieu é um sociólogo que trabalha muito sobre as desigualdades invisíveis, o capital cultural, social, simbólico... Sollers boceja ostensivamente: "Ele é, sobretudo, um chato de galocha... Seus *habitus*... Sim, nós não somos todos iguais, grande novidade! Pois bem, vou lhes fazer uma confidência... Psiu... Aproximem-se... Isso sempre foi assim, e isso jamais mudará... Inacreditável, não é?".

Sollers se agita cada vez mais: "Altura! Altura! Abstrações, rápido!... Não somos Elsa e Aragon, muito menos Sartre e Beauvoir, falso!... O adultério é uma conversação criminosa... Sim... Sim... Já que é para fazer... O Sopro, é sempre ele que se esquece... Aqui. Agora. Realmente aqui... Realmente agora... A moda costuma ser verdadeira...". Seu olhar vai e vem da canadense a Hélène. "A história do maoismo? Era a diversão da época... A China... Romantismo... Aconteceu-me escrever coisas incendiárias, é verdade... Sou um grande vaiador... O melhor do país...".

Lacan está longe. O pé de sua amante continua a acariciar o entrecoxas de BHL. O editor espera que aquilo passe. A canadense e o búlgaro se sentem ligados por uma solidariedade mútua. Hélène aguenta com uma raiva silenciosa o monólogo do grande escritor francês. Althusser sente subir dentro de si algo perigoso.

Kristeva e a chinesa voltam enfim com uma torta de damasco e um *clafoutis*: o batom das duas, recém-retocado, queima como um fogo ardente. A canadense pergunta como os franceses veem as eleições no ano que vem. Sollers bufa: "Mitterrand tem um destino: a derrota... Ele o realizará até o fim...". Hélène, sempre pronta a lembretes, lhe pergunta:

"Você, que almoçou com Giscard, como é ele?"

"Quem, Giscard?... Hum, um falso fim de raça... Sabe que a partícula de nobreza de seu sobrenome na verdade vem de sua mulher, não sabe?... Nosso querido Roland é que tinha razão...

Um espécime de burguês muito bem-sucedido, ele dizia... Ah, não estaríamos protegidos contra um novo Maio de 1968... Se ainda estivéssemos em 1968..."

"As estruturas... Na rua...", murmura Lacan, já sem forças.

"Entre nós, sua imagem é a de um patrício brihante, dinâmico e ambicioso", diz o americano. "Mas não deixou uma grande marca no plano internacional, até agora."

"Não bombardeou o Vietnã, é verdade", range Althusser, enxugando a boca.

"Mesmo assim, interveio no Zaire", diz BHL, "e além disso gosta da Europa."

"O que vai nos levar de volta à Polônia", diz Kristeva.

"Ah, não, a Polônia, por hoje chega!", diz Sollers dando uma tragada na piteira.

"Sim, poderíamos falar de Timor oriental, por exemplo", diz Hélène, "isso mudaria. Não ouvi o governo francês condenar os massacres cometidos pela Indonésia."

"Imaginem só", diz Althusser, que parece emergir de novo, "cento e trinta milhões de habitantes, um mercado enorme e um aliado precioso dos Estados Unidos numa região do mundo onde eles não têm tantos assim, não é?"

"Estava delicioso", diz a americana terminando o *clafoutis*.

"Mais um conhaque, senhores?", diz Sollers.

A jovem que continua a mexer o pé nos colhões de BHL pergunta de repente quem é esse Charlus de que todo mundo fala em Saint-Germain. Sollers sorri: "É o judeu mais interessante do mundo, minha cara... Aliás, mais um invertido".

A canadense diz que também tomaria um conhaque. O búlgaro lhe oferece um cigarro que ela acende na vela. O gato da casa vai se esfregar nas pernas da chinesa. Alguém evoca Simone Veil, Hélène a destesta, e por isso Sollers a defende. O casal de americanos pensa que Carter vai ser reeleito. Althusser começa a paquerar a chinesa. Lacan acende um de seus famosos charutos. Fala-se um pouco de futebol e do jovem Platini que todo mundo concorda em achar promissor.

O jantar chega ao fim. A amante de Lacan vai voltar para casa com BHL. O linguista búlgaro vai acompanhar a feminista canadense. A chinesa vai voltar sozinha para sua delegação. Sollers vai dormir sonhando com a orgia que não aconteceu. Lacan, de súbito, faz esta observação, num tom de infinita lassidão: "É curioso como uma mulher, quando deixa de ser uma mulher, pode esborrachar o homem que tem ao alcance da mão... Esborrachar, sim, para seu bem, evidentemente". Silêncio constrangido dos outros convidados. Sollers declara: "O rei é aquele que traz em si a experiência da mais viva castração".

40.

É preciso tirar a limpo essa história de dedos cortados, e Bayard resolve mandar seguir o policial que matou o búlgaro da Pont-Neuf. Mas como tem a desagradável impressão de que a polícia está infiltrada por um inimigo cuja identidade ele ignora, assim como também ignora, a bem da verdade, sua natureza, não se dirige à Inspeção Geral dos Serviços de Polícia, mas pede a Simon Herzog que se encarregue de segui-lo. Como sempre, Simon reclama, mas desta vez pensa ter uma objeção válida: o policial em questão cruzou com ele na Pont-Neuf, Simon estava com os outros quando Bayard mergulhou, e depois foram vistos juntos, em plena conversa, quando ele saiu da água.

Não seja por isso, Simon vai se disfarçar.

Como assim?

Vão lhe cortar o cabelo e lhe trocar aqueles trapos de estudante retardado.

Dessa vez é demais, ele já foi bastante conciliador, Simon é definitivo: nem pensar.

Bayard, que conhece o funcionalismo público, evoca a espinhosa questão das transferências. O que será do jovem Simon (aliás, já não tão jovem, quantos anos ele tem?) quando tiver terminado a tese? Poderiam muito bem encontrar para ele um posto num colégio em Bobigny. Ou será que poderiam lhe facilitar sua titularização em Vincennes?

Simon acha que as coisas não funcionam assim no Ministério da Educação, e que um pistolão de Giscard em pessoa (sobretudo de Giscard!) de nada adiantaria para conseguir um posto em Vincennes (a faculdade de Deleuze, de Balibar!), mas não tem absoluta certeza. Em compensação, tem certeza de que uma transferência disciplinar é absolutamente possível. Então, vai ao cabeleireiro, corta o cabelo, bastante curto para sentir um verdadeiro mal-estar quando contempla o resultado, como se fosse estranho a si mesmo, reconhecendo seu rosto mas não a identidade que construíra, sem se dar conta, anos a fio, e aceita que o Ministério do Interior lhe pague um terno e uma gravata. O terno, apesar do preço razoável, é bem ordinário, inevitavelmente meio grande demais nos ombros, meio curto demais nos tornozelos, e Simon deve aprender não só a dar um nó de gravata como acertar, para que o lado grande e o lado pequeno se sobreponham. No entanto, uma vez acabada a metamorfose, ele se surpreende em sentir diante do espelho, além dessa estranheza misturada com repulsa, uma espécie de curiosidade, de interesse por aquela imagem sua, ele sem ser ele, um ele de outra vida, um ele que tivesse resolvido trabalhar num banco ou com seguros, ou num organismo oficial, ou na diplomacia. Instintivamente, Simon ajusta o nó da gravata e, sob o paletó, puxa as mangas da camisa. Está pronto para partir em missão. Uma parte dele, mais sensível às propostas lúdicas da existência, resolve saborear essa pequena aventura.

Espera, diante do prédio do Quai des Orfèvres, que o policial sem a falange tenha terminado o expediente, e fuma um Lucky Strike pago pela França, pois o outro lado bom desse serviço encomendado é que ele tem direito a despesas pagas, por isso guardou o talão da tabacaria (três francos).

Finalmente aparece o policial, à paisana, e se inicia a perseguição, a pé. Simon segue o homem, que atravessa a Pont Saint-Michel e sobe o bulevar até o cruzamento com o Boulevard Saint-Germain, onde pega o ônibus. Simon para um táxi e, pronunciando essa frase estranha: "Siga o ônibus", tem uma sensação curiosa, a impressão de estar num filme de gênero incerto. O taxista concorda, porém, sem fazer perguntas, e em cada parada Simon deve estar certo de que o policial à paisana não desceu. O homem, de meia-idade, tem um físico banal e estatura média, não é facilmente localizável na multidão, portanto Simon deve ser vigilante. O ônibus sobe a Rue Monge e o homem desce em Censier. Simon para o táxi. O homem entra num bar. Simon espera um minuto antes de segui-lo. Lá dentro, o homem se senta numa mesa no fundo da sala. Simon se senta perto da porta e logo se dá conta de que é um erro porque o homem não para de olhar em sua direção. Não que o tenha detectado, é só porque espera alguém. Para não chamar atenção, Simon olha pela vidraça. Contempla o balé dos estudantes que entram e saem do metrô, param fumando um cigarro ou se agrupam, ainda indecisos sobre o que vai acontecer, felizes de estarem juntos, impacientes com o futuro.

Mas de repente, não é um estudante que ele vê sair do metrô, e sim o búlgaro que quase o matou durante a corrida-perseguição com o Citroën DS. Usa o mesmo terno amarrotado e não julgou útil raspar o bigode. Dá um olhada circular para a praça, depois vai em sua direção. Está mancando. Simon mergulha o nariz no cardápio. O búlgaro empurra a porta do café. Simon tem um gesto de recuo instintivo, mas o búlgaro passa por ele sem vê-lo e se dirige para o fundo, onde vai encontrar o policial.

Os dois começam uma conversa em voz baixa. É o momento que o garçom escolhe para ir atender Simon. O aprendiz de detetive pede um martíni, sem refletir. O búlgaro acende um cigarro, uma marca estrangeira que Simon não reconhece. Simon também acende um Lucky Strike, dá uma tragada para acalmar os nervos convencendo-se de que o búlgaro não o viu e que ninguém o reconheceu pois seu disfarce o protege. Ou será que o café inteiro percebeu a bainha muito curta da calça, o paletó meio sambando, o ar suspeito de detetive amador? Não é difícil, pensa, perceber a dicotomia entre o invólucro que ele veste e a realidade profunda de seu ser. Simon se sente invadido pelo sentimento atroz, familiar talvez, mas mais intenso desta vez, de ser um impostor prestes a ser desmascarado. Os dois pediram cerveja. Parecem, no final das contas, não ter reparado em Simon, assim como, para grande surpresa deste, nos outros clientes. Então Simon volta a se recompor. Tenta ouvir a conversa concentrando-se nas vozes dos dois homens, isolando-as no meio das vozes dos outros clientes, como um engenheiro de som isolaria uma pista entre outros instrumentos de música. Pensa ouvir "papel"... "Roteiro"... "Contato"... "Estudante"... "Serviço"... "Viaturrra"... Mas acaso é o joguete de um mecanismo de autossugestão, acaso ouve o que quer ouvir, acaso constrói por si mesmo os elementos de seu próprio diálogo? Pensa ouvir: "*Sophia*". Pensa ouvir: "*Clube Logos*".

Nesse instante, sente uma presença, uma forma que se esgueira à sua frente, ele não prestou atenção ao vento encanado que entra pela porta do café, mas ouve um ruído de uma cadeira sendo puxada, vira a cabeça e vê uma jovem se sentando à sua mesa.

Sorridente, loura, maçãs do rosto altas, sobrancelhas franzidas. Ela lhe diz: "Você é o policial de La Salpêtrière, não é?". Novamente Simon leva um susto. Dá uma olhada fugaz para o fundo da sala, os dois homens, absortos na conversa, não ouviram. Ela acrescenta, e ele estremece de novo: "Aquele pobrrre sr. Barthes". Ele a reconhece, é a enfermeira de pernas fuseladas, aquela que encontrou Barthes desentubado no dia em que Sollers, BHL e Kristeva foram armar o escândalo. Pensa, sobretudo, que ela o reconheceu, a ele, o que novamente tempera seu otimismo sobre a qualidade de seu disfarce. "Ele sentia tanta trrristeza." O sotaque é leve mas Simon o notou. "Você é búlgara?" A jovem faz cara de espanto. Tem grandes olhos castanhos. Não tem vinte e dois anos. "Que nada, por quê? Sou rrrussa." No fundo da sala Simon tem a impressão de ouvir uma risadinha. Arrisca-se a outra olhadela. Os dois homens brindam. "Eu me chamo Anastasia."

Simon tem as ideias meio embaralhadas mas pensa, mesmo assim, o que faz uma enfermeira russa num hospital francês, em 1980, numa época em que os soviéticos começam a se distender, mas não a ponto de abrir tanto assim suas fronteiras. Também não sabia que os hospitais franceses recrutavam pessoal no Leste.

Anastasia lhe conta sua história. Chegou a Paris quando tinha oito anos. O pai dirigia a agência Aeroflot dos Champs-Elysées, recebera a autorização de mandar buscar a família, e quando Moscou o chamou de volta para nomeá-lo na matriz, pediu asilo político e ficaram, junto com a mãe e o irmão caçula. Anastasia se tornou enfermeira, o irmão ainda está no liceu.

Pede um chá. Simon continua sem saber o que ela quer. Tenta calcular sua idade a partir da data de chegada à França. Ela lhe dirige um sorriso juvenil: "Eu o vi pela vidraça. Pensei que devia vir lhe falar". Barulho de cadeira no fundo da sala. O búlgaro se levanta para ir fazer xixi ou telefonar. Simon inclina a cabeça e leva a mão à têmpora para esconder o perfil. Anastasia mergulha o saquinho de chá e Simon percebe que há algo gracioso no gesto do punho da moça. No balcão, ouve-se um cliente comentar em voz alta a situação da Polônia, depois o jogo de Platini contra a Holanda, depois a invencibilidade de Borg em Roland-Garros. Simon sente que perde a concentração, o aparecimento da jovem o perturba, seu nervosismo aumenta nos minutos que se passam, e agora, sabe-se lá por quê, está com o hino soviético na cabeça, junto com seus ruídos de címbalos e seus coros do Exército Vermelho. O búlgaro sai do banheiro e volta para seu lugar.

"*Soïuz nerouchmyï respublik svobodnykh...*"

Estudantes entram e se juntam aos amigos numa mesa barulhenta. Anastasia pergunta a Simon se ele é da polícia. Primeiro Simon exclama claro que não, não é um tira! Mas, por uma razão desconhecida, esclarece, mesmo assim, que desempenha um papel, digamos, de consultor junto ao delegado Bayard.

"*Splotila naveki Velikaïa Rus'...*"

Na mesa do fundo, o policial diz "esta noite". Simon pensa ouvir o búlgaro responder uma frase curta com a palavra "Cristo" no meio. Contempla o sorriso juvenil e pensa que através das tempestades brilham o sol e a liberdade.

Anastasia lhe pede para falar de Barthes. Simon diz que ele gostava muito da mãe e de Proust. Anastasia conhece Proust, naturalmente. *E o grande Lênin iluminou nossa via.* Anastasia diz que a família de Barthes se preocupou porque ele não estava com as chaves de casa, então queriam mudar as fechaduras e isso ocasionaria despesas. *Stálin nos educou, nos inspirou a fé no povo.* Simon recita essa estrofe para Anastasia, ela lhe assinala que, depois do Relatório Kruschev, o hino foi modificado para suprimir a referência a Stálin. (Ainda assim, foi preciso esperar 1977.) Pouco importa, pensa Simon, *nosso Exército saiu reforçado dos combates...* O búlgaro se levanta e veste o paletó, vai embora. Simon hesita em segui-lo. Mas escolhe, prudente, ater-se à sua missão. *Nossas batalhas decidirão o futuro do povo.* O búlgaro cruzou seu olhar quando quis executá-lo. Mas não o policial. É menos perigoso, é mais seguro, e ele sabe agora que aquele tira está metido no negócio. Ao sair, o búlgaro olha para Anastasia, que lhe abre um belo sorriso. Simon sente a morte roçá-lo, todo seu corpo enrijece, ele baixa a cabeça. Depois, é o policial que sai. Anastasia também lhe sorri. É uma mulher, pensa Simon, que tem o costume de ser olhada. Ele vê o policial subir de novo em direção da Place Monge e sabe que precisa reagir depressa se não quiser perdê-lo, então tira uma nota de vinte francos para pagar o chá e o martíni e, sem esperar o troco (mas pegando a nota fiscal), arrasta a enfermeira consigo, puxando-a pelo braço. Ela parece meio surpresa mas se deixa levar. "*Partiia Lenina, sila narodnaïa...*" Simon também lhe sorri, quer tomar ar e está meio apressado, ela deseja acompanhá-lo? Em sua cabeça, ele termina o refrão: "*... Nas k torjestvu kommunizma vediot!*". O pai de Simon é comunista mas ele não pensa ser útil esclarecer isso à jovem, que parece se divertir, é uma sorte, com seu comportamento levemente excêntrico.

Andam uns dez metros atrás do policial. Cai a noite. Faz um pouco de frio. Simon continua segurando o braço da enfermeira. Se Anastasia acha sua atitude esquisita ou grosseira, não deixa transparecer. Ela lhe diz que Barthes estava muito cercado, demais, a seu ver, havia sempre gente que tentava entrar em seu quarto. O policial bifurca para a Mutualité. Ela lhe diz que no dia do incidente, quando o encontraram no chão, as três pessoas que foram armar um escândalo a insultaram copiosamente. O policial pega uma ruela na altura da praça da Notre-Dame. Simon torna a pensar na amizade dos povos. Explica a Anastasia que Barthes era excelente para detectar os códigos simbólicos que regem nossos comportamentos. Anastasia concorda, franzindo o cenho. O policial dá uma parada diante de uma porta pesada de madeira, levemente mais baixa que o nível da calçada. Quando Simon e Anastasia chegam à altura da porta, o outro já desapareceu dentro do prédio. Simon para. Ainda não largou o braço de Anastasia. Como se tivesse percebido a tensão que sobe no ar, a moça se cala. Os dois olham para o portão de ferro, a escada de pedra, a porta de madeira. Anastasia franze o cenho.

Um casal que Simon não ouviu chegar passa por eles, cruza o portão, desce a escada e toca a campainha. A porta se entreabre, um homem sem idade, tez pálida e cigarro na boca, cachecol de lã no pescoço, olha para eles e os deixa passar.

Simon pensa: "O que eu faria se estivesse num romance?". Tocaria a campainha, é evidente, e entraria com Anastasia agarrada pelo braço.

Lá dentro, seria um círculo de jogo clandestino, ele se sentaria na mesa do policial e o desafiaria no pôquer, enquanto Anastasia, a seu lado, bebericaria um bloody mary. Ele se dirigiria ao homem com ar de entendido, e lhe perguntaria o que aconteceu com seu dedo. E o homem, com um ar não menos entendido, lhe responderia, ameaçador: "Acidente de caça". Então Simon ganharia a rodada com um full de ases e damas.

Mas a vida não é um romance, pensa, e recomeçam a andar como se nada fosse. No fim da rua, porém, quando ele se vira, ainda vê três pessoas tocarem a campainha e entrar. Em compensação, não vê o Renault Fuego amassado, estacionado na calçada em frente. Anastasia recomeça a falar de Barthes: quando estava consciente, pediu várias vezes o paletó, parecia estar procurando alguma coisa. Simon teria uma ideia do que se tratava? Simon, tomando consciência de que por esta noite sua missão está concluída, tem a impressão de acordar. Acha-se desamparado diante da jovem enfermeira. Balbucia que talvez, se ela estivesse livre, poderiam tomar alguma coisa. Anastasia sorri (e Simon não consegue interpretar a verdade daquele sorriso): não é o que acabam de fazer? Simon, miseravelmente, lhe propõe mais uma bebida, numa outra vez. Anastasia afunda os olhos nos dele, sorri de novo, como se especulasse sobre seu sorriso natural, e diz simplesmente: "Talvez". Simon considera que levou um fora, e talvez tenha razão pois a moça o deixa repetindo "uma outrrra vez" sem lhe dar o número de telefone.

Na rua, atrás dele, os olhos do Fuego se acendem.

41.

Aproximem-se, belos oradores, finos retóricos, oradores de longo fôlego! Instalem-se no antro da loucura e da razão, o teatro do pensamento, a academia dos sonhos, o liceu da lógica! Venham ouvir o estrondo das palavras, admirar o entrelaçamento dos verbos e advérbios, saborear os circunlóquios venenosos dos domadores de discursos! Hoje, para esta nova sessão, o Clube Logos lhes oferece, não um combate digital nem dois, mas três, sim, três combates digitais, meus amigos! E para aguçar seu apetite, imediatamente, a primeira contenda põe frente a frente dois retóricos com a espinhosa pergunta que se segue, categoria geopolítica: O Afeganistão será o Vietnã dos soviéticos?

Glória ao logos, meus amigos! Viva a dialética! Que a festa comece! Que o verbo esteja convosco!

42.

Tzvetan Todorov é um magricela de óculos com um grande tufo de cabelos crespos. É também um pesquisador em linguística que vive na França há vinte anos, um discípulo de Barthes que trabalhou sobre os gêneros literários (especialmente o fantástico), um especialista em retórica e semiologia.

Bayard foi interrogá-lo, por recomendação de Simon, porque ele nasceu na Bulgária.

Crescer num país totalitário parece ter desenvolvido nele uma fortíssima consciência humanista que se expressa até em suas teorias linguísticas. Por exemplo, pensa que a retórica só pode realmente se realizar na democracia, porque precisa de um espaço de debate que, por definição, a monarquia ou a ditadura não oferecem. A prova é que na Roma imperial, e depois na Europa feudal, a ciência do discurso abandonou o objetivo de convencer e deixou de se focar na recepção do interlocutor para se centrar no próprio verbo. Já não se esperava do discurso que ele fosse eficaz, mas apenas bonito. As implicações políticas foram substituídas pelas implicações puramente estéticas. Em outras palavras, a retórica se tornou poética. (É o que se chama *segunda retórica*.)

Ele explica a Bayard, num francês imaculado mas com um sotaque ainda mais pronunciado, que os serviços secretos búlgaros (a KDC), pelo que sabe, são ativos e perigosos. Beneficiam-se do apoio da KGB e estão, na prática, em condições de montar operações sofisticadas. Talvez não assassinar o papa mas pelo menos eliminar indivíduos que atrapalham, sim, sem a menor dúvida. Dito isso, não vê muito bem por que estariam implicados no atropelamento de Barthes. Em que um crítico literário francês poderia interessá-los? Barthes não fazia política e nunca teve contato com a Bulgária. Sem dúvida, foi à China, mas não se pode dizer que tenha voltado maoista, nem tampouco antimaoista. Nem Gide, nem Aragon. A cólera de Barthes, ao regressar da China, se fixou essencialmente, Todorov ainda se lembra, na qualidade da comida da Air France: ele até pensara em escrever um artigo.

Bayard sabe que Todorov se debate com a principal dificuldade em que sua investigação esbarra: o motivo. Mas também sabe que, na falta de informações suplementares, deve se virar com os elementos objetivos de que dispõe — uma pistola, um guarda-chuva —, e embora não veja a priori nenhum enredo geopolítico no assassinato de Barthes, continua a interrogar o crítico búlgaro sobre os serviços secretos de seu país de origem.

Quem os dirige? Um certo coronel Emil Kristoff. Qual é a sua reputação? Não especialmente liberal, mas tampouco muito versado em semiologia. Bayard tem a desagradável impressão de se meter num beco sem saída. Afinal de contas, se os dois assassinos fossem marselheses, iugoslavos ou marroquinos, o que se teria deduzido? Bayard, sem saber, pensa em estruturalismo: pergunta-se se a variável búlgara é um critério pertinente. Enumera mentalmente os outros indícios de que dispõe e que ainda não explorou. Por desencargo de consciência, pergunta:

"O nome Sophia lhe evoca algo?"

"Sim, é a cidade onde nasci."

Sófia.

Portanto, há uma pista búlgara.

Nesse instante, uma bela mulher ruiva de penhoar aparece e atravessa o salão cumprimentando discretamente o visitante. Bayard pensa em distinguir um sotaque inglês. Pensa que o intelectual de óculos não se entedia. Nota mecanicamente a conivência erótica muda que une a aparição anglófona ao crítico búlgaro, sinal de uma relação que ele considera, não que se preocupe com isso mas é um reflexo profissional, nascente ou adúltera, ou as duas coisas.

Já que está pensando isso, pergunta a Todorov se "eco", a última palavra pronunciada por Hamed, lhe evoca algo. E o búlgaro responde: "Sim, tem notícias dele?".

Bayard não entende.

"Umberto, ele vai bem?"

43.

Louis Althusser segura na mão a preciosa folha de papel. A disciplina do partido na qual foi formado, sua índole de bom aluno, seus anos de dócil prisioneiro de guerra, o intimam a não ler o misterioso documento. Ao mesmo tempo, seu individualismo pouco comunista, seu gosto pelos segredinhos, sua propensão histórica a enganar o levam a desdobrar a folha. Se o fizesse, ele que ignora mas desconfia do que está escrito na folha, inscreveria sua gesta na longa cadeia de tapeações inaugurada por uma nota oito e meio desonestamente obtida numa dissertação de filosofia no curso preparatório para a Escola Normal (episódio suficientemente fundador na sua mitologia pessoal de impostor para que ele repense nele o tempo todo). Mas tem medo. Sabe do que eles são capazes. Resolve, comportadamente (covardemente, pensa) não ler a folha.

Mas então, onde escondê-la? Olha para a bagunça que se acumula em sua mesa e pensa em Poe: enfia o documento num envelope aberto que continha uma publicidade qualquer, de uma pizzaria do bairro, digamos, ou talvez de um banco, já não me lembro das publicidades que eram distribuídas em nossas caixas de correio naquela época, o importante é que põe aquele envelope bem à vista em cima da mesa, no meio de um montão de manuscritos, estudos em andamento e rascunhos, todos mais ou menos dedicados a Marx e ao marxismo, e especialmente, a fim de tirar as consequências "práticas" de sua recente "autocrítica antiteoricista", à relação material aleatória entre, de um lado, os "movimentos populares", de outro, as ideologias que se atribuíram ou nas quais investiram. Aqui, sua carta estará em lugar seguro. Também há livros, Maquiavel, Spinoza, Raymond Aron, André Glucksmann... Esses aí têm jeito de terem sido lidos, o que não é o caso (ele vive pensando nisso, no quadro de sua neurose de impostor pacientemente construída tijolo por tijolo) da maioria dos milhares de livros que enfeitam suas estantes: Platão (lido, sem dúvida), Kant (não lido), Hegel (folheado), Heidegger (percorrido), Marx (lido o primeiro tomo de O *capital* mas não o segundo) etc.

Ouve a chave na porta, é Hélène entrando.

44.

"É a respeito de quê?"

O segurança se parece com todos os seguranças do mundo, senão que este usa um cachecol de lã grossa e é branco, sem idade, tez acinzentada, uma guimba na boca e os olhos, não inexpressivos olhando atrás de você como se não estivesse na frente dele, mas perversos e como que tentando ler a sua alma. Bayard sabe que não pode puxar a carteira funcional porque precisa ficar incógnito para poder assistir ao que se passa atrás daquela porta, então se dispõe a inventar uma mentira miserável mas Simon, movido por uma súbita inspiração, se adianta e diz: "Ela sabe".

A madeira range, a porta se abre, o segurança se afasta e, com um gesto ambíguo, os convida a entrar. Penetram num porão abobadado que cheira a pedra, suor e fumaça de cigarro. A sala está lotada como para um concerto, mas as pessoas não foram ver Boris Vian e as paredes não guardaram memória dos acordes de jazz que outrora elas viram ricochetear. Em vez disso, no meio da zoeira difusa das conversas antes do espetáculo, uma voz declama em tom de saltimbanco:

"Bem-vindos ao *Clube Logos*, meus amigos, venham demonstrar, venham deliberar, venham louvar e criticar em nome da beleza do Verbo! Ó, verbo, que arrastas os corações e comandas o universo! Venham assistir ao espetáculo dos pleiteantes disputando-se pela supremacia oratória e para o vosso deleite!"

Bayard interroga Simon com o olhar. Simon lhe cochicha ao ouvido que não era um início de frase murmurada por Barthes, mas iniciais: "CL", para "Clube Logos". Bayard faz um muxoxo, impressionado. Simon dá de ombros, modesto. A voz continua a aquecer a sala:

"*Como é belo o meu zeugma! Como é bonito o meu assíndeto! Mas há um preço a pagar. Esta noite, de novo, vocês conhecerão o preço da linguagem. Pois ela é nossa divisa, tal como deveria ser a lei na terra: Ninguém fala impunemente! No Clube Logos não se brinca com as palavras, não é, meus queridos?*"

Bayard aborda um velho de cabelos brancos a quem faltam duas falanges na mão esquerda. Num tom que pretende ser o menos profissional, mas tampouco turístico, pergunta:

"O que está acontecendo aqui?"

O velho o encara sem hostilidade:

"É a primeira vez? Então o aconselho a observar. Não se precipite para se inscrever. Tem todo o tempo para aprender. Escute, aprenda, progrida."

"Inscrever-me?…"

"Bem, sempre pode fazer um jogo amistoso, é claro, isso não o compromete, mas se nunca viu uma sessão, é melhor que fique como espectador. A impressão que deixar no seu primeiro combate criará os fundamentos de sua reputação, e a reputação é um elemento importante: é o seu *ethos*."

Ele dá uma tragada no cigarro, apertado entre os dedos mutilados, enquanto quem aquece a sala, invisível, escondido em algum canto escuro sob as abóbadas de pedra, continua a se esgoelar: "*Glória ao grande Protágoras! Glória a Cícero! Glória à Águia de Meaux!*". Bayard pergunta a Simon quem são aquelas pessoas. Simon lhe diz que a Águia de Meaux é Bossuet. Bayard tem novamente vontade de esbofeteá-lo.

"*Comam pedras como Demóstenes! Viva Péricles! Viva Chur-*

chill! Viva De Gaulle! Viva Jesus! Viva Danton e Robespierre! Por que mataram Jaurès?" Esses, Bayard conhece, a não ser os dois primeiros.

Simon pergunta ao velho quais são as regras do jogo. O velho explica: todos os jogos são duelos, tira-se um tema, sempre se trata de uma pergunta fechada, à qual se pode responder sim ou não, ou então uma pergunta do tipo "a favor ou contra", de modo que os dois adversários possam defender posições antagônicas.

"Tertuliano, Agostinho, Maximiliano conosco!", grita a voz.

A primeira parte da noite é formada por jogos amistosos. Os verdadeiros jogos ficam para o final. Em geral, sempre há um, às vezes dois, três é muito raro mas acontece. Em teoria, o número de jogos oficiais não é limitado, mas por motivos aparentemente evidentes, que o velho julga inútil esclarecer, os voluntários não são muitos.

"Disputatio in utramque partem! *Que a controvérsia comece! E aqui estão dois belos argumentadores, que vão se enfrentar sobre essa agradável pergunta: Giscard é fascista?"*

Gritos e vaias na sala. *"Que os deuses da antítese estejam convosco!"*

Um homem e uma mulher se instalam no estrado, cada um atrás de uma tribuna, diante do público, e começam a rascunhar umas notas. O velho explica a Bayard e a Herzog: "Eles têm cinco minutos para se preparar, depois fazem uma apresentação em que expõem seu ponto de vista e as grandes linhas de sua argumentação, e em seguida começam a disputa. A duração do encontro varia, e como no boxe o júri pode anunciar o fim do jogo a qualquer momento. O que fala primeiro leva vantagem pois escolhe a posição que vai defender. O outro é obrigado a se adaptar e defender a posição contrária. Para os jogos amistosos que opõem adversários de mesmo nível, tira-se na sorte quem começa. Mas nos combates homologados, que põem frente a frente adversários de níveis diferentes, é o nível mais fraco que começa. Aqui vocês veem o tipo de assunto, é um encontro de nível um. Os dois ali são os *argumentadores*. É o nível mais baixo na hierarquia do Clube Logos. São, em suma, os soldados rasos. Acima, temos os *retóricos*, e em seguida os *oradores*, os *dialéticos*, os *peripatéticos*, os *tribunos* e, bem no alto, os *sofistas*. Mas aqui, raramente se ultrapassa o nível três. Os sofistas, dizem que são muito poucos, uma dezena, e que todos têm um nome de guerra. A partir do nível cinco, é muito compartimentado. Há até quem diga que os sofistas não existem, que se inventou o nível sete para dar às pessoas do clube uma espécie de objetivo inacessível, com o qual eles fantasiam uma ideia de perfeição inatingível. Tenho certeza de que existem. A meu ver, De Gaulle era um deles. Talvez fosse até mesmo o grande Protágoras em pessoa. Dizem que o presidente do Clube Logos exige ser chamado assim. Eu sou um retórico, fui orador por um ano, mas não me mantive". Levanta sua mão mutilada. "E isso me custou caro."

Começa a contenda, todos devem se calar, e Simon não pode perguntar ao velho o que ele entende por "verdadeiro jogo". Observa o público: majoritariamente masculino, todas as idades e todos os tipos representados. Se o clube é elitista, aparentemente a seleção não é feita por critérios financeiros.

Ressoa a voz com bom timbre do primeiro combatente, ao explicar que na França o primeiro-ministro é um fantoche; que o artigo 49-3* castra o Parlamento, que não tem nenhum poder; que De Gaulle era um amável monarca em comparação com Giscard, que concentra todos os poderes, inclusive o da imprensa; que Brejnev, Kim Il-sung, Honecker e Ceaușescu, pelo

---

* Artigo da Constituição francesa, entre a medida provisória e o decreto-lei, a que pode recorrer o primeiro-ministro para a votação de uns poucos assuntos, como a lei orçamentária. É visto como um recurso antidemocrático e raramente é usado. (N. T.)

menos, têm que prestar contas ao partido; que o presidente dos Estados Unidos possui muito menos poder que o nosso e que se o presidente do México não é reelegível, o nosso, sim.

Diante dele, é uma combatente bastante jovem. Responde que basta ler os jornais para verificar que não estamos numa ditadura (por exemplo, quando *Le Monde* dá como manchete, esta semana mesmo, ao falar do governo, "Por que ter fracassado em tantos terrenos": conhecemos censura mais severa...), e apresenta como prova as eructações de Marchais, Chirac, Mitterrand etc. Para uma ditadura, a liberdade de expressão se porta bastante bem. E já que se evocou De Gaulle, lembremos o que se dizia dele: De Gaulle fascista. A V República fascista. A Constituição fascista. *O golpe de Estado permanente* etc. Sua peroração: "Dizer de Giscard que ele é fascista é um insulto feito à História; é cuspir nas vítimas de Mussolini e Hitler. Vá perguntar aos espanhóis o que eles pensam. Vá perguntar a Jorge Semprún se Giscard é Franco! Que vergonha a retórica, quando ela trai a memória!". Aplausos calorosos. Depois de uma breve deliberação, os juízes declaram que a combatente é a vencedora. A jovem, radiante, aperta a mão do adversário e faz uma pequena reverência ao público.

As contendas se sucedem, os candidatos são mais ou menos felizes, o público aplaude ou vaia, assobia, grita, depois se chega ao ponto alto da noite, a "contenda digital".

Tema: *O escrito contra o oral.*

O velho esfrega as mãos: "Ah! Um metatema! A linguagem que fala da linguagem, não há nada mais belo. Adoro isso. Vejam, o nível está afixado no quadro: é um jovem retórico que desafia um orador, para tomar seu lugar. Portanto, cabe a ele começar. Pergunto-me que ponto de vista vai escolher. Costuma haver uma tese mais difícil que a outra, mas aí, justamente, é possível que haja interesse em pegar a mais difícil para impressionar o júri e o público. Inversamente, as posições mais evidentes podem ser menos compensadoras porque há o risco de ser mais difícil brilhar na argumentação, de se enunciarem banalidades, e o discurso será menos espetacular...".

O velho se cala, a coisa começa, todos escutam num silêncio febril, o aspirante a orador toma a palavra com ar decidido:

"Religiões do Livro forjaram nossas sociedades, e sacralizamos os textos: Tábuas da Lei, dez mandamentos, rolos da Torá, Bíblia, Corão etc. Para ser válido, era preciso estar gravado. Eu digo: fetichismo. Eu digo: superstições. Eu digo: leito do dogmatismo.

"Não sou eu que afirma a superioridade do oral, mas aquele que nos fez tal como somos, ó, pensadores, ó, retóricos, o pai da dialética, nosso ancestral, o homem que, sem nunca ter escrito um livro, criou as bases de todo o pensamento ocidental.

"Lembrem-se! Estamos no Egito, em Tebas, e o rei pergunta: de que serve a escrita? E o deus responde: é o remédio último contra a ignorância. E o rei diz: ao contrário! Na verdade, essa arte produzirá o esquecimento na alma dos que a aprenderam porque deixarão de exercer sua memória. A rememoração não é a memória e o livro não passa de um lembrete. Ele não dá conhecimento, ele não dá compreensão, ele não dá domínio.

"Por que os estudantes precisariam de professores, se tudo se aprendesse nos livros? Por que precisam que alguém lhes explique o que está escrito nos livros? Por que há escolas e não apenas bibliotecas? É que só o escrito não basta, jamais. Todo pensamento é vivo contanto que seja intercambiado, que não fique imobilizado, ou então é porque morreu. Sócrates compara a escrita à pintura: os seres gerados pela pintura se mantêm de pé como se estivessem vivos; mas basta interrogá-los e eles ficam imobilizados numa pose solene e permanecem em silêncio. E o mesmo ocorre com os escritos. Poderíamos crer que falam; mas se os interrogamos, porque desejamos entender o que dizem, sempre repetirão a mesma coisa, quase palavra por palavra.

"A linguagem serve para produzir uma mensagem, que só ganha sentido na medida em que há um destinatário. Eu lhes falo neste momento, vocês são a razão de ser do meu discurso. Só os loucos falam no deserto. Mesmo assim, o louco fala para si mesmo. Mas um texto, para quem fala? Para todo mundo! Portanto, para ninguém. Quando foi escrito, de uma vez por todas, cada discurso passa indiferentemente ao lado dos que são especialistas como ao lado dos que não são especialistas, sem saber quais são aqueles a quem deve ou não se dirigir. Um texto que não tem destinatário exato é uma garantia de inexatidão, de propósitos vagos e impessoais. Como uma mensagem poderia convir a todos? Até uma carta é inferior a qualquer conversa: foi escrita em certo contexto, é recebida em outro. Mais tarde, a situação do autor e a do destinatário mudam. Então ela já é obsoleta, pois se dirigiria a alguém que não existe mais, e seu autor também não mais existe, desaparecido no poço do tempo, assim que o envelope é selado.

"Então é isso: o escrito é a morte. O lugar dos textos é nos manuais escolares. Só há verdade nas metamorfoses do discurso, só o oral é suficientemente reativo para dar conta na velocidade real do curso eterno do pensamento em marcha. O oral é a vida: eu provo isso, nós provamos, reunidos hoje para falar e escutar, para intercambiar, para discutir, para contestar, para criarmos juntos um pensamento vivo, para comunicar na palavra e na ideia, animados pelas forças da dialética, vibrando com essa vibração sonora a que chamamos de palavra e cujo escrito não passa, afinal, do pálido símbolo: o que a partitura é para a música, mais nada. E terminarei com uma última citação de Sócrates, já que falo sob seu alto patrocínio: '*Semblantes de sábios, em vez de serem sábios*', eis o que produz a escrita. Obrigado pela atenção."

Aplausos calorosos. O velho parece embalado: "Ah, ah! Esse garoto conhece os clássicos. O troço é sólido. Sócrates, o cara que nunca escreveu um livro, é um valor permanente, nesse meio! É um pouco o Elvis da retórica, hein! Por fim, taticamente ele arriscou a segurança, porque defender o oral é legitimar a atividade do Clube, é claro: é cair no abismo! Agora o outro vai ter de responder. Tem que encontrar algo sólido em que se apoiar. Eu faria algo na linha Derrida: desmontar todo o troço do contexto, explicar que uma conversa é tão pouco personalizada como um texto ou uma carta, porque ninguém, quando fala, ou quando escuta, nunca sabe de fato quem é nem quem é seu interlocutor. Nunca há contexto, isso é para enganar os trouxas, o contexto não existe: taí o caminho! Em todo caso, seria meu eixo de refutação. É preciso demolir esse belo edifício, e em seguida, bem, basta ser exato: a superioridade do escrito, isso parece um pouco uma pergunta de sala de aula, sabe, é bastante técnico, mas não é uma maluquice. Eu? Sim, fiz o curso noturno da Sorbonne. Era carteiro. Ah! Psiu! Psiu! Vá, rapaz, mostre para a gente que você não roubou seu nível!".

E toda a sala faz psiu quando o orador, um homem mais velho, grisalho, mais afetado, menos fogoso em sua linguagem corporal, toma a palavra. Ele olha para o público, para o adversário, para o júri, e diz apenas, levantando o indicador:

"Platão."

Depois se cala, tempo suficiente para criar o constrangimento que sempre acompanha um silêncio que dura. E quando sente que o público se pergunta por que desperdiça assim preciosos segundos de seu tempo para falar, ele recomeça:

"Meu honorável adversário atribuiu sua citação a Sócrates, mas vocês mesmos corrigiram, não é?"

Em cheio.

"Ele queria dizer Platão. Sem cujos escritos Sócrates, seu

pensamento e sua magnífica apologia do oral em *Fedro*, que meu honorável adversário nos reconstituiu em sua quase-integralidade, teriam ficado desconhecidos."
Em cheio.
"Obrigado pela atenção." E volta a sentar.
Toda a sala se vira então para seu adversário. Se quiser, poderá retomar a palavra e iniciar a disputa mas, lívido, não diz nada. Não precisa esperar o veredito dos três juízes para saber que perdeu.
Lenta e corajosamente o rapaz se adianta e põe a mão espalmada sobre a mesa dos jurados. Toda a sala prende o fôlego. Os que fumam dão uma tragada nervosa. Todos acreditam ouvir o eco da própria respiração.
O homem sentado no meio levanta um facão e lhe corta o dedinho, com um golpe seco.
O jovem não dá um grito mas se dobra ao meio. Vão imediatamente cuidar dele e fazer-lhe um curativo, em meio a um silêncio de catedral. De passagem, apanham o pedaço de dedo, mas Simon não vê se o jogam ou se o guardam em algum lugar para expô-lo num frasco em cuja etiqueta inscreverão a data e o tema.
A voz ressoa de novo: "*Homenagem aos contendores!*". O público recita o refrão: "Homenagem aos contendores!".
No silêncio do porão, o velho explica em voz baixa: "Em geral, quando a gente perde, leva um certo tempo até tentar de novo a sorte. É um bom sistema, isso evita os challengers compulsivos."

45.

Essa história possui um ponto cego que é também seu ponto

de partida: o almoço de Barthes com Mitterrand. É a grande cena que não acontecerá. No entanto, aconteceu... Jacques Bayard e Simon Herzog nunca saberão, nunca souberam o que aconteceu naquele dia, o que se disse. Apenas poderão ter acesso à lista de convidados. Mas eu posso, talvez... Afinal de contas, tudo é questão de método, e sei como proceder: interrogar as testemunhas, cotejar, afastar os testemunhos frágeis, confrontar as lembranças tendenciosas com a realidade da História. E depois, se necessário... Vocês bem sabem. Há alguma coisa a fazer com esse dia. O dia 25 de fevereiro de 1980 ainda não disse tudo. Virtude do romance: nunca é tarde demais.

46.

"Sim, Paris precisa mesmo é de uma Ópera."

Barthes queria estar em outro lugar, tem mais o que fazer do que esses mundanismos, lamenta ter aceitado o convite para aquele almoço, vai novamente levar bronca de seus amigos esquerdistas, mas assim, ao menos, Deleuze ficará contente. Foucault, é claro, o destruirá com algumas zombarias de desprezo, e dará um jeito para que alguém as repita.

"A ficção árabe já não hesita em interrogar suas fronteiras, quer sair do quadro clássico, romper com o romance de tema..."

É o preço a pagar, sem dúvida, por ter almoçado com Giscard, não é? "Um grande burguês muito bem-sucedido", sim, com certeza, mas, afinal, aqueles ali também não ficam atrás... Bem, abriu o vinho, tem que beber. Aliás, é bom esse branco, o que é? Eu diria um chardonnay.

"Leu o último Moravia? Gosto muito de Leonardo Sciascia. Lê italiano?"

O que os distingue? A priori, nada.

"Gosta de Bergman?"

Olhe o jeito deles se comportarem, falarem, se vestirem... Incontestavelmente, são *habitus* de direita, como diria Bourdieu.

"Nenhum artista além de Michelangelo, com exceção talvez de Picasso, pode reivindicar tamanha fortuna crítica. No entanto, nada se disse sobre a dimensão democrática da obra dele!"

E eu? Será que eu tenho *habitus* de direita? Não basta estar malvestido para escapar. Barthes tateia o encosto da cadeira para verificar se o velho paletó continua ali. Calma. Ninguém vai roubar o seu paletó. Rá-rá! Você pensa como um burguês.

"Em matéria de modernidade, Giscard sonha com uma França feudal. Veremos se os franceses procuram um mestre ou um guia."

Ele defende uma causa, quando fala. É mesmo um advogado. Está vindo um cheiro bom na cozinha.

"Está chegando, está quase pronto! E o senhor, meu caro, em que trabalha atualmente?"

Nas palavras. Sorriso. Fazer um ar de entendido. Não vale a pena entrar nos detalhes. Um pouco de Proust, sempre agrada.

"O senhor não vai acreditar, mas tenho uma tia que conheceu os Guermantes." A jovem atriz é mordaz. Muito francesa.

Eu me sinto cansado. O que apreciaria mesmo era seguir um caminho antirretórico. Mas agora é tarde demais. Barthes suspira tristemente. Detesta se chatear, e no entanto, tantas ocasiões lhe são oferecidas, e ele as aceita sem saber muito bem por quê. Mas hoje é um pouco diferente. Não é como se não tivesse nada melhor a fazer.

"Sou muito amigo de Michel Tournier, ele não é nem um pouco selvagem como se imagina, rá-rá."

Ah, pronto, peixe. Donde o branco.

"Venha se sentar, 'Jacques'! Afinal, você não vai passar todo o almoço em cozinha!"

"*Em*" cozinha: traído por uma preposição... O jovem de cabelo encaracolado e cabeça de bode acaba de servir a caldeirada e vem se juntar a nós. Encosta na cadeira de Barthes antes de ir sentar ao lado dele.

"É uma *cautriade*: uma mistura de peixes, salmonete, linguado, cavala, com crustáceos e legumes, temperados com um fio de vinagrete, e pus um pouco de curry com uma pitada de estragão. Bom apetite!"

Ah, sim, está gostoso. É chique e ao mesmo tempo popular. Várias vezes Barthes escreveu sobre a comida: o bife com fritas, o sanduíche de presunto e manteiga, o leite e o vinho... Mas ali é outra coisa, evidentemente. É algo que quer ser simples mas é requintado. É preciso sentir que houve esforço, cuidado, amor na preparação. E além disso, sempre, demonstração de força. Ele já havia teorizado em seu livro sobre o Japão: *a comida ocidental, acumulada, dignificada, inchada até o majestoso, ligada a alguma operação de prestígio, sempre vai em direção do gordo, do grande, do abundante, do copioso; a oriental segue o movimento inverso, desabrocha em direção do infinitesimal: o futuro do pepino não é o amontoado ou o espessamento, mas sua divisão.*

"É um prato de pescadores bretões: era cozinhado na praia, com água do mar. O vinagrete servia para conjurar o efeito sedento do sal."

Lembranças de Tóquio... *O palito, para dividir, separa, afasta, bica, em vez de cortar e espetar, como nossos talheres; ele jamais violenta o alimento...*

Barthes deixa que o sirvam mais um copo, e enquanto ao redor da mesa os convidados comem num silêncio meio intimidado, observa aquele homenzinho de lábios duros que aspira suas garfadas de peixe com um leve ruído de sucção que uma boa educação burguesa deve ter calculado escrupulosamente para situações semelhantes.

"Declarei que o poder era a propriedade. Não é inteiramente falso, é claro."

Mitterrand pousa a colher. A plateia, calada, para de comer, a fim de comunicar ao homenzinho que todos se concentram diante de sua palavra.

Se a cozinha japonesa sempre se prepara diante de quem vai comer (marca fundamental dessa cozinha), é porque talvez seja importante consagrar, pelo espetáculo, a morte daquilo que se honra...

Parece que eles têm medo de fazer barulho, como no teatro.

"Mas não é verdade. Vocês sabem melhor que eu, não sabem?"

Nenhum prato japonês é provido de um centro alimentar (que, entre nós, é requerido pelo rito que consiste em ordenar a refeição, em cercar ou cobrir de molho as iguarias); tudo nela é ornamento de outro ornamento: primeiro porque, sobre a mesa, sobre a bandeja, a comida nunca é mais do que uma coleção de fragmentos...

"O verdadeiro poder é a linguagem."

Mitterrand sorri, sua voz assumiu uma inflexão aduladora que Barthes não desconfiava que existisse, e ele compreende que é a ele que se dirigem. Adeus Tóquio. Eis que chega o momento que ele temia (mas que sabia ser inevitável), em que deve dar a réplica e fazer o que esperam dele, brincar de semiólogo, ou pelo menos de intelectual vagamente especializado na linguagem. Diz, esperando que confundam seu laconismo com profundidade: "Sobretudo num regime democrático".

Mitterrand, sem deixar de sorrir, retruca com um "é mesmo?", difícil de determinar se é um pedido de explicitação, um assentimento polido ou uma discreta objeção. O rapaz com cabeça de bode, que visivelmente é o responsável pelo encontro, acha que convém intervir na conversa nascente, temendo talvez que ela aborte na casca: "Como dizia Goebbels, 'quando ouço a palavra cultura puxo o revólver'..."; Barthes não tem tempo de explicar o significado da citação em seu contexto, que Mitterrand retifica, seco: "Não, é Baldur von Schirach". Silêncio constrangido dos convidados em torno da mesa. "Queiram por favor desculpar o sr. Lang, que, se nasceu junto com a guerra, é muito jovem para se lembrar disso. Não é, 'Jacques'?" Mitterrand aperta os olhos como um japonês. Pronuncia à francesa o "Jack". Por que Barthes, nesse instante, tem impressão de que algo se passa entre ele e aquele homenzinho de olhar penetrante? Como se aquele almoço tivesse sido organizado só para ele, como se os outros convidados só estivessem lá para dar a réplica, fossem uns chamarizes, ou pior, cúmplices. No entanto, não é o primeiro almoço cultural organizado por Mitterrand: ele faz um por mês. Não fez os outros só para dar a réplica, pensou Barthes.

Lá fora, tem-se a impressão de ouvir uma caleça passar pela Rue des Blancs-Manteaux.

Barthes se autoanalisa depressa: tendo em vista as circunstâncias e o documento que está dobrado no bolso de dentro de seu casaco, quer a lógica que ele esteja sujeito a ondas de paranoia. Opta por retomar a palavra, em parte para livrar do constrangimento o rapaz de cachos castanhos, sempre sorridente embora um pouco contrito: "As grandes épocas da retórica sempre correspondem às das repúblicas, a ateniense, a romana, a francesa... Sócrates, Cícero, Robespierre... Eloquências sem dúvida diferentes, ligadas a épocas diferentes, mas todas se mostraram como uma tapeçaria no bastidor democrático". Mitterrand está com jeito de se interessar. E objeta: "Posto que nosso amigo 'Jacques' houve por bem convidar a guerra para a nossa conversa, lembrarei a vocês que Hitler era um grande orador". E acrescenta, sem dar aos interlocutores nenhum sinal de ironia ao qual poderiam se agarrar: "De Gaulle também. À sua maneira".

Disposto a jogar o jogo, Barthes pergunta: "E Giscard?".

Mitterrand, como se esperasse aquilo desde o início, como se aquelas preliminares não tivessem outro objetivo senão levar a conversa exatamente para aquele ponto, vira-se para trás na cadeira: "Giscard é um bom técnico. Sua força é o conhecimento exato que tem de si mesmo, de seus meios e de suas fraquezas. Sabe que tem fôlego curto, mas sua frase desposa exatamente o seu ritmo. Um sujeito, um verbo, um complemento direto. Um ponto, nenhuma vírgula: entraríamos no desconhecido". Faz uma pausa para deixar, enfim, os sorrisos de condescendência desabrocharem no rosto dos convidados, e depois prossegue: "Também não há laço necessário entre duas frases. Cada uma basta a si mesma, tão lisa e redonda como um ovo. Um ovo, dois ovos, três ovos, postos em série, regulares como um metrônomo". Encorajado pelos gritinhos prudentes que recolhe em torno da mesa, Mitterrand se aquece: "A bela mecânica! Conheci um melômano que atribuía a seu metrônomo mais gênio que a Beethoven... Naturalmente, o espetáculo encanta. Para completar, é muito pedagógico. Todos compreendem que um ovo é um ovo, não é mesmo?".

Jack Lang, preocupado com seu trabalho de mediador cultural, intervém: "É exatamente o que o sr. Barthes denuncia em seu trabalho: os estragos da tautologia".

Barthes confirma: "Sim, quer dizer... A falsa demonstração por excelência, a equação inútil, $A = A$, 'Racine é Racine', é o grau zero do pensamento".

Mitterrand, feliz com essa convergência de pontos de vista teóricos, nem por isso perde o fio do discurso: "É isso, é exatamente isso. 'A Polônia é a Polônia, a França é a França'". Adota um tom falsamente queixoso: "Depois disso, vá explicar o contrário! Quero dizer com isso que Giscard possui, em raro grau, a arte de enunciar evidências".

Barthes, conciliador, concorda: "Uma evidência não se demonstra. Ela se esvazia".

Mitterrand repete, triunfante: "Não, uma evidência não se demonstra". Nesse instante, uma voz se faz ouvir no outro extremo da mesa: "No entanto, parece *evidente*, a seguir a sua demonstração, que a vitória não pode lhe escapar. Os franceses não são tão bobos. Não se deixarão enganar duas vezes por esse impostor".

É um jovem que está ficando careca e tem a boca em forma de cu de galinha, um pouco no gênero Giscard, que toma a palavra e, ao contrário dos outros convidados, não parece impressionado com o homenzinho. Mitterrand, malvadamente, se vira para ele: "Ah, sei muito bem o que você pensa, Laurent! Você pensa, como a maioria de nossos contemporâneos, que não há demonstrador mais deslumbrante que ele".

Laurent Fabius protesta com um muxoxo de desdém: "Eu não disse isso...".

Mitterrand, rabugento: "Disse, sim! Disse, sim! Que bom telespectador você é! É porque há muitos bons telespectadores como você que Giscard é tão bom na televisão".

O jovem careca não se mexe, Mitterrand se inflama: "Reconheço que explica admiravelmente bem como as coisas se passam sem ele. Os preços subiram em setembro? Por Deus, é a carne. (Barthes nota que Mitterrand diz 'por Deus'). Em outubro, é o melão. Em novembro, é o gás, a eletricidade, as ferrovias e os aluguéis. Como querem que os preços não subam? Luminoso".

Seu rosto exibe uma contração estranha, a voz fica embaçada: "Todos se maravilham por ter acesso tão fácil aos mistérios da economia, por penetrar, seguindo esse sábio guia, nos arcanos da alta finança". Agora, ele grita: "Pois é, é a carne! Odioso melão! Aluguel traidor! Viva Giscard!".

Os convidados estão petrificados, mas Fabius responde, acendendo um cigarro: "O senhor exagera".

A contração de Mitterrand retoma seu aspecto sedutor e,

com o timbre mais normal, ele diz, sem que se saiba se responde ao jovem careca ou se deseja tranquilizar o conjunto dos convivas: "É evidente que eu estava brincando. Bem, não totalmente. Mas rendamos as armas: precisa-se de uma bela inteligência para, a esse ponto, convencer os outros de que governar consiste em não ser responsável por nada".

Jack Lang desaparece.

Barthes pensa que tem diante de si um belíssimo espécime de maníaco obsessivo: aquele homem quer o poder, e cristalizou em seu adversário direto todo o rancor capaz de sentir por um destino há muito tempo contrário. É como se já se enfurecesse com a próxima derrota, e ao mesmo tempo sentimos que está disposto a tudo, salvo a renunciar. Talvez não acredite na vitória mas é de sua personalidade lutar para consegui-la, ou foi a vida que o fez assim. A derrota, decididamente, é a maior escola. Barthes, invadido por uma leve melancolia, também acende um cigarro para disfarçar. Mas a derrota também finca o indivíduo em patologias pesadas. Barthes se pergunta o que realmente deseja aquele homenzinho. Sua determinação não está em causa mas será que não se fechou num sistema? 1965, 1974, 1978... A cada vez, derrotas prestigiosas, cuja responsabilidade não lhe é imputada pessoalmente, então ele se sente autorizado a perseverar em seu ser, e seu ser é a política, claro, mas talvez também seja a derrota.

O jovem calvo retoma a palavra: "Giscard é um orador brilhante, como sabem muito bem. Além disso, seu estilo é feito para a tevê. Ser moderno é isso".

Mitterrand assume um ar falsamente conciliador: "Mas, meu caro Laurent, há muito tempo estou convencido disso. Eu já admirava tais dons de exposição quando ele intervinha na tribuna da Assembleia Nacional. Na época, observei que não tinha ouvido melhor orador desde... Pierre Cot. Sim, um radical que foi ministro durante a Frente Popular. Mas estou me perdendo. O sr. Fabius é tão jovem que mal e mal conheceu o Programa Comum, então, a Frente Popular... (Risos tímidos em torno da mesa.) Voltemos, se quiserem, a Giscard, esse farol da eloquência! A clareza do discurso, a fluidez da fala entrecortada de pausas que davam a seus ouvintes a impressão de serem admitidos a pensar, assim como a câmera lenta das imagens esportivas na televisão nos projetava da poltrona onde tínhamos acomodado o lombo na heroica intimidade do esforço muscular, e o próprio porte da cabeça que ele tinha, tudo preparava Gisard para se instalar nas telas de nossas televisões. Sem dúvida acrescentou a suas qualidades naturais muito trabalho. Acabaram-se os amadores! Mas recebeu sua recompensa. Com ele, ouve-se a televisão respirar. O triunfo dos pulmões de aço".

O jovem calvo continua a não se deixar impressionar: "No final, é de uma eficácia tremenda. As pessoas o escutam e há até as que votam nele".

Mitterrand responde, pensativo, como para si mesmo: "Eu me interrogo, porém. Você fala de estilo moderno. Considero-o ultrapassado. Já se debochou da retórica das gamas literárias e dos arroubos do coração. (Barthes ouve o eco do debate de 1974, chaga jamais cicatrizada para o candidato perdedor.) No mais das vezes, com muita razão. (Ó, como essa concessão deve lhe arrancar as entranhas, ó, como Mitterrand deve ter trabalhado esse controle de si para chegar lá...). As afetações da linguagem ferem o ouvido assim como o brilho exagerado fere a vista".

Fabius espera, Barthes espera, todos esperam. Mitterrand tem o hábito de que o esperem, leva tempo até prosseguir: "Mas retórica, retórica e meia. A do tecnocrata já está gasta. Ontem era preciosa. Torna-se ridícula. Quem dizia recentemente: 'Sinto dor no meu balanço de contas'?".

Jack Lang volta a se sentar, perguntando: "Não foi Rocard?".

Mitterrand deixa novamente sua irritação se manifestar: "Não, foi Giscard". Fuzila com os olhos o jovem encaracolado que estragou seu efeito, e depois recomeça como se nada fosse: "Dá vontade de se apalpar. Dor de cabeça? Dor no coração? Dor nos rins? Dor de barriga? A gente sabe onde é. Mas, balanço de contas? Entre a sexta e a sétima costela? Uma glândula desconhecida? Um dos ossinhos do cóccix? Giscard ainda não chegou lá".

Os convidados já não sabem se devem rir ou não. Na dúvida, abstêm-se.

Mitterrand prossegue, olhando pela janela: "Ele tem senso comum e, sendo um técnico das aproximações, conhece e sente a política como ninguém".

Barthes compreende toda a ambiguidade do cumprimento: para alguém como Mitterrand, isso é evidentemente um reconhecimento superior, mas por uma espécie de esquizofrenia própria ao político, tirando partido de uma polissemia muito rica, o termo "política" também tem, em sua boca, algo de desvalorizante, até mesmo de insultante.

Mitterrand, que não para mais: "Mas a geração dele se apaga ao mesmo tempo que o economicismo. Margot, que enxugou os olhos, começa a se chatear".*

Barthes fica pensando se Mitterrand não está bêbado.

Fabius, que parece se divertir cada vez mais, interpela seu chefe: "Desconfie, ele ainda se mexe, e sabe acertar no alvo. Lembre-se da flecha: 'O senhor não tem o monopólio do coração'.".

Os convidados param de respirar.

Contra todas as expectativas, Mitterrand responde quase pou-

---

* Frase dita por François Mitterrand, como várias deste diálogo, em entrevista ao jornal *L'Unité* de 6 de novembro de 1980, por ocasião do lançamento de seu livro *Aqui e agora*. "Margot" representa o que se chamava de "França profunda" e mais "autêntica". (N. T.)

sadamente: "E não pretendo esquecer! Minhas reflexões, no máximo, visam o homem público, e evito julgar o homem privado, que não conheço". Depois, tendo concedido o que devia conceder, e por isso mesmo tendo mostrado seu espírito fair-play, pode concluir: "Mas falávamos de técnica, parece-me. Nele, a técnica tomou tanto espaço que ele mesmo não sabe onde alojar o imprevisto. O momento difícil de uma vida, a dele, a sua, a minha, de qualquer vida que se pretende ambiciosa, é aquele em que se inscreve o sinal na parede que nos mostra que começamos a imitar a nós mesmos".

Ao ouvir estas palavras, Barthes afunda o nariz no copo. Sente despontar um riso nervoso, mas se segura, recitando mentalmente esta máxima: "Cada um ri para si".

A reflexividade, sempre.

SEGUNDA PARTE

Bolonha

47.

16h16

"Que calor, porra." Simon Herzog e Jacques Bayard batem perna pelas ruas rendilhadas de Bolonha, a cidade vermelha, procurando abrigo sob as arcadas que formam uma rede, na esperança de escapar um instante do sol de chumbo sob o qual mergulha mais uma vez a Itália do norte, neste verão de 1980. Num muro, escrito com spray, eles podem ler: "*Vogliamo tutto! Prendiamoci la città!*".* Três anos antes, ali mesmo, os carabineiros matavam um estudante, desencadeando uma verdadeira insurreição popular que o ministro do Interior optou por reprimir enviando os tanques: a Tchecoslováquia, em 1977, na Itália. Mas hoje tudo está calmo, os blindados voltaram para suas tocas, toda a cidade parece fazer a sesta.

"É aqui? Onde estamos?"

* "Queremos tudo! Vamos tomar a cidade!" (N. T.)

"Deixe eu ver o mapa."
"Mas está com você."
"Que nada, eu o devolvi!"

Na Via Guerrazzi, no centro do bairro estudantil da mais velha cidade universitária do continente, Simon Herzog e Jacques Bayard penetram num velho palácio bolonhês onde é a sede do DAMS: Discipline Arte Musica e Spettacolo. É aqui que, toda semana, o professor Eco dá seu curso semestral, pelo que eles conseguem decifrar num quadro de avisos com títulos obscuros. Mas o professor não está lá, uma porteira lhes explica num francês impecável que os cursos terminaram ("Eu sabia, diz Simon a Bayard, que era uma idiotice vir à faculdade durante o verão!") mas que, muito provavelmente, estará no bistrô: "Em geral vai à Drogheria Calzolari ou à Osteria del Sole. *Ma* a Drogheria fecha mais cedo. Então, depende: se *il professore* está ou não com muita sede".

Os dois atravessam a sublime Piazza Maggiore, com sua basílica inacabada do século XIV, metade de mármore branco, metade de pedra ocre, e sua fonte de Netuno bordada de sereias gordas e obscenas que se tocam os seios cavalgando delfins demoníacos. Encontram a Osteria del Sole numa passagem minúscula, já repleta de estudantes. No muro, fora, pode-se ler: "*Lavorare meno — lavorare tutti!*". Graças às suas noções de latim, Simon decifra: "Trabalhar menos — trabalharem todos". Bayard pensa: "Vagabundos em todo lugar, trabalhadores em lugar nenhum".

Na entrada, um grande sol estilizado à maneira das tabuletas de um alquimista é visível num pôster gigante. Aqui, bebe-se vinho barato e pode-se trazer a própria comida. Simon pede dois copos de sangiovese enquanto Bayard informa-se sobre a presença de Umberto Eco. Todos parecem conhecê-lo mas, como dizem: "*Non ora, non qui*". Os dois franceses decidem, porém, ficar um pouco, ao abrigo do calor sufocante, e caso Eco apareça.

No fundo da sala em L um grupo de estudantes festeja ruidosamente o aniversário de uma moça, a quem os amigos oferecem uma torradeira que ela exibe com gratidão. Também há velhos, mas Simon observa que todos estão reunidos no balcão, na entrada, e compreende que é porque ali o trajeto para se pedir algo é mais curto, pois não há serviço no salão. Atrás do bar, uma velha vestida de preto, ar austero, coque grisalho impecavelmente puxado para trás, dirige a manobra. Simon adivinha que é a mãe do gerente, então procura-o com os olhos e não demora a localizá-lo: numa mesa, um rapagão desengonçado, jogando cartas. Por seu modo de reclamar e seu jeito desagradável e meio exagerado, Simon adivinha que trabalha ali e, tendo em vista que, justamente, não trabalha, pois está jogando cartas (cartas de um tipo desconhecido, um gênero de tarô, nota Simon), é ele mesmo o dono. Sua mãe o chama de vez em quando: "Luciano! Luciano!". Ele responde com resmungos.

No ângulo do L da sala, pode-se ter acesso a um pequeno pátio interno, que faz as vezes de varanda; Simon e Bayard observam ali casais se bolinando delicadamente e três jovens com lenços, exibindo ares de conspiradores. Simon detecta também alguns estrangeiros, cuja não italianidade é traída, de um jeito ou de outro, pelas roupas, pelo gestual ou pelo olhar. Tendo se tornado um pouco paranoico pelos acontecimentos dos últimos meses, acredita ver búlgaros por todo lado.

No entanto, o ambiente se presta pouco à paranoia. As pessoas trouxeram uns bolinhos, que elas recheiam com toucinho e pesto, ou beliscam alcachofras. Evidentemente, todos fumam. Simon não vê os jovens conspiradores passando um embrulho por baixo da mesa, no pequeno pátio. Bayard toma mais um copo de vinho. Logo um dos estudantes do fundo da sala os aborda para lhes propor uma taça de prosecco e uma fatia de torta de maçã. Chama-se Enzo, é muito falante e também fala francês.

Convida-os a se juntarem a seus amigos, que brigam alegremente a respeito de temas políticos, a julgar pelos *"fascisti"*, *"comunisti"*, *"coalizione"*, *"combinazione"* e outros *"corruzione"* que surgem de todo lado. Simon pergunta o que significa *"pitchî"* que aparece a toda hora na conversa. Uma moreninha de pele mate interrompe-se para lhe explicar em francês que é assim que se pronuncia "PC" em italiano. Ela lhe diz que todos os partidos são corruptos, até os comunistas, que são *notabili* prestes a fechar com o empresariado e se aliar com os democratas-cristãos. Felizmente, as Brigadas Vermelhas fizeram capotar o *compromesso storico* ao sequestrarem Aldo Moro. Tudo bem, o mataram, mas a culpa é do papa e daquele *porco* do Andreotti, que não quis negociar.

Luciano, que a ouviu falar com os franceses, a interpela com grandes gestos: *"Ma che dici! Le Brigate Rosse sono degli assassini!* Eles o mataram e o jogaram no porta-malas da *macchina*, como *um cane!"*.

A moça retruca: *"Il cane sei tu!"*. Eles estão em guerra, queriam trocá-lo por companheiros, presos políticos, esperaram cinquenta e cinco dias até que o governo aceitasse falar com eles, quase dois meses inteiros! Ele recusou, nem sequer um só preso, disse Andreotti! Moro suplicou: meus amigos, me salvem, sou inocente, é preciso *negoziare!* E todos os seus bons amigos disseram: não é ele, ele está drogado, ele foi forçado, ele mudou! Não é o Aldo que eu conheci, disseram *'sti figli di putana!'"*.*

E ela finge cuspir antes de engolir a bebida de uma talagada, e depois, sorrindo, se vira para Simon, enquanto Luciano retorna a seu *tarocchino* praguejando umas insanidades.

Chama-se Bianca, tem olhos muito pretos e dentes muito

---

* "Mas o que está dizendo? As Brigadas Vermelhas são uns assassinos!"; "Cachorro é você!"; "Esses filhos da puta!". (N. T.)

brancos, é napolitana, estuda ciências políticas, gostaria de ser jornalista mas não na imprensa burguesa. Simon balança a cabeça, sorrindo bestamente. Marca pontos quando lhe diz que está fazendo tese em Vincennes. Bianca bate palmas: três anos atrás houve um enorme colóquio aqui em Bolonha, com grandes intelectuais franceses, Guattari, Sartre, esse rapaz de camisa branca, Lévy... Ela entrevistou Sartre e Simone de Beauvoir para *Lotta Continua*. Sartre lhe disse, e ela cita de memória levantando um dedo: "Não posso aceitar que um jovem militante seja assassinado nas ruas de uma cidade governada pelo partido comunista". E, por mais simpático aos comunistas que fosse, declarou: "Eu me ponho do lado do jovem militante". Foi *magnifico*! Ela se lembra de que Guatarri foi recebido como uma estrela de rock; na rua, até parecia John Lennon, era uma loucura. Um dia, ele participava de uma passeata, e encontrou Bernard-Henri Lévy, então o mandou sair da manifestação porque os estudantes estavam muito excitados e o filósofo de *camicia bianca* ia apanhar. Bianca ri às gargalhadas e torna a se servir de prosecco.

Mas Enzo, que conversava com Bayard, vem se meter na conversa: "As *Brigate Rosse*? *Ma*, terroristas de esquerda continuam a ser terroristas, *no*?".

Bianca se inflama de novo: "*Ma che terroristi?** Militantes que praticam a ação violenta como meio de ação, *ecco!*".

Enzo dá um sorriso amargo: "*Sí*, e Moro era um *lacchè* du capital, *io so*. Ele não era mais que um *strumento* de terno e gravata, nas mãos de Agnelli e dos americanos. *Ma* por trás da gravata havia um *uomo*. Ah, se não tivesse escrito aquelas cartas à mulher, ao neto... só se teria visto o *strumento*, sem dúvida, e não o *uomo*. É por isso que os amigos dele ficaram em pânico: podem

---

* "Mas que terroristas?" Parágrafo seguinte: lacaio; carcereiro; pobre homem; velhinho; Tudo bem. (N. T.)

dizer que ele as escreveu sob coação, mas todo mundo sabe que *no*, aquelas palavras não eram ditadas por um *carceriere* mas vinham do fundo do coração de um *pover'uomo* que vai morrer. E você, você concorda com os amigos dele que o abandonaram: quer esquecer as cartas para esquecer que os seus amigos brigadistas mataram um *vecchietto* que adorava o neto. *Va bene!*".

    Os olhos de Bianca brilham. Depois de uma alfinetada dessas, ela só tem como último recurso enveredar pelo melodramático, se possível com uma dose de lirismo, mas não muito pois sabe que qualquer lirismo politizado ameaça soar como catecismo, então diz: "O neto dele se recuperará, irá para as melhores escolas, jamais sentirá fome, será recomendado para conseguir um estágio na Unesco, na Otan, na ONU, em Roma, Genebra, Nova York! Você já esteve em Nápoles? Viu as crianças napolitanas que vivem nas casas que o Estado, este de Andreotti e do seu amigo Moro, deixa desabar? Quantas mulheres e crianças foram abandonadas pela política corrupta dos democratas-cristãos?".

    Enzo debocha, enchendo o copo de Bianca: "Combater o mal pelo mal, *giusto?*".

    Nesse instante, um dos jovens conspiradores se levanta, joga o guardanapo e se adianta, com a metade do rosto coberto pelo lenço, até a mesa dos jogadores de cartas, brande uma pistola na direção do dono do bar e lhe atira na perna.

    Luciano desaba, agonizando.

    Bayard não está armado e a confusão que se segue o impede de alcançar o rapaz, que sai andando, escoltado por dois amigos, com a arma fumegante na mão.

    Num piscar de olhos a gangue dos lenços desapareceu.

    Dentro, não se vê exatamente pânico, embora a velha atrás do balcão tenha se atirado sobre o filho, aos berros, mas jovens e velhos se esgoelam por todo lado. Luciano empurra a mãe. Enzo grita em direção de Bianca, com um fel irônico: "*Brava, brava!*

Continua a difenderli i tuoi amici brigatisti? Bisognava punire Luciano, vero? Questo sporco capitalista proprietario di bar. È un vero covo di fascisti, giusto?".* Bianca vai socorrer Luciano, deitado no chão, e responde a Enzo, em italiano, que seguramente não eram brigadistas, pois existem centenas de grupúsculos de extrema esquerda ou de extrema direita que praticam a *gambizzazione* na base do P38. Luciano diz à mãe: *"Basta, mamma!"*. A pobre mulher solta um longo soluço de angústia. Bianca não vê por que as Brigadas Vermelhas teriam atacado Luciano. Enquanto ela tenta estancar a hemorragia com um pano de prato, Enzo observa que o simples fato de que ela hesite em atribuir aquele ataque à extrema esquerda ou à extrema direita é, em si, revelador de um ligeiro problema. Alguém diz que é preciso chamar a polícia, mas Luciano solta um gemido categórico: *niente polizia*. Bayard se inclina sobre o ferimento: o rastro do impacto se situa acima do joelho, na coxa, e, tendo em vista aquele sangramento, a bala não tocou a artéria femural. Bianca responde a Enzo, em francês, de tal maneira que Simon entende que também se dirige a ele: "Você sabe muito bem que é assim, é a estratégia da tensão. É assim desde a Piazza Fontana". Simon pergunta do que se trata. Enzo explica que em Milão, em 1969, uma bomba matou quinze pessoas num banco situado na Piazza Fontana. Acrescenta Bianca que durante a investigação a polícia matou um sindicalista anarquista jogando-o pela janela da delegacia. "Disseram que eram os anarquistas mas depois se compreendeu que era a extrema direita, com o Estado de cúmplice, que fez explodir a bomba para acusar a extrema esquerda e justificar a política fascista. É a *strategia della tensione*. Isso dura há dez anos. Até o papa é cúm-

---

* "Muito bem! Muito bem! Continua defendendo os seus amigos brigadistas? Precisava castigar Luciano, não é? Este capitalista imundo, dono de bar. É um verdadeiro antro de fascistas, verdade?" Mais abaixo: nada de polícia. (N. T.)

plice." Enzo confirma: "Isso é verdade. Um polonês!". Bayard pergunta: "E essas, ahn, pernizações são frequentes?". Bianca reflete enquanto improvisa um garrote com o cinto: "Não, não muito. Nem sequer um por semana, eu diria".

Então, já que Luciano não parece estar nas portas da morte, os clientes se dispersam na noite e Simon e Bayard pegam o caminho da Drogheria Calzolari, guiados por Enzo e Bianca, que não querem voltar para casa.

19h42

Os dois franceses se enfiam pelas ruas de Bolonha como num sonho, a cidade é um teatro de sombras, silhuetas furtivas dançam um balé estranho seguindo uma coreografia misteriosa, estudantes surgem e desaparecem atrás das pilastras, os drogados e as prostitutas estacionam sob pórticos abobadados, carabineiros correm em silêncio no vazio. Simon levanta a cabeça. Há duas belas torres medievais no alto da porta que outrora abria a estrada de Ravena, a bizantina, mas a segunda está inclinada como a torre de Pisa, e é mais baixa que sua irmã: é a Torre cortada, *Torre Mezza*, aquela que Dante pôs no último círculo do Inferno, quando era mais alta e ameaçadora: "Assim parece se inclinar a *Garisenda* no sentido contrário, se de baixo se olha quando passa uma nuvem na direção do lado que se inclina". A estrela das Brigadas Vermelhas enfeita muros de tijolo vermelho. Ouvem-se ao longe os apitos de policiais e cantos de *partiggiani*. Um mendigo se aproxima de Bayard para lhe pedir um cigarro e dizer que é preciso fazer a revolução, mas Bayard não entende e continua seu caminho, obstinado, enquanto a fileira de arcadas, rua após rua, lhe parece nunca terminar. Dédalo e Ícaro no país do comunismo italiano, pensa Simon, ao ver cartazes eleitorais colados na pedra e nas vigas. E claro, entre aquele povo de espectros, há os gatos que são, como em toda a Itália, os verdadeiros moradores da cidade.

A vidraça da Drogheria Calzolari brilha na noite quente. Dentro, professores e estudantes bebem vinho beliscando *antipasti*. O dono diz que vai fechar, mas a animação que reina desmente a previsão. Enzo e Bianca pedem uma garrafa de Manaresi.

Um barbudo conta uma história engraçada, todo mundo ri, menos um homem de luvas e outro com uma sacola; Enzo traduz para os dois franceses: "É a história de um *uomo* que volta para casa, à noite, está completamente bêbado, mas no caminho encontra uma freira, com seu hábito e seu chapéu. Então se joga sobre ela, e lhe quebra a cara. E depois de bater muito, agarra-a e diz: '*Ma* Batman, achei que você era mais forte!'". Enzo ri, Simon também, Bayard hesita.

O barbudo conversa com uma moça de óculos e um homem que Bayard identifica imediatamente como professor, porque parece um estudante mas mais velho. Quando o barbudo termina seu copo, torna a se servir da garrafa em cima do balcão, mas sem encher os copos vazios da moça e do professor. Bayard lê o rótulo: *Villa Antinori*. Pergunta ao garçom se é bom. É um branco da Toscana, não, não é muito bom, responde o garçom num excelente francês. Ele se chama Stefano e estuda ciências políticas. "Aqui, todo mundo estuda e faz política!", ele diz a Bayard, e acrescenta fazendo um brinde: "*Alla sinistra!*".* Bayard brinda com ele e repete: "*Alla sinistra!*". O dono do bar se inquieta: "*Piano col vino, Stefano!*". Stefano ri e diz a Bayard: "Não dê bola, é meu pai".

O homem das luvas exige a libertação de Toni Negri e de-

---

* "À esquerda!"; "Devagar com o vinho, Stefano!". Parágrafos seguintes: "Negri cúmplice das Brigadas Vermelhas é tão absurdo quanto Trótski ser cúmplice de Stálin!"; "Os estalinistas estão em Bolonha!". (N. T.)

nuncia Gladio, essa organização de extrema direita financiada pela CIA. "*Negri complice delle Brigate Rosse, è altrettanto assurdo che Trotski complice di Stalin!*"
Bianca se melindra: "*Gli stalinisti stanno a Bologna!*".
Enzo aborda uma moça tentando adivinhar o que ela estuda, e descobre de cara. (Ciências políticas.)
Bianca explica a Simon que, na Itália, o partido comunista é muito forte, conta com quinhentos mil membros, e ao contrário da França não entregou as armas em 1944, donde o número fenomenal de pistolas P38 alemãs em circulação no país. E Bolonha, a cidade vermelha, é um pouco a vitrine do PCI, com seu prefeito comunista que trabalha para Amendola, o representante da corrente gestionária. "A ala direita", diz Bianca com um muxoxo de desprezo. "Essa porcaria de compromisso histórico é ele." Como Bayard vê Simon suspenso a seus lábios, levanta o copo de tinto em sua direção: "Então, esquerdista, gosta de Bolonha? Não está melhor aqui do que no seu mercado de Vincennes?". Bianca repete, com os olhos brilhando: "Vincennes... Deleuze!". Bayard pergunta a Stefano, o garçom, se conhece Umberto Eco.
Nesse instante, um hippie de sandálias entra no bar e vai diretamente bater no ombro do barbudo. O barbudo se vira, o hippie abre solenemente a braguilha e mija em cima dele. O barbudo recua, horrorizado, todo mundo começa a gritar, há um momento de confusão geral, o hippie é posto para fora pelos filhos do dono. Todos se agitam em torno do barbudo, que geme: "*Ma io no parlo mai di politica!*".* O hippie, antes de sair, lhe lança: "*Appunto!*".
Stefano volta para trás do balcão e aponta o barbudo para Bayard: "Umberto é ele".

---

* "Mas eu nunca falo de política!"; "Justamente!" (N. T.)

O homem com a sacola vai embora, esquecendo-a ao pé do balcão mas felizmente os outros clientes o agarram e a devolvem. O homem, atrapalhado, se desculpa estranhamente, diz obrigado e desaparece na noite.

Bayard se aproxima do barbudo, que enxuga simbolicamente a calça (pois o mijo já entranhou no tecido) e puxa a carteira funcional: "Sr. Eco? Polícia francesa". Eco se agita: "Polícia? *Ma*, era o hippie que devia ser preso, ora essa!". Depois, considerando o público de estudantes esquerdistas que povoam a Drogheria, resolve não prosseguir nesse terreno. Bayard lhe resume as razões de sua presença: Barthes pedira a um jovem que fosse encontrá-lo em caso de desgraça mas o jovem morreu, com seu nome nos lábios. Eco parece sinceramente surpreso. "Eu conhecia bem Roland, mas não éramos amigos íntimos. É terrível essa história, *ma* é um acidente, não é?"

Bayard compreende que terá de se armar de paciência, de novo, então esvazia seu copo, acende um cigarro, olha o homem de luvas agitando os braços e falando de *materialismo storico*, Enzo passando uma cantada na jovem estudante, brincando com seus cabelos, Simon e Bianca brindando "à autonomia desejosa", e diz: "Pense. Há de fato uma razão pela qual Barthes pediu expressamente para o contatarem".

Em seguida, ouve Eco não responder à sua pergunta:

"A grande lição de semiologia de Roland, da qual me lembro, é apontar para qualquer acontecimento do universo e perceber que ele significa alguma coisa. Sempre repetia que o semiólogo, quando passeia pelas ruas, fareja significação ali onde outros veem acontecimentos. Sabia que se diz alguma coisa no modo de vestir, de segurar o copo, de andar... O senhor, por exemplo, posso lhe dizer que esteve na guerra da Argélia e que..."

"Está bem! Eu já sei", pragueja Bayard.

"Ah? *Bene*. E ao mesmo tempo, o que apreciava na literatura era que não se é obrigado a fixar um sentido, *ma se joga com o sentido. Capisce? É geniale*. Foi por isso que gostou tanto do Japão: um mundo do qual, enfim, ele não conhecia nenhum código. Nenhuma possibilidade de enganar, nenhuma implicação ideológica ou política, só estética, e talvez antropológica. Mas talvez nem sequer antropológica. O prazer da interpretação pura, aberta, livre do referente. Ele me dizia: 'E sobretudo, pois é, Umberto, é preciso matar o referente!'. Hahahaha! *Ma attenzione*, isso não quer dizer que o significado não existe, *eh*! Tudo tem significado. (Dá um bom gole de vinho branco). Tudo. Mas também não quer dizer que há uma infinidade de interpretações. São os cabalistas que pensam assim! Há duas correntes: os cabalistas, que pensam que é possível interpretar a Torá em todos os sentidos, ao infinito, para produzir coisas novas, e santo Agostinho. Santo Agostinho sabia que o texto da Bíblia era uma *foresta infinita di sensi* — '*infinita sensuum silva*', como dizia são Jerônimo — mas que sempre era possível submetê-lo a uma regra de falsificação, a fim de excluir o que o contexto não permitia ler, fosse qual fosse a violência hermenêutica a que o submeteríamos. Está entendendo? É impossível dizer se uma interpretação é válida nem se é a melhor, mas é possível dizer se o texto recusa uma interpretação incompatível com sua própria contextualidade. Isso quer dizer que, afinal, não se pode contar qualquer bobagem. *Insomma*, Barthes era agostiniano, e não cabalista."

E enquanto Eco invade seu espaço sonoro, no zum-zum das conversas e no tilintar dos copos, no meio das garrafas arrumadas nas estantes do vendedor de vinho, enquanto os jovens corpos flexíveis e firmes dos estudantes transpiram sua crença no futuro, Bayard olha para o homem de luvas arengando os interlocutores a respeito de um tema desconhecido.

E fica pensando por que um homem usa luvas quando está fazendo trinta graus.

O professor a quem Eco contava piadas intervém, em francês sem sotaque:

"O problema, e você sabe disso, Umberto, é que Barthes não estudava signos, no sentido saussuriano da palavra, mas símbolos, quando muito, e no mais das vezes indícios. Interpretar um indício não é o que caracteriza a semiologia, é a vocação de TODA a ciência: física, química, antropologia, geografia, economia, filologia... Barthes não era um semiólogo, Umberto, não entendia o que era a semiologia, porque não entendia a especificidade do signo que, à diferença do indício, que não passa de um traço fortuito detectado por um receptor, deve ser voluntariamente emitido por um emissor. Era um generalista, bastante inspirado, que seja, mas em última análise era somente um crítico à antiga, exatamente como Picard e aqueles contra quem ele se batia."

"*Ma no*, você se engana, Georges. A interpretação dos indícios não é TODA a ciência, e sim o momento semiológico de toda ciência e a essência da própria semiologia. As *Mitologias* de Roland eram brilhantes análises semiológicas, pois a vida cotidiana é submetida a um bombardeio contínuo de mensagens que nem sempre manifestam uma intencionalidade direta mas que, via de regra, tendem, em razão de sua finalidade ideológica, a se apresentar sob uma aparente 'naturalidade' do real."

"Ah é, nada menos? Não vejo muito bem por que você faz questão absoluta de chamar de semiologia o que, no final das contas, é apenas uma epistemologia geral."

"*Ma* é exatamente isso. A semiologia oferece instrumentos para reconhecer o que fazer da ciência, é antes de tudo aprender a ver o mundo, em sua globalidade, como um conjunto de fatos significantes."

"Nesse caso, mais vale dizer logo de uma vez que a semiologia é a mãe de todas as ciências!"

Umberto afasta as mãos, palmas abertas, sorrindo com toda a sua barba: "*Ecco!*".

O ruído das garrafas que são abertas produz uma série de pop, pop, pop. Simon acende galantemente o cigarro de Bianca. Enzo tenta beijar sua jovem estudante, que escapa, rindo. Stefano serve uma nova rodada a todos.

Bayard vê o homem de luvas pôr o copo na mesa, sem terminá-lo, e ir para a rua. Com um balcão fechado que proíbe aos clientes o acesso ao fundo da sala, a loja de vinhos é arrumada de tal maneira que Bayard deduz que não há toalete à disposição da clientela. Portanto, ao que tudo indica, o homem de luvas não quer fazer como o hippie e por isso vai mijar fora. Bayard tem alguns segundos para tomar uma decisão. Pega uma colher de café que está ali no balcão e sai, atrás dele.

O homem de luvas não foi muito longe, não são ruelas escuras que faltam no bairro. Ele está de cara para o muro, aliviando-se, quando Bayard o agarra pelos cabelos, o derruba no chão e o imobiliza berrando na cara dele: "Você não tira as luvas para mijar? Não gosta de sujar as mãos?". O homem é de corpulência média mas está muito surpreso para se debater ou até para gritar, então se contenta em revirar os olhos aterrorizados. Bayard o imobiliza apertando o joelho sobre o peito dele e agarrando suas mãos. Sente alguma coisa mole sob o couro da mão esquerda, arranca a luva e descobre que faltam duas falanges, a do auricular e a do anular.

"E então? Você também gosta de cortar lenha?"

Esmaga sua cabeça contra o calçamento úmido.

"Onde é a reunião?"

O homem de luvas emite uns borborismos incompreensíveis, então Bayard relaxa a pressão e ouve: "*Non lo so! Non lo so!*".

Bayard, talvez infectado pelo clima de violência que paira sobre a cidade, não parece disposto a dar provas de paciência. Tira do bolso a colherinha e a encaixa sob o olho do homem, que começa a piar como um pássaro apavorado. Atrás dele, Bayard ouve Simon que acorre gritando: "Jacques! Jacques! O que está fazendo?". Simon o pega pelos ombros mas Bayard é forte demais para que ele consiga detê-lo. "Jacques! Merda! Está louco?".

O tira enfia a colher na órbita.

Ele não repete a pergunta.

Quer levar a angústia e o desespero à sua intensidade máxima, e o quanto antes, aproveitando o efeito surpresa. Visa a eficácia, como na Argélia. Há menos de um minuto o homem de luvas pensava passar uma noite tranquila e agora um francês surgido de lugar nenhum tenta enucleá-lo enquanto ele faz xixi na calça.

Quando sente que o homem aterrorizado está disposto a pegar a menor porta de saída que lhe oferecerem a fim de salvar o olho e a vida, Bayard aceita enfim esclarecer a pergunta.

"O Clube Logos, seu merdinha! Onde fica?" E o homem dos dedos cortados balbucia: "*Archiginnasio! Archiginnasio!*". Bayard não entende. "Arqui o quê?" E atrás dele ouve uma voz que não é a de Simon: "O Pallazzo dell'Archiginnasio é a sede da antiga universidade, atrás da Piazza Maggiore. Foi construído por Antonio Morandi, chamado *Il Terribilia, perchè...*".

Sem se virar, Bayard reconheceu a voz de Eco, que pergunta: "*Ma perché* está torturando esse *pover'uomo?*".

Bayard explica:

"Há uma reunião do Clube Logos esta noite, aqui em Bolonha."

O homem de luvas solta um assobio rouco.

Simon pergunta:

"Mas como sabe?"

"Nossos serviços obtiveram essa informação."

"'Nossos' serviços? Os Serviços de Inteligência, você quer dizer?"

Simon pensa em Bianca, que ficou dentro da Drogheria, e

gostaria de esclarecer para todo mundo que não trabalha para os Serviços de Inteligência franceses mas, a fim de evitar o trabalho de verbalizar a crise identitária que sente crescer dentro de si, ele se cala. Compreende também que não foram a Bolonha só para interrogar Eco. E nota que Eco não pergunta o que é o Clube Logos, então ele mesmo lhe faz a pergunta: "O que sabe sobre o Clube Logos, sr. Eco?".

Eco cofia a barba, pigarreia, acende um cigarro.

"A cidade cristã repousava sobre três pilares: o ginásio, o teatro e a escola de retórica. Temos o vestígio dessa tripartição ainda hoje numa sociedade do espetáculo que promove ao nível de celebridades três categorias de indivíduos: os esportistas, os atores (ou cantores, o teatro antigo não fazia distinção) e os políticos. Dessas três categorias, a terceira, até agora, sempre foi a mais forte (mesmo se vemos que com Ronald Reagan as categorias nem sempre são estanques), porque implica o domínio da arma mais poderosa: a linguagem.

"Desde a Antiguidade até hoje, o domínio da linguagem sempre foi a implicação política fundamental, mesmo durante o período feudal, que aparentemente consagrava a lei da força física e da superioridade militar. Maquiavel explica ao príncipe que não é pela força mas pelo temor que se governa, e isso não é a mesma coisa: o temor é produto do discurso sobre a força. *Allora*, quem domina o discurso, por sua capacidade de suscitar temor e amor, é virtualmente dono do mundo, *eh!*

"Foi sobre esse pressuposto teórico protomaquiavélico, e também para barrar a influência crescente do cristianismo, que uma seita de hereges fundou o *Logi Consilium* no século III depois de Cristo.

"Em seguida, o *Logi Consilium* espalhou-se pela Itália, depois pela França, onde tomará o nome de Clube Logos no século XVIII, durante a Revolução.

"Dotou-se de uma estrutura piramidal e se desenvolveu como uma sociedade secreta muito compartimentada, à frente da qual os chefes, um colégio de dez membros que se fazem chamar de sofistas, presididos por um *Protagoras magnus*, exercitam seus talentos retóricos, que põem a serviço, essencialmente, de suas ambições políticas. Desconfia-se de que certos papas, como Clemente VI e Pio II, estiveram à frente da organização. Conta-se também que Shakespeare, Las Casas, Roberto Bellarmino (o inquisidor que instruiu o processo de Galileu, *sapete*?), La Boétie, Castiglione, Bossuet, o cardeal de Retz, Cristina da Suécia, Casanova, Diderot, Beaumarchais, Sade, Danton, Talleyrand, Baudelaire, Zola, Rasputin, Jaurès, Mussolini, Gandhi, Churchill, Malaparte eram membros do Clube Logos."

Simon observa que nessa lista não há apenas políticos.

Eco explica: "De fato, há duas grandes correntes dentro do Clube Logos: os *imanentistas*, que encontram no prazer do combate oratório um fim em si, e os *funcionalistas*, que consideram a retórica um meio para chegar a seus fins. O funcionalismo, por sua vez, se divide em duas subcorrentes: os maquiavelistas e os ciceronianos. Oficialmente, os primeiros buscam simplesmente persuadir, e os segundos, mais convencer, portanto os segundos teriam motivações mais morais, mas na realidade dos fatos a distinção é tênue já que para os dois se trata de obter poder ou conservá-lo, então...".

Bayard lhe pergunta: "E o senhor?".

Eco: "Eu? Eu sou italiano, *allora*...".

Simon: "Como Maquiavel. Mas como Cícero".

Eco ri: "*Sí, vero*. De qualquer maneira, acho que eu seria mais um imanentista".

Bayard pergunta ao homem de luvas qual é a senha para entrar. O homem, que se refez um pouco do pavor, se recupera: "*Ma* é um segredo!".

Atrás de Bayard, Enzo, Bianca, Stefano e a metade dos clientes do dono da cave, atraídos pelo barulho, foram ver o que estava acontecendo. Todos ouviram a pequena exposição de Umberto Eco.

Simon pergunta: "É uma reunião importante?". O homem de luvas responde que nessa noite o nível será elevado porque corre o boato de que um sofista, talvez o grande Protágoras em pessoa, possa assistir. Bayard pede a Eco que os acompanhe, mas Eco recusa: "Conheço essas reuniões. Estive no Clube Logos quando era jovem, sabe. Cheguei a tribuno, e sem perder um dedo, vejam". Mostra as mãos, orgulhoso. O homem de luvas reprime uma careta amarga. "Mas eu não tinha tempo para minhas pesquisas, então parei de ir às reuniões. Perdi minha classificação há muito tempo. Teria curiosidade de ver o que valem os contendores de hoje, *ma* estou voltando para Milão amanhã, tenho um trem às onze horas e devo acabar de preparar uma conferência sobre os *ekphrasis* dos baixo-relevos do *Quattrocento*."

Bayard não pode obrigá-lo, mas diz, no tom menos ameaçador de que é capaz: "Ainda temos perguntas a lhe fazer, sr. Eco. Sobre a sétima função da linguagem".

Eco olha para Bayard. Olha para Simon, Bianca, o homem de luvas, Enzo e sua nova amiga, seu colega francês, Stefano, e o pai, que também saiu, e abarca com o olhar a pequena massa de clientes que se amontoou na ruela.

"*Va bene*. Encontre-me amanhã na estação, às dez horas, na sala de espera. A da segunda classe."

Depois, volta para a loja para comprar tomates e latas de atum e finalmente desaparece na noite com sua sacolinha de plástico e sua pasta de professor.

Diz Simon: "Precisaremos de um tradutor".

Bayard: "Dedos de fada dará um jeito".

Simon: "Ele não parece muito em forma. Temo que o desempenho não seja dos melhores".

Bayard: "Bom, tudo bem, traga a sua amiga".

Enzo: "Eu também quero ir!".

Os clientes da Drogheria: "Nós também queremos ir!".

O homem de luvas, sempre no chão, agita a mão mutilada: "*Ma* é uma reunião privada! Não posso deixar todo mundo entrar".

Bayard lhe dá um tapa. "Pois é, isso aí não é comunista! Vamos, pé na estrada!".

E na noite quente de Bolonha, um pequeno grupo se põe a caminho da velha universidade. De longe, o cortejo parece um pouco um filme de Fellini, mas não se sabe muito bem se *A doce vida* ou *A estrada da vida*.

0h07

Diante da entrada do Archiginnasio, há um grupinho que se acotovela e um segurança que se parece com todos os seguranças, a não ser por usar óculos escuros Gucci, relógio Prada, terno Versace e gravata Armani.

O homem de luvas fala com o segurança, enquadrado por Simon e Bayard. Diz: "*Siamo qui per il Logos Club. Il codice è fifty cents*".

Desconfiado, o segurança pergunta: "*Quanti siete?*".*

O homem de luvas se vira e conta: "*Ahn... Dodici*".

O segurança reprime um gesto divertido e lhe diz que não vai ser possível.

---

* "Quantos são?". Parágrafos seguintes: "Doze"; "Escute, amigo, alguns de nós vieram de longe para a reunião desta noite. Alguns de nós vieram da França, entende?"; "Você se arrisca a provocar um incidente diplomático. Entre nós há pessoas de alto escalão."; "Deveria saber que o hábito não faz o monge. O que você diria de alguém que, por ignorância, fechasse a porta ao Messias? Como você o julgaria?"; "Tudo bem, vocês doze, venham". (N. T.)

Então Enzo se adianta e diz: "*Ascolta amico, alcuni di noi sono venuti da lontano per la riunione di stasera. Alcuni di noi sono venuti dalla Francia, capisci?*".

O segurança não se mexe. O argumento do ramo francês não parece impressioná-lo muito.

"*Rischi di provocare um incidente diplomatico. Tra di noi ci sono persone di rango elevato.*"

O segurança olha de cima abaixo para o grupo e diz que só enxerga ali um bando de miseráveis. Diz: "*Basta!*".

Enzo insiste: "*Sei cattolico?*". O segurança tira os óculos. "*Dovresti sapere che l'abito non fa il monaco. Che diresti tu di qualcuno che per ignoranza chiudesse la sua porta al Messia? Come lo giudicheresti?*". Como ele julgaria quem, por ignorância, fechasse a porta a Cristo?

O segurança faz um muxoxo, Enzo vê que ele balança, o homem reflete longos segundos, pensa no boato do Grande Pitágoras incógnito, e finalmente designa os doze: "*Va bene. Voi dodici, venite*".

O grupo entra no palácio e sobe uma escada de pedra enfeitada por uma infinidade de brasões heráldicos. Simon lhe pergunta por que *fifty cents*? O homem de luvas explica que em latim as iniciais do Clube Logos significam cinquenta e cem, assim era fácil de guardar.

Entram numa sala magnífica inteiramente forrada de madeira, concebida como um anfiteatro circular, ornado de estátuas de madeira de anatomistas e médicos famosos, tendo ao centro uma placa de mármore branco sobre a qual antigamente se dissecavam os cadáveres. No fundo da sala, duas estátuas de homens sem pele, também em madeira, sustentam um platô sobre o qual reina uma estátua de mulher com vestido pesado, que Bayard imagina ser uma alegoria da medicina, mas que também poderia encarnar a justiça se tivesse os olhos vendados.

Os degraus já estão amplamente ocupados, o júri está instalado debaixo dos homens esfolados, pronto para presidir, um zum-zum difuso paira na sala enquanto os espectadores continuam a chegar. Bianca puxa Simon pela manga, muito excitada: "Olhe! É Antonioni! Você viu *A aventura*? É de fato *magnifico*! Ah, ele veio com Monica Vitti! *Che bella!* E ali, está vendo, aquele homem no júri, o do meio? É Bifo, o dono da Radio Alice, uma rádio livre muito popular em Bolonha. Foram os programas dela que provocaram a guerra civil, há três anos, e foi ele que nos apresentou a Deleuze, Guattari, Foucault. E ali estão Paolo Fabbri e Omar Calabrese, dois colegas de Eco, semiologistas como ele, são grandes celebridades! E ali, Verdiglione! Mais um semiótico, que também é psicanalista. E ali está Romano Prodi, ex-ministro da Indústria, *ditchi* evidentemente, o que está fazendo aqui? Ainda acredita no compromisso histórico, *quel buffone?*".

Bayard diz a Simon: "E ali, olhe". Mostra Luciano, instalado nos degraus com sua velha mãe, o queixo encostado numa bengala, fumando um cigarro. E no outro extremo da sala, os três jovens dos lenços, que atiraram nele. Todos fingem que não estão nem aí. A gangue dos lenços não parece preocupada. País curioso, pensa Bayard.

Passa de meia-noite. A sessão começa, uma voz ressoa, é Bifo que toma a palavra, o homem da Radio Alice que incendiou Bolonha em 1977; cita uma *canzone* de Petrarca pela qual Maquiavel concluiu seu *O príncipe*: "*Vertù contra furore/ prenderà l'arme, et fia' l combatter corto:/ ché l'antico valore/ ne gli italici cor' non è ancor morto*".

Virtude contra furor
Tomará as armas; e o faça combater curto
Que o antigo valor
Nos itálicos corações ainda não está morto.

Os olhos de Bianca brilham como uma chama negra. O

homem de luvas estufa o peito, mãos nos quadris. Enzo passa o braço na cintura da jovem estudante que ele paquerou na Drogheria. Stefano assobia de entusiasmo. Paira um ar de hino patriótico no anfiteatro circular. Bayard procura alguém nos cantos escuros mas ignora quem. Simon não reconhece no público o homem da sacola que estava na Drogheria, porque está absorto com a pele acobreada de Bianca e seu seio que palpita dentro do decote.

Bifo tira o primeiro tema, uma frase de Gramsci que Bianca lhes traduz:

"A crise consiste justamente no fato de que o velho está morrendo e o novo não pode nascer."

Simon reflete sobre a frase. Bayard está pouco ligando e escruta a sala. Observa Luciano com a bengala e a mãe. Observa Antonioni e Monica Vitti. Não vê Sollers e BHL escondidos num canto. Simon problematiza mentalmente: "Justamente" o quê? Seu espírito silogiza: estamos em crise. Estamos bloqueados. Os Giscards governam o mundo. Enzo beija a boca da estudante. Que fazer?

Os dois candidatos se instalam num lado e outro da mesa de dissecção, como no centro de uma arena, mais baixa que o público. Em pé, podem mais facilmente girar sobre si mesmos a fim de se dirigirem a todos.

Em meio aos revestimentos de madeira do Teatro Anatômico, o mármore da mesa brilha com uma brancura sobrenatural.

Atrás de Bifo, enquadrando a cátedra habitualmente reservada ao professor (uma verdadeira cátedra, como na igreja), as estátuas dos homens sem pele vigiam, guardiãs de uma porta imaginária.

O primeiro candidato, um jovem com sotaque da Puglia, camisa aberta, cinto de fivela prateada grande, inicia sua demonstração.

Se a classe dominante perdeu o *consentimento*, isto é, se não é mais *dirigente* mas unicamente *dominante*, e apenas detentora de uma força de *coerção*, isso significa justamente que as grandes massas se afastaram das ideologias tradicionais, e que não mais acreditam naquilo em que acreditavam antes...

Bifo percorre a sala com os olhos. Seu olhar se detém um instante em Bianca.

E é justamente nesse interregno que se favorece a eclosão do que Gramsci chama *os fenômenos mórbidos mais variados*.

Bayard olha para Bifo olhando para Bianca. Na sombra, Sollers mostra Bayard para BHL. Para ficar incógnito, BHL vestiu uma camisa preta.

O jovem contendor interpela a sala fazendo uma lenta rotação. Sabe-se muito bem a que fenômeno mórbido Gramsci aludia. Não é? É o mesmo que ameaça hoje. Dá um tempo. Grita: *"Fascismo!"*.

Levando o auditório a imaginar mentalmente a ideia antes que ele tivesse proferido a palavra, era como se, naquele instante, trouxesse à luz, telepaticamente, o pensamento de todos os que o escutam, criando, pela sugestão, uma espécie de comunhão mental coletiva. A ideia do fascismo cruza a sala como uma onda silenciosa. O jovem contendor alcançou, pelo menos, um objetivo (indispensável): fixar as implicações do discurso. E, já que é assim, dramatizá-las no nível mais alto possível: o perigo fascista, o ventre ainda fecundo etc.

O homem da sacola aperta a sacola sobre os joelhos.

O cigarro de Sollers, encaixado na piteira de marfim, brilha na penumbra.

No entanto, há uma diferença entre hoje e a época de Gramsci. Hoje não mais vivemos sob a ameaça fascista. O fascismo já se instalou no coração do Estado. Ali pulula como uma larva. O fascismo não é mais a consequência catastrófica de um

Estado em crise e de uma classe dominante que perdeu o controle das massas. É, não mais a sanção, mas o recurso sorrateiro e o auxiliar da classe dirigente para conter o avanço das forças progressistas. Não é mais um fascismo de adesão mas um fascismo envergonhado, da sombra, de policiais corruptos, não de soldados, não mais o partido da juventude mas um fascismo de velhos, de organizações duvidosas e clandestinas compostas de agentes secretos velhos, contratados por patrões racistas que querem que tudo mude para que nada mude mas que sufocam a Itália num invólucro mortal. É o primo que faz piadas constrangedoras à mesa mas que mesmo assim a gente convida para os jantares de família. Não é mais Mussolini, é a Loja P2.*

Vaias descem da arquibancada. Ao jovem da Puglia só resta concluir: na forma larvar, incapaz de se impor totalmente mas introduzido o suficiente em todos os escalões do aparelho do Estado para impedir qualquer mutação deste último (o jovem da Puglia se abstém, prudente, de dar sua opinião sobre o compromisso histórico), o fascismo já não representa a ameaça que paira acima de uma crise que se eternizaria, mas é a própria condição de perenidade da crise. A crise em que se afunda a Itália há anos só se resolverá quando o fascismo tiver sido extirpado do Estado. E para isso, diz ele levantando o punho, "*la lotta continua!*".

Aplausos.

Por mais que seu contraditor se esforce em defender a ideia de Toni Negri, de que a crise não é mais um momento conjuntural, eventualmente cíclico, produto de um disfuncionamento ou de uma falta de fôlego do sistema, mas o motor a explosão necessário a um capitalismo mutante e polimórfico obrigado a

---

* A loja maçônica Propaganda 2, criada na Itália em 1945, esteve envolvida em vários crimes, como o sequestro e assassinato de Aldo Moro, e o atentado contra a Estação de Bolonha. Foi dissolvida em 1982. (N. T.)

praticar uma especulação perpétua para se regenerar, encontrar novos mercados e manter a mão de obra sob pressão, assinalando de passagem os sintomas que são a eleição de Thatcher e a outra, iminente, de Reagan, ele será derrotado por dois votos a um. Segundo a opinião do público, os dois contendores terão proporcionado uma apresentação de qualidade e terão justificado seu nível de dialéticos (quarto nível dos sete referenciados). Mas o jovem da Puglia terá se beneficiado, de certa forma, do bônus do fascismo.

É como para a contenda seguinte: "*Cattolicesimo e marxismo*". (Um grande clássico italiano.)

O primeiro contendor fala de são Francisco de Assis, das ordens mendicantes, do *Evangelho segundo são Mateus* de Pasolini, dos padres-operários, da teologia da libertação na América do Sul, de Cristo que expulsa os vendilhões do Templo, e conclui fazendo de Jesus o primeiro autêntico marxista-leninista.

Triunfo na sala. Bianca aplaude freneticamente. A gangue dos lenços acende um baseado. Stefano abre uma garrafa que tinha trazido, para o que desse e viesse.

O segundo contendor pode falar do ópio do povo, de Franco e da guerra da Espanha, de Pio XII e de Hitler, da colusão entre o Vaticano e a Máfia, da Inquisição, da Contrarreforma, das Cruzadas como exemplo perfeito de guerras imperialistas, dos processos de Jan Hus, Bruno e Galileu. Nada adianta. A sala pega fogo, todo mundo se levanta e começa a cantar "Bella Ciao", embora não tenha nada a ver. O primeiro contendor vence por três a zero, sob a pressão do público, mas fico pensando se Bifo estava perfeitamente convencido. Bianca canta a plenos pulmões. Simon olha o perfil de Bianca cantando, fascinado pelas feições suaves e móveis de seu rosto deslumbrante. (Acha que ela se parece com Claudia Cardinale.) Enzo e a estudante cantam. Luciano e a mãe cantam. Antonioni e Monica Vitti cantam. Sollers canta. Bayard e BHL tentam entender a letra.

A contenda seguinte opõe uma jovem e um homem mais velho; a questão é sobre o futebol e a luta de classes. Bianca explica a Simon que todo o país está sacudido pelo escândalo do "*Totonero*", uma história de apostas adulteradas em que estão metidos jogadores do Juventus, do Lazio, do Perugia, mas também o time do Bologna.

Aqui também, contra todas as expectativas, é a moça que ganha a contenda, defendendo a ideia de que os jogadores são proletários como os outros e de que os cartolas lhes roubam sua força de trabalho.

Bianca esclarece para Simon que, depois do escândalo das apostas manipuladas, Paolo Rossi, o jovem atacante da seleção nacional, pegou três anos de suspensão, e por conseguinte não poderá jogar na Copa do Mundo na Espanha. É bem feito para ele, diz Bianca, pois ele se negara a ir a Nápoles. Simon pergunta por quê. Bianca suspira. O Napoli é muito pobre, não consegue rivalizar com os melhores. Nenhum grande jogador jamais irá a Nápoles.

País curioso, pensa Simon.

A noite avança, chega-se à hora da contenda digital. O silêncio das estátuas, de Galeno, Hipócrates, dos anatomistas italianos, dos sem pele e da mulher sentada contrasta com a agitação dos vivos. Fumam, bebem, conversam, fazem piquenique.

Bifo chama os contendores. Um dialético desafia uma peripatética.

Um homem se instala em torno da mesa de dissecção. É Antonioni. Simon observa Monica Vitti, enrolada num lenço de gaze com estamparia delicada, e mimando o grande cineasta com um olhar amoroso.

E diante dele, empertigada, severa, com pose ereta e coque impecável, é a mãe de Luciano que desce os degraus.

Simon e Bayard se olham. Olham Enzo e Bianca: eles também parecem um pouco surpresos.

Bifo sorteia o tema: "*Gli intellettuali e il potere*". Os intelectuais e o poder.

Cabe ao contendor menos bem classificado, portanto ao dialético, começar.

Para que o assunto possa ser discutido, o primeiro contendor incumbe-se de problematizá-lo. No caso, a problemática é simples: os intelectuais são aliados ou inimigos do poder? Basta escolher. Contra ou a favor? Antonioni resolve criticar a casta à qual pertence e que lota a assembleia. Os intelectuais cúmplices do poder. *Così sia.**

Os intelectuais: funcionários das superestruturas que participam da construção da hegemonia. Portanto, Gramsci de novo: todos os homens são intelectuais, sem dúvida, mas nem todos os homens ocupam na sociedade a função de intelectual, que consiste em trabalhar pelo consentimento espontâneo das massas. "Orgânico" ou "tradicional", o intelectual inscreve-se sempre numa lógica "econômico-corporativa". Orgânico ou tradicional, sempre está a serviço de um poder, presente, passado ou futuro.

A salvação do intelectual segundo Gramsci? A superação no partido comunista. Antonioni solta um riso sardônico. Mas o próprio PC é tão corrompido! Como poderia permitir hoje a redenção de quem quer que seja? *Compromesso storico, sto cazzo!* Os compromissos levam aos comprometimentos.

O inteletual subversivo? *Ma fammi il piacere!* Ele recita a frase do filme de um outro: "Pensem no que foi Suetônio para os Césares! Vocês partem com a ambição de denunciar e chegam à conivência do cúmplice".

Gesto teatral.

Aplausos veementes.

---

* "Que assim seja." Parágrafos seguintes: "Compromisso histórico, seu idiota!"; "Mas faça-me o favor!"; "Eu sei". (N. T.)

A velha toma a palavra.
"*Io so.*"
Ela também começa a recitar, mas escolhe Pasolini. O "J'accuse" de Pasolini, publicado em 1974 no *Corriere della Sera*, e que ficou lendário:
"Sei os nomes dos responsáveis pelo massacre de Milão, em 1969. Sei os nomes dos responsáveis pelos massacres de Brescia e Bolonha, em 1974. Sei os nomes de pessoas importantes que, com a ajuda da CIA, dos coronéis gregos e da Máfia, lançaram uma cruzada anticomunista, depois se reconstituíram uma virgindade antifascista. Sei os nomes dos que, entre uma missa e outra, deram instruções e garantiram com sua proteção política velhos generais, jovens neofascistas e, enfim, criminosos comuns. Sei os nomes das pessoas sérias e importantes que se encontram por trás dos personagens cômicos ou por trás dos personagens ternos. Sei os nomes das pessoas sérias e importantes que se encontram por trás dos trágicos jovens que se ofereceram como matadores e sicários. Sei todos esses nomes e sei todos os fatos, atentados contra as instituições e massacres, de que eles se tornaram culpados."
A velha ruge, e sua voz trêmula ressoa no Archiginnasio.
"Sei. Mas não tenho provas. Nem mesmo indícios. Sei porque sou um intelectual, um escritor, que se esforça em acompanhar tudo o que se passa, conhecer tudo o que se escreve a esse respeito, imaginar tudo o que não se sabe ou que se cala; que põe em relação fatos mesmo afastados, que reúne os pedaços desorganizados e fragmentários de toda uma situação política coerente e que restabelece a lógica ali onde parecem reinar o arbitrário, a loucura e o mistério."
Menos de um ano depois desse artigo, Pasolini foi encontrado assassinado, tendo sido mortalmente espancado, numa praia de Ostia.

Gramsci morre na prisão. Negri, por sua vez, preso também. O mundo muda porque os intelectuais e o poder guerreiam entre si. O poder ganha quase todos os embates, e os intelectuais pagam com sua vida, ou com sua liberdade, por terem desejado se erguer contra ele, e se ajoelham, mas nem sempre, e quando um intelectual triunfa contra o poder, mesmo a título póstumo, então o mundo muda. Um homem merece o nome de intelectual quando se faz a voz dos sem-voz.

Antonioni, que joga com sua integridade física, não a deixa concluir. Cita Foucault, que diz que é preciso "terminar com os porta-vozes". Os porta-vozes não falam pelos outros, mas no lugar deles.

Então a velha replica imediatamente e trata Foucault de *senza coglioni*: ele não se negou a intervir, aqui mesmo, na Itália, no caso do parricídio que sacudiu todo o país, há três anos, ele, que acabava de publicar seu livro sobre o parricida Pierre Rivière? De que serve um intelectual se não intervém no que se refere exatamente a seu campo de especialidade?

Na sombra, Sollers e BHL riem, embora BHL se pergunte qual é o campo de especialidade de Sollers.

Antonioni, em troca, diz que Foucault, mais que nenhum outro, jogou luz sobre a inutilidade dessa postura, dessa maneira que tem o intelectual de (cita Foucault de novo) "dar um pouco de seriedade a pequenas disputas sem importância". Foucault se define como um pesquisador, não como um intelectual. Inscreve-se no tempo longo da pesquisa, não na agitação da polêmica. Ele disse: "os intelectuais não esperam, pela luta ideológica, se atribuir um peso superior ao que têm na realidade?".

A velha se sufoca. E martela: Todo intelectual, se faz corretamente o trabalho de estudo heurístico para o qual está qualificado e que deve ser sua vocação, ainda que esteja a serviço do poder, trabalha contra o poder pois, como dizia Lênin (ela abarca com os olhos o conjunto da assistência, girando teatralmente sobre si mesma), a verdade é sempre revolucionária. *"La verità è sempre rivoluzionaria!"*

Tomemos Maquiavel. Ele escreve *O príncipe* para Lorenzo de Medicis: mais cortesão, impossível. No entanto. A obra que passa por ser o cúmulo do cinismo político é um manifesto marxista definitivo: "Pois os objetivos do povo são mais honestos que os dos grandes, uns querendo oprimir, o outro não querendo ser oprimido", ele escreve. Na verdade, não escreve *O príncipe* para o duque de Florença, já que a obra é difundida por toda parte. Ao publicar *O príncipe*, revela verdades que deveriam ter permanecido escondidas e reservadas exclusivamente ao uso interno dos poderosos: ato subversivo, ato revolucionário. Entrega ao povo os segredos do príncipe. Os arcanos do pragmatismo político desembaraçados das falaciosas justificativas divinas ou morais. Gesto decisivo na libertação humana, como todos os gestos de dessacralização. Por sua vontade de revelar, explicar, atualizar, o intelectual faz a guerra contra o sagrado. Nisso, é sempre um libertador.

Antonioni conhece seus clássicos, e retruca: Maquiavel tinha tão pouca ideia do proletariado que sequer podia imaginar sua condição, suas necessidades, suas aspirações. Assim, *também* escrevia: "Toda vez que do conjunto dos homens não se tiram nem bens nem honra, eles vivem satisfeitos". Incapaz que ele era, em sua gaiola dourada, de imaginar que a esmagadora maioria da humanidade era (ainda é) absolutamente desprovida de bens e de honra, e que portanto não podia ser privada disso...

A velha diz que esta é toda a beleza do verdadeiro intelectual: ele não precisa se desejar revolucionário para sê-lo. Não precisa amar nem conhecer o povo para servi-lo. Ele é naturalmente, necessariamente comunista.

Antonioni retruca, desprezando, que seria preciso explicar isso a Heidegger.

A velha lhe diz que era melhor ele reler Malaparte.

Antonioni fala do conceito do *cattivo maestro*, o mau mestre.

A velha diz que se é preciso esclarecer por um adjetivo que o *maestro* é mau, é porque na base o *maestro* é bom.

Sente-se que não haverá, desta vez, knock-out, então Bifo termina apitando o fim da contenda.

Os dois adversários se encaram, suas feições estão endurecidas, seus maxilares apertados, estão suando, mas o coque da velha continua impecável.

O público está dividido e indeciso.

Os dois assessores de Bifo votam, um por Antonioni, o outro pela mãe de Luciano.

O auditório fica suspenso à decisão de Bifo. Bianca aperta a mão de Simon dentro da sua. Sollers saliva um pouquinho.

Bifo vota pela velha.

Monica Vitti empalidece.

Sollers sorri.

Antonioni não se move.

Põe a mão sobre a mesa de dissecção. Um dos assessores de Bifo se levanta, um grandalhão muito magro, armado de um machadinho de lâmina azul.

Quando o machado cai sobre o dedo de Antonioni, o eco do osso seccionado se mistura ao do choque contra o mármore e ao grito do cineasta.

Monica Vitti vem lhe enfaixar a mão com seu lenço de gaze enquanto o assessor recolhe respeitosamente o dedinho para entregá-lo à atriz.

Bifo proclama em voz alta: "*Onore agli arringatori*". A sala repete em coro: Honra aos contendores.

A mãe de Luciano volta para se sentar ao lado do filho.

Vários minutos se passam, como no fim de um filme, quando as luzes ainda não foram acesas, quando se vive o retorno ao mundo real como um lento despertar acolchoado, quando as imagens ainda dançam atrás dos olhos, antes que os primeiros espectadores, esticando as pernas entrevadas, se levantem para sair da sala.

O Teatro Anatômico se esvazia devagar, Bifo e seus assessores juntam as folhas de anotações dentro de pastas de cartolina, depois se retiram cerimoniosamente. A sessão do Clube Logos se dissolve na noite.

Bayard pergunta ao homem de luvas se Bifo é o grande Protágoras. O homem de luvas faz que não com a cabeça, como uma criança. Bifo é um tribuno (nível seis), mas não é um sofista (nível sete, o mais alto). O homem de luvas pensava que era Antonioni, de quem se dizia que outrora tinha sido sofista, nos anos 1960.

Sollers e BHL desaparecem discretamente. Bayard não os vê sair pois no engarrafamento que se formou na porta eles ficam ocultos pelo homem da sacola. É preciso tomar uma decisão. Ele resolve, mesmo assim, seguir Antonioni. Ao se virar, lança para Simon, em voz alta, diante de todo mundo: "Amanhã, dez horas, na estação, não atrase!".

3h22

A sala acaba de esvaziar. As pessoas da Drogheria foram embora. Simon quer ser o último a sair, por desencargo de consciência. Olha para o homem de luvas, que vai embora. Olha para Enzo e para a jovem estudante, que partem juntos. Nota com satisfação que Bianca não se mexeu. Poderia até supor que ela o espera. São os últimos. Levantam-se, andam para a porta, devagar. Mas na hora de sair da sala, param. Galeno, Hipócrates e os outros os observam. Os corpos sem pele estão absolutamente imóveis. O desejo, o álcool, a embriaguez de estar longe de casa e a benevolência que os franceses encontram com tanta frequência em relação a eles quando viajam para o exterior dão a Simon, o tímido, uma audácia — ah, audácia bem tímida! — que ele sabe que jamais teria em Paris.

Simon pega a mão de Bianca.

Ou será que foi o contrário?

Bianca pega Simon pela mão e desce os degraus até o palco. Gira sobre si mesma e as estátuas desfilam diante de seus olhos como uma apresentação de slides de fantasmas que seriam *imagens-movimentos*.

Acaso Simon se dá conta nesse exato instante de que a vida é um jogo de interpretação de personagens que nos cabe jogar o melhor possível? Ou acaso o espírito de Deleuze se insufla de repente em seu corpo jovem, flexível, magro, de pele lisa e unhas curtas?

Ele põe as mãos nos ombros de Bianca e faz escorregar sua blusinha bem cavada, sussurrando-lhe ao ouvido, motivado por uma súbita inspiração, como para ele mesmo: "Desejo a paisagem que está enrolada nesta mulher, que eu não conheço mas pressinto, e enquanto não a tiver desenrolado, não ficarei feliz...".

Bianca estremece de satisfação. Simon lhe murmura com uma autoridade que ele não sabia possuir: "Construamos um agenciamento".

Ela lhe oferece a boca.

Ele a empurra para trás e a deita na mesa de dissecção. Ela levanta a saia, afasta as pernas e diz: "Me fode, como uma máquina". E enquanto seus seios brotam sob a pele da roupa, Simon começa a se deixar encaixar no seu arranjo. Sua língua-máquina desliza por ela como uma peça, na fenda e na boca de Bianca, que também tem múltiplos usos, expulsa ar como um jogo de foles, contribuindo para produzir uma respiração poderosa e ritmada cujo eco — "*si! si!*" — repercute nos batimentos cardíacos do pau de Simon. Bianca geme, Simon se excita, Simon lambe Bianca, Bianca toca os seios, as estátuas de homens sem pele ficam de pau duro, Galeno se masturba debaixo de sua veste, e Hipócrates, debaixo de sua toga. "Si! Si!", Bianca agarra o pau de Simon que está quente e duro como recém-saído de uma forja siderúrgica, e o conecta com sua boca-máquina. Simon declama como que para si mesmo, citando Artaud, como quem não quer nada: "O corpo sob a pele é uma usina superaquecida". A usina Bianca lubrifica automaticamente seu devir-sexo. Os gemidos dos dois, misturados, ressoam no Teatro Anatômico deserto.

Não totalmente deserto: o homem de luvas voltou para liquidar com os dois jovens. Simon o avista, escondido num canto dos degraus do anfiteatro. Bianca o avista enquanto chupa Simon. O homem de luvas vê brilhar no breu o olho preto de Bianca, que o observa enquanto chupa Simon.

Fora, a noite bolonhesa começa enfim a refrescar. Bayard acende um cigarro esperando que Antonioni, digno mas aparvalhado, resolva se mexer. Nesse estágio da investigação, não saberia dizer se aquele Clube Logos é um troço de iluminados inofensivos ou algo mais perigoso, tendo ligação com a morte de Barthes, com a do gigolô, com Giscard, com os búlgaros e os japoneses. Um sino de igreja bate quatro badaladas. Antonioni começa a andar, seguido por Monica Vitti, ambos seguidos por Bayard. Atravessam calados galerias cheias de lojas chiques.

Arqueada sobre a mesa de dissecção, Bianca cochicha com Simon, suficientemente alto para que o homem de luvas, escondido nos degraus, possa ouvir: "*Scopami come una macchina*".*
Simon deita sobre ela, enfia o pau na entrada da vulva, verificando

---

* "Me fode como uma máquina." Mais adiante: "Minha máquina milagrosa." (N. T.)

com prazer que ela produz líquido seminal em fluxo contínuo, e quando finalmente mete nela, então se sente puro fluido, em estado livre, sem interrupções, deslizando sobre o corpo pleno e curvo da agitada napolitana.

Depois de subir a Via Farini, diante da basílica San Stefano de sete igrejas (edificadas ao longo da interminável Idade Média), Antonioni senta num cone de pedra. Conserva a mão mutilada dentro da mão válida, está de cabeça baixa, mas Bayard, à distância sob as arcadas, compreende que ele chora. Monica Vitti se aproxima. Nada parece indicar que Antonioni sabe que ela está ali, bem atrás dele, mas ele sabe, Bayard sabe que ele sabe. Monica Vitti levanta a mão, mas a mão fica suspensa no ar, hesitante, imóvel, acima da cabeça baixa, como um esboço de auréola frágil e desmerecida. Bayard, atrás da coluna, acende um cigarro. Antonioni funga. Monica Vitti parece um sonho de pedra.

Bianca se debate cada vez mais sob o peso do corpo de Simon, que ela agarra convulsamente, e grita: *"La mia macchina miracolante!"*, enquanto o pau de Simon vai e vem dentro dela com a energia de um motor a explosão. De seu esconderijo, o homem de luvas está estupefato com o hibridismo de uma locomotiva e de um cavalo selvagem. O Teatro Anatômico infla com o encontro deles, um ronco surdo e descontínuo demonstra que, de fato, as máquinas desejantes não param de se desajustar ao andarem, mas só andam desajustadas. "Sempre, o produzir se enxerta no produto e as peças da máquina são igualmente seu combustível."

Bayard teve tempo de acender outro cigarro, e mais outro. Monica Vitti resolve enfim pôr a mão na cabeça de Antonioni, que agora soluça sem pudor. Afaga-lhe os cabelos com uma ternura ambígua. Antonioni chora e chora, não consegue mais parar. Ela baixa os belos olhos cinza para a nuca do cineasta e Bayard está longe demais para distinguir com clareza a expressão de seu rosto. Tenta, porém, perfurar a escuridão, mas quando enfim pensa poder ler a compaixão que seu espírito lógico imagina supor, Monica Vitti desvia o olhar e levanta os olhos para o edifício maciço da basílica. Talvez já tenha partido para outro lugar. Ao longe, ouve-se um miado. Bayard resolve que é hora de ir dormir.

Na mesa de dissecção, agora é Bianca que monta sobre Simon grudado na placa de mármore, com todos os músculos retesados para dar mais relevo às mexidas da italiana. "Só há uma produção, que é a do real." Bianca desliza sobre Simon cada vez mais depressa e mais forte, até atingir o ponto de impacto, quando as duas máquinas desejantes fusionam numa explosão de átomos e atingem, e se tornam enfim, esse corpo sem órgãos: "Pois as máquinas desejantes são a categoria fundamental da economia do desejo, produzem por si mesmas um corpo sem órgãos e não distinguem os agentes e suas próprias peças...". As frases de Deleuze vêm percorrer o espírito do rapaz no momento em que seu corpo se convulsiona, em que o de Bianca se embala e se desajusta, e desaba em cima dele, misturando, esgotado, seu suor ao dela.

Os corpos relaxam, sacudidos por espasmos residuais.

"Assim, o fantasma nunca é individual, ele é fantasma de grupo."

O homem de luvas não consegue ir embora. Também está exausto, mas não é o bom cansaço. Seus dedos fantasmas lhe doem.

"O esquizofrênico se mantém no limite do capitalismo: ele é sua tendência desenvolvida, seu subproduto, o proletário e o anjo exterminador."

Enrolando um baseado, Bianca explica a Simon o *schizo* deleuziano. Fora, ouvem-se os primeiros gritos dos passarinhos.

A conversa prossegue até de manhã. "Não, as massas não foram enganadas, desejaram o fascismo em determinado momento, em determinada circunstância...". O homem de luvas acaba dormindo entre as vigas da arquibancada.

8h42
Os dois jovens abandonam enfim seus amigos de madeira e encontram o ar já quente da Piazza Maggiore. Contornam a fonte de Netuno, seus delfins-demônios, suas sereias obscenas. Simon está atordoado pelo cansaço, o álcool, o prazer e o baseado. Não faz nem vinte e quatro horas que chegou, e até aqui não pode se queixar da viagem. Bianca o acompanha até a estação. Sobem juntos a Via dell'Independenza, a grande artéria do centro, com o comércio ainda dormindo. Os cães farejam as latas de lixo. As pessoas saem de malas na mão: é um dia de saída de férias, e todos vão para a estação.

Todos vão para a estação. São nove horas. Estamos no dia 2 de agosto de 1980. Quem tirou férias em julho está voltando. Quem vai tirar em agosto se prepara para partir.

Bianca enrola um baseado. Simon pensa que deveria trocar de camisa. Para diante de uma butique Armani e pensa se poderia pôr isso como nota de despesa.

No fim da longa avenida, está a maciça Porta Galliera, meio casa bizantina (pela aparência), meio arco medieval, sob a qual Simon faz questão de passar, sem saber muito bem por quê, e depois, como ainda não chegou a hora do encontro na estação, ele arrasta Bianca para as escadarias de pedra ao pé de um parque, param diante de uma estranha fonte incrustada na parede da escada e fumam o baseado contemplando a escultura de uma mulher nua atracada a um cavalo, um polvo e elementos de criatura marinha que eles não conseguem identificar. Simon se sente levemente chapado. Sorri para a estátua pensando em Stendhal, o que o leva a Barthes: "Sempre fracassamos ao falar do que amamos...".

A estação de Bolonha está fervilhando de gente de short, saindo de férias, com crianças barulhentas. Simon se deixa guiar por Bianca, que o leva para a sala de espera, onde encontram Eco, que já chegou, e Bayard, que lhe trouxe sua malinha do hotel onde se hospedaram mas onde, afinal, ele não dormiu. Simon é atropelado por uma criança que corre atrás do irmãozinho e por pouco não perde o equilíbrio. Ouve Eco explicar a Bayard: "Isso equivaleria a dizer que Chapeuzinho Vermelho não tem condições de conceber um universo onde houve o encontro de Yalta e onde Reagan vai suceder a Carter".

Apesar do olhar que Bayard lhe lança e que ele decodifica como um apelo de socorro, Simon não ousa interromper o grande universitário, então olha em torno e tem a impressão de avistar na multidão Enzo com a família. Eco diz a Bayard: "Em suma, para um Chapeuzinho Vermelho que julgasse um mundo possível em que os lobos não falam, o mundo 'atual' seria o seu, este em que os lobos falam". Simon sente subir nele uma vaga inquietação, que atribui ao baseado. Acredita ver Stefano com uma jovem que se afasta em direção dos trilhos. "É possível ler os acontecimentos contados na *Divina comédia* como 'críveis' em relação à enciclopédia medieval e lendários em relação à nossa." Simon tem a impressão de que as palavras de Eco ricocheteiam em sua cabeça. Acredita avistar Luciano e sua mãe, levando uma sacola grande transbordando de comestíveis. A fim de se tranquilizar, verifica se Bianca está mesmo a seu lado. Tem a visão de um turista alemão, muito louro, de chapéu tirolês, grande câmera fotográfica pendurada no pescoço, shorts de couro e meias três-quartos, passando atrás dela. No zum-zum das vozes italianas que ressoam sob o teto da estação, Simon se concentra para isolar as frases francesas de Eco: "Em compensação, se lendo um romance histórico encontra-se um rei Roncibaldo de França, a comparação com o mundo zero da enciclopédia histórica produz uma sensação de desconforto que pressagia o reajuste da atenção cooperativa: não se trata, evidentemente, de um romance histórico, mas de um romance fantástico".

No instante em que Simon resolve enfim cumprimentar os dois homens, pensa talvez em disfarçar diante do semiólogo italiano, mas vê que Bayard entendeu de cara que ele estava, segundo o diagnóstico que ele mesmo acabava de estabelecer ao pé da estátua, *levemente chapado*.

Eco se dirige a ele como se ele tivesse seguido o início da conversa: "O que significa reconhecer, pela leitura de um romance, que o que nele se passa é mais 'verdadeiro' do que o que se passa na vida real?". Simon pensa que num romance Bayard morderia o lábio ou daria de ombros.

Depois, Eco finalmente se cala, e por um breve instante ninguém quebra o silêncio.

Simon tem a impressão de que Bayard está mordendo o lábio.

Acredita ver o homem de luvas passando atrás dele.

"O que sabe sobre a sétima função da linguagem?" Simon, nas nuvens, não percebe de imediato que não é Bayard, mas Eco que pergunta. Bayard se vira para ele. Simon se dá conta de que continua de mãos dadas com Bianca. Eco olha para a moça com um ar levemente libidinoso. (Tudo parece leve.) Simon tenta se refazer: "Tudo nos leva a crer que Barthes e outras três pessoas foram mortas por causa de um documento relativo à sétima função da linguagem". Simon ouve a própria voz, tendo a impressão de que é Bayard que fala.

Eco escuta, interessado, a história de um manuscrito perdido pelo qual se matam pessoas. Vê passar um homem com um ramo de rosas na mão. Seu espírito vaga um segundo, cruzado pela visão de um monge envenenado.

No meio da multidão, Simon pensa reconhecer o homem da sacola, da véspera. O homem senta na sala de espera e põe a sacola debaixo da cadeira. Parece que a sacola está cheia até arrebentar.

São dez horas.

Simon não quer fazer a Eco a injúria de lhe lembrar que na teoria de Jakobson há apenas seis funções da linguagem; Eco sabe disso, perfeitamente, mas a seu ver não é totalmente exato.

Simon admite que há de fato um esboço de "função mágica ou encantatória" no ensaio de Jakobson, mas lembra a Eco que este não a julgou séria o suficiente para retê-la em sua classificação.

Eco não pretende que a função "mágica" exista propriamente, e no entanto poderia, sem dúvida, no prolongamento dos trabalhos de Jakobson, encontrar nela algo que se inspira nisso.

Austin, um filósofo americano, de fato teorizou sobre uma outra função da linguagem, que batizou de "performativa" e que se pode resumir pela fórmula: "Quando dizer é fazer".

Trata-se da capacidade que têm certos enunciados de realizar (Eco diz "atualizar") o que enunciam pelo próprio fato de enunciá-lo. Por exemplo, quando o juiz de paz diz "declaro-os marido e mulher", ou quando o suserano investe alguém pronunciando as palavras "faço-te cavaleiro", ou quando o juiz diz "condeno-o", ou também quando o presidente da assembleia diz "declaro a assembleia aberta", ou simplesmente quando se diz a alguém "eu te prometo", é o próprio fato de pronunciar essas frases que faz surgir o que enunciam.

De certo modo, é o princípio da fórmula mágica, a "função mágica" de Jakobson.

Na parede, um relógio marca 10h02.

Bayard deixa Simon conduzir a conversa.

Simon conhece as teorias de Austin mas não vê nelas material para se matarem pessoas.

Eco diz que a teoria de Austin não se limita a esses poucos casos mas que ele a estendeu a situações linguísticas mais complexas, quando um enunciado não se contenta em afirmar alguma coisa sobre o mundo mas visa provocar uma ação, que se realiza, ou não, pelo simples fato de que esse enunciado é formulado. Por exemplo, se alguém lhe diz "está calor aqui", pode se tratar de simples constatação sobre a temperatura mas em geral você entende que o outro conta, a partir do efeito da observação, com o fato de você ir abrir a janela. Da mesma maneira, quando alguém pergunta "que horas são?", espera como resultado para a pergunta não que você responda sim ou não, mas que de fato lhe diga a hora.

Segundo Austin, falar é um *ato locutório*, já que consiste em *dizer* alguma coisa, mas também pode ser um *ato ilocutório* ou *perlocutório*, que ultrapassa a mera troca verbal, porque isso *faz* alguma coisa, no sentido de que produz ações. O uso da linguagem permite constatar, mas também, como se diz em inglês, *performar* (*to perform*, diz Eco com seu sotaque italiano.)

Bayard não vê aonde Eco quer chegar e Simon tampouco.

O homem da sacola foi embora, mas Simon tem a impressão de ver a sacola debaixo da cadeira. (Mas ela não era tão grande?). Simon pensa que, de novo, o homem a esqueceu, e que, decididamente, há muita gente distraída. Procura-o na multidão mas não o vê.

O relógio mural marca 10h05.

Eco prossegue com as explicações: "Ora, imaginemos um instante que a função performativa não se limite aos poucos casos evocados. Imaginemos uma função da linguagem que permita, de modo muito mais extensivo, convencer qualquer um a fazer qualquer coisa em qualquer situação".

10h06
"Quem tivesse o conhecimento e o domínio de uma função dessas seria virtualmente dono do mundo. Sua força não teria nenhum limite. Poderia ser eleito em todas as eleições, arregimentar as massas, provocar revoluções, seduzir todas as mulheres, vender todos os produtos imagináveis, construir impérios, fazer falcatruas com a terra inteira, obter tudo o que quisesse em qualquer circunstância."

10h07
Bayard e Simon começam a entender.
Bianca diz: "Poderia derrubar o grande Protágoras e assumir a chefia do Clube Logos".
Eco lhe responde, condescendente: "*Eh, penso di si*".
Simon pergunta: "Mas já que Jakobson não falou dessa função da linguagem…".
Eco: "Talvez tenha falado, *in fin dei conti?* Talvez exista uma versão inédita de *Linguística e comunicação* em que ele detalhe essa função?".

10h08
Bayard pensa em voz alta: "E Barthes teria se visto em posse desse documento".
Simon: "E o teriam matado para roubá-lo?".
Bayard: "Não, não só. Para impedi-lo de usá-lo".
Eco: "Se a sétima função existe e caso se trate mesmo de um gênero de função performativa ou perlocutória, ela perderia grande parte de seu poder se fosse conhecida de todos. O conhecimento de um mecanismo manipulador não nos previne necessariamente contra ele — vejam a publicidade, a comunicação: a

maioria das pessoas sabe como elas funcionam, que mecanismos usam — mas mesmo assim, o enfraquece...".

Bayard: "E quem a roubou a quer para seu uso exclusivo".

Bianca: "Em todo caso, o ladrão não é Antonioni".

Simon percebe que está olhando fixamente para a sacola preta esquecida há cinco minutos sob a cadeira. Acha-a enorme, tem a impressão de que triplicou de volume, deve conter uns quarenta quilos. Ou então, é porque ele ainda está viajando.

Eco: "Se alguém desejasse se apropriar da sétima função só para si, então deveria ter certeza de que não há cópias".

Bayard: "Havia uma cópia na casa de Barthes...".

Simon: "E Hamed era uma cópia ambulante, levava a cópia consigo". Ele tem a impressão de que o fecho dourado da sacola é um olho que ele olha como Caim no túmulo.

Eco: "Mas também é provável que o ladrão tenha, ele mesmo, feito uma cópia, que escondeu em algum lugar".

Bianca: "Se é um documento de tanto valor, ele não pode se arriscar a perdê-lo...".

Simon: "E deve se arriscar a fazer uma cópia e confiá-la a alguém...". Ele pensa ver uma voluta de fumaça escapar da sacola.

Eco: "Meus amigos, tenho de deixá-los! Meu trem parte em cinco minutos".

Bayard olha o relógio. São 10h12.

"Eu achava que o seu trem era às onze horas..."

"Sim, mas afinal vou pegar o de antes. Assim chegarei mais cedo a *Milano!*"

Bayard pergunta: "Onde encontramos esse Austin?".

Eco: "Ele morreu. *Ma* um aluno dele continuou a trabalhar sobre essas questões de performativo, ilocutório, perlocutório... É um filósofo americano especialista da linguagem, que se chama John Searle".

Bayard: "E onde podemos encontrar esse John Searle?".

Eco: "*Ma*... nos Estados Unidos!".

10h14. O grande semiólogo vai subir no trem. Bayard olha o quadro das partidas.

10h17. O trem de Umberto Eco sai da estação de Bolonha. Bayard acende um cigarro.

10h18. Bayard diz a Simon que vão pegar o trem das onze horas para Milão, de onde devem voar para Paris. Simon e Bianca se despedem. Bayard vai comprar as passagens.

10h19. Simon e Bianca se beijam amorosamente no meio da multidão da sala de espera. O beijo dura e, como costuma acontecer com os rapazes, Simon fica de olhos abertos enquanto beija Bianca. Uma voz de mulher anuncia a entrada na estação do Ancona-Basileia.

10h21. Enquanto beija Bianca, Simon percebe uma jovem loura em seu campo de visão. A jovem está a uns dez metros. Ela se vira, ela lhe sorri. Ele leva um susto.

É Anastasia.

Simon pensa que, decididamente, a maconha era forte e que ele está muito cansado, mas não, aquela silhueta, aquele sorriso, aquele cabelo, são de Anastasia. A enfermeira do La Salpêtrière, ali, em Bolonha. Antes que Simon, fora de si, possa interpelá-la, a moça se afasta e sai da estação, e então ele diz a Bianca: "Me espere aqui!", e corre atrás da enfermeira para tirar tudo a limpo.

Felizmente, Bianca não obedece e vai atrás dele. É o que lhe salvará a vida.

10h23. Anastasia já cruzou a pracinha diante da estação, mas para e se vira de novo, como se esperasse Simon.

10h24. À saída da estação, Simon a procura com o olhar e a localiza na beira do bulevar que contorna a cidade velha, então atravessa a passo rápido o canteiro de flores no centro da pracinha. Bianca o segue a poucos metros.

10h25. A estação de Bolonha explode.

10h25

Simon está imóvel no chão. Sua cabeça encosta no gramado. Um estrondo de terremoto se espalha sobre ele como uma sucessão de ondas. Deitado na relva, sem fôlego, envolto de poeira, atingido por uma chuva de cacos grossos, ensurdecido pelo barulho da explosão, Simon, desorientado, faz a experiência sensorial do desabamento do prédio que desmorona em cima dele, como num sonho, quando caimos o tempo todo ou quando estamos bêbados e a terra balança sob nossos pés, e tem a impressão de que o canteiro de flores é um disco voador que volteia em todas as direções. Quando enfim o cenário a seu redor acaba serenando, ele aproveita para tentar aterrissar. Seus olhos procuram Anastasia, mas seu campo de visão é obstruído por um outdoor (uma publicidade da Fanta) e ele não consegue mexer a cabeça. No entanto, a audição lhe volta aos poucos, ele ouve gritos em italiano e, ao longe, as primeiras sirenes.

Sente que o manipulam. É Anastasia que o vira de barriga para cima e o examina. Simon vê seu belo rosto eslavo se recortar contra o azul ofuscante do céu de Bolonha. Ela pergunta se está ferido, mas ele é incapaz de responder porque não sabe de nada e porque as palavras ficam bloqueadas em sua garganta. Anastasia põe a cabeça dele entre as mãos e diz (e seu sotaque aparece neste instante): "Olhe prrra mim. Você não está ferrrido. Vai ficar tudo bem". Simon consegue se soerguer.

Toda a ala esquerda da estação foi pulverizada. Da sala de espera só resta um amontoado de pedras e vigas. Um longo gemido disforme escapa das entranhas do prédio que perdeu as vísceras, e cujo teto arrancado deixa aparecer o esqueleto entortado.

Simon vê o corpo de Bianca defronte do canteiro de flores. Rasteja-se até ela e levanta sua cabeça. Ela está atarantada, mas viva. Tosse. Tem um corte na testa e sangue que escorre pelo rosto. Murmura: "*Cosa è sucesso?*". Num reflexo que, naquele momento, é o gesto da vida, sua mão remexe a bolsinha que ainda leva a tiracolo por cima do vestido manchado de sangue. Pega um cigarro e pede a Simon: "*Accendimela, per favore*".

E Bayard? Simon dá uma olhada para procurá-lo entre os feridos, os sobreviventes enlouquecidos, os policiais que chegam dentro dos Fiat e os socorristas que pulam das primeiras ambulâncias como paraquedistas. Mas nesse balé confuso povoado de marionetes histéricas, não reconhece mais ninguém.

E depois, de repente, vê Bayard, o tira francês, emergindo dos escombros, coberto de poeira, maciço, dando uma impressão de força e de raiva surda e ideológica, carregando nas costas um rapaz inconsciente, e essa aparição espectral no meio daquela cena de guerra impressiona Simon, que pensa em Jean Valjean.

Bianca murmura: "*Sono sicura che si tratta di Gladio...*".

Simon avista uma forma no chão, como um animal morto, e se dá conta de que é uma perna humana.

"*Entre as máquinas desejantes e o corpo sem órgãos eleva-se um conflito aparente.*"

Simon balança a cabeça. Contempla os primeiros corpos evacuados em cima de macas, indiferentemente vivos ou mortos, todos deitados com os braços pendendo e arrastando no chão.

"*Cada conexão de máquinas, cada produção de máquina, cada barulho de máquina tornou-se insuportável para o corpo sem órgãos.*"

Vira-se para Anastasia e pensa enfim em lhe fazer a pergunta que, a seu ver, deve explicar muitas outras: "Para quem você trabalha?".

Anastasia reflete uns segundos e depois responde, num tom profissional que ele não tinha percebido: "Não para os búlgaros".

E desaparece, apesar de sua profissão de enfermeira, sem propor ajuda aos socorristas para cuidar dos feridos. Corre para o bulevar, atravessa a rua e some sob as arcadas.

Nesse exato instante Bayard se junta a Simon, como se tudo aquilo estivesse minuciosamente coreografado, como numa peça de teatro, pensa Simon, que a bomba e os baseados não o tornaram menos paranoico.

Diz Bayard, mostrando as duas passagens para Milão: "Vamos alugar um carro. Não creio que hoje haverá trens circulando".

Simon pega o cigarro de Bianca e leva-o aos lábios. Ao redor, é o caos completo. Ele fecha os olhos tragando a fumaça. A presença de Bianca, deitada no asfalto, o faz repensar na mesa de dissecção, nas estátuas dos homens sem pele, no dedo de Antonioni e em Deleuze. Um cheiro de queimado paira no ar.

"*Sob os órgãos ele sente larvas e vermes repugnantes, e a ação de um Deus que o estraga ou o estrangula ao organizá-lo.*"

TERCEIRA PARTE

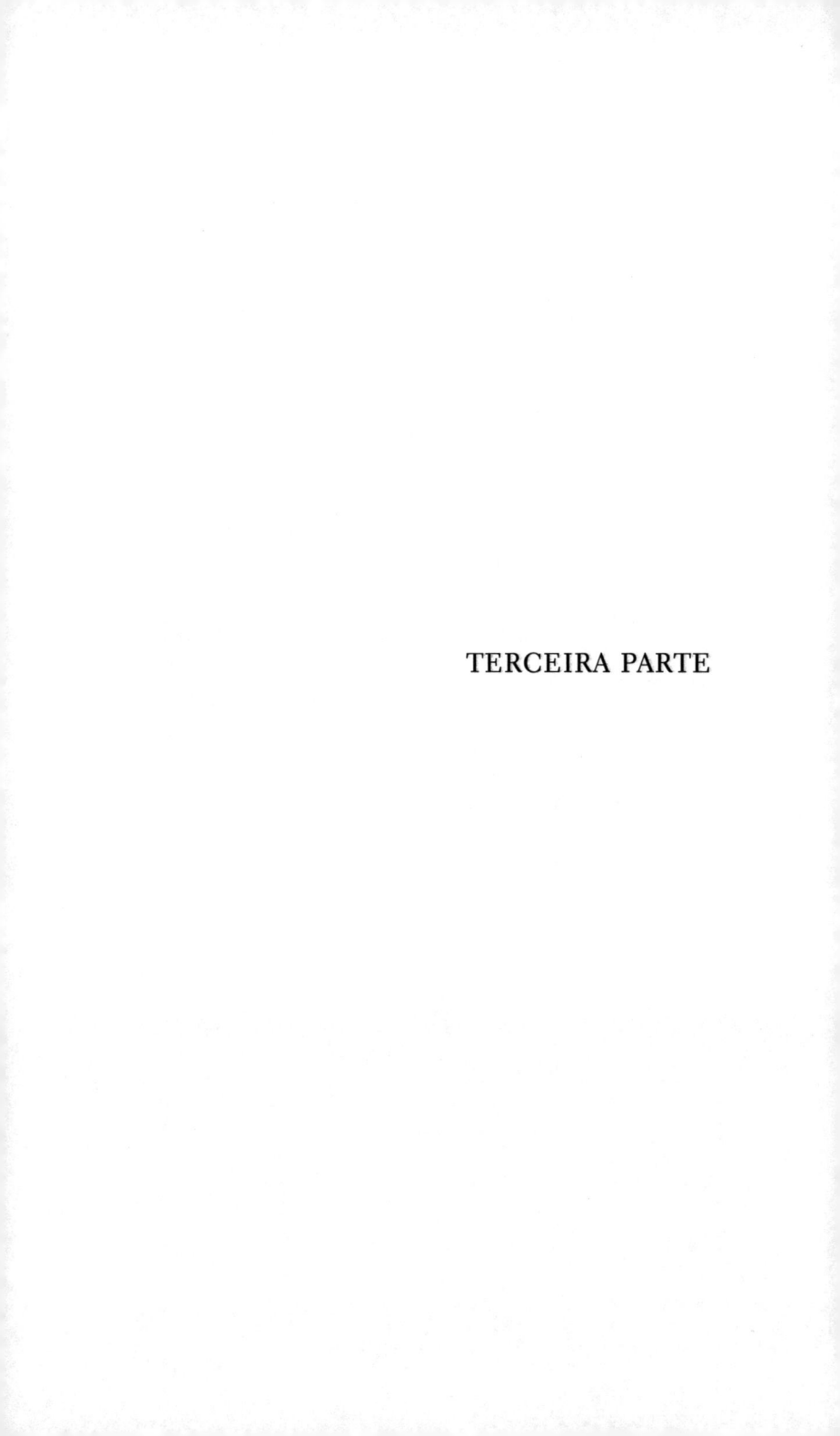

Ithaca

48.

Althusser fica em pânico, por mais que procure em todos os seus papéis não encontra o precioso documento que lhe entregaram e que ele escondera num envelope publicitário, colocando-o bem visível em cima da mesa. Com os nervos à flor da pele, porque, sem ter tomado conhecimento do documento, sabe que é da maior importância que o entregue às pessoas que lhe confiaram o texto, e que sua responsabilidade está em jogo, remexe na cesta de lixo, revira as gavetas, esvazia as estantes de livros, que ele sacode um por um e joga no chão, com raiva. Sente-se invadido por uma obscura cólera contra si mesmo, misturada a uma desconfiança embrionária quando decide chamar: "Hélène! Hélène!". Hélène acorre, inquieta. Será que, por acaso, ela saberia... Um envelope... Aberto... De publicidade... Um banco ou uma pizzaria... Já não lembra... Hélène, natural: "Ah, sim, uma publicidade, joguei fora".

Para Althusser, o tempo se imobiliza. Ele não lhe pede para

repetir, para quê, ouviu muito bem. Ainda assim, uma esperança: "O lixo?". Esvaziado ontem à noite, os lixeiros o levaram hoje de manhã. Um longo gemido muge no foro íntimo do filósofo enquanto ele retesa os músculos, olha para a mulher, a velha Hélène que aguentou tanta coisa dele, há tantos anos, sabe que a ama, que a admira, tem pena dela, se recrimina, sabe o que a fez suportar com seus caprichos, suas infidelidades, seu comportamento imaturo, sua necessidade infantil de fazer a mulher avalizar a escolha das amantes, e suas crises maníaco-depressivas ("hipomanias", dizem), mas ali, é demais, é muito, muito mais do que pode tolerar, e ele, o impostor imaturo, se joga sobre a mulher soltando um grito de animal e agarra sua garganta com as mãos, que se fecham como um torno, e aperta, e Hélène, surpresa, arregala os olhos mas não tenta se defender, apenas põe as mãos sobre as dele, mas sem realmente lutar, talvez, afinal de contas, ela sabia que isso devia terminar assim, ou então desejava acabar com aquilo de um jeito ou de outro, e esta maneira vale qualquer outra, ou então Althusser é muito rápido, muito violento, está muito possuído por uma violência de animal, talvez ela desejasse viver e nesse instante ela rememora uma ou duas frases de Althusser, esse homem que amou, "não se abandona um conceito como um cão", talvez, mas Althusser estrangula sua mulher como um cão, senão que o cão é ele, feroz, egoísta, irresponsável e maníaco. Quando relaxa a pressão, ela está morta, uma ponta da língua, uma "pobre pontinha de língua", ele dirá, sai de sua boca, e seus olhos fora de órbita fixam o assassino ou o teto ou o vazio da existência.

  Althusser matou a mulher, mas não haverá processo, pois será considerado em estado de demência no momento dos fatos. Sim, estava furioso. Mas também, por que não ter dito nada à mulher? Se Althusser é "vítima de si mesmo", é por não ter desobedecido aos que lhe tinham pedido para guardar silêncio. Você tinha de falar, imbecil, pelo menos com a sua mulher. A mentira é uma coisa preciosa demais para ser tão mal-empregada. Você tinha que lhe dizer, pelo menos: "Não toque nesse envelope, que é de imenso valor, e contém um documento de suma importância que X, ou Y (aqui, podia mentir) me confiou". Em vez disso, Hélène morreu. Althusser, julgado louco, será considerado inimputável. Ficará uns anos internado, depois deixará seu apartamento da Rue d'Ulm e se instalará no 20º Arrondissement, onde escreverá essa estranha autobiografia, *O futuro dura muito tempo*, em que se poderá ler esta frase delirante, posta entre parênteses: "Mao tinha até me concedido uma entrevista, mas por motivos de 'políticas francesas' eu fiz a besteira, *a maior de minha vida*, de não ir vê-lo..." (Sou eu que sublinho).

49.

"Francamente, a Itália não é mais possível!" Ornano anda para lá e para cá na sala presidencial levantando as mãos para o céu. "Que bagunça é essa, em Bolonha? Tem algo a ver com a nossa história? Nossos homens eram visados?"

Poniatowski vasculha o bar. "Difícil dizer. Talvez seja coincidência. Pode ser a extrema esquerda como a extrema direita. Também pode vir do governo. Com os italianos, nunca se sabe." Abre um suco de tomate.

Giscard, sentado atrás da mesa, fecha o número do *L'Express* que estava folheando e junta as mãos, em silêncio.

Ornano (batendo o pé): "Coincidência, uma ova! Se — estou dizendo *se* — um grupo, seja qual for, um governo, uma agência, um serviço, uma organização, possui os meios *e* a vontade de fazer explodir uma bomba que mata oitenta e cinco pessoas para entravar nossa investigação, então penso que temos um problema. Os americanos têm um problema. Os ingleses têm um um problema. Os russos têm um problema. A menos que sejam eles, é claro".

Giscard pergunta: "Isso parece bastante com eles, não acha, Michel?".

Poniatowski descobre o sal de aipo. "A matança cega com um máximo de vítimas civis, devo reconhecer que é mais a marca da extrema direita. E além disso, segundo o relatório de Bayard há essa agente russa que salvou a vida do rapaz."

Ornano (dando um pulo): "A enfermeira? Foi ela que pôs a bomba".

Poniatowski (abrindo uma garrafa de vodca): "Por que ela teria se mostrado na estação, então?".

Ornano (apontando para Poniatowski como se ele fosse pessoalmente responsável): "Verificamos, ela nunca trabalhou no La Salpêtrière".

Poniatowski (mexendo o bloody mary): "Está mais ou menos comprovado que Barthes já não estava com o documento no hospital. Ao que tudo indica, as coisas se passaram assim: ele sai do almoço com Mitterrand, é atropelado pela caminhonete da lavanderia — dirigida pelo primeiro búlgaro. Um homem que se faz passar por médico finge examiná-lo e rouba seus documentos e suas chaves. Tudo leva a crer que o papel estava com seus documentos".

Ornano: "Mas então, o que se passou no hospital?".

Poniatowski: "Testemunhas viram dois intrusos cuja descrição física corresponde aos dois búlgaros que mataram o gigolô".

Ornano (tentando mentalmente calcular quantos búlgaros estavam implicados nesse negócio): "Mas se ele já não tinha o documento?".

Poniatowski: "Com certeza foram terminar o trabalho".

Ornano, rapidamente sem fôlego, para de andar de um lado

pra outro, e, como se sua atenção tivesse sido atraída por alguma coisa, começa a examinar um canto do quadro de Delacroix.

Giscard (pegando a biografia de JFK e passando a mão na capa): "Admitamos que sejam mesmo nossos homens o alvo do atentado de Bolonha".

Poniatowski (pondo mais tabasco): "Isso provaria que estavam no bom caminho".

Ornano: "Como assim?".

Poniatowski: "Se foram mesmo eles que quiseram eliminar, é para impedi-los de descobrir alguma coisa".

Giscard: "Esse... Clube?".

Poniatowski: "Ou outra coisa".

Ornano: "Então, vamos enviá-los aos Estados Unidos?".

Giscard (suspirando): "Esse filósofo americano não tem telefone?".

Poniatowski: "O rapaz diz que seria a ocasião de 'destrinchar um pouco tudo isso'".

Ornano: "É, tenho certeza de que esse idiotinha quer conseguir uma viagem às custas da República".

Giscard (perplexo, como que mastigando alguma coisa): "Tendo em vista os elementos de que dispomos, não seria igualmente pertinente enviá-los a Sófia?".

Poniatowski: "Bayard é um bom policial, mas, afinal, não é James Bond. Talvez pudéssemos enviar uma equipe do Service Action?".*

Ornano: "Para fazer o quê? Matar búlgaros?".

Giscard: "Eu preferiria deixar o ministro da Defesa fora de tudo isso".

---

* O Service Action é uma unidade militar secreta que executa missões clandestinas, em geral no exterior, e cujas operações nem sempre são admitidas pelo governo francês. Hoje em dia é acionado sobretudo na luta contra o terrorismo. (N. T.)

Poniatowski (chiando): "E além disso não se deve correr o risco de uma crise diplomática com a URSS".

Ornano (tentando mudar de assunto): "Falando em crise, como vai a coisa em Teerã?".

Giscard (voltando a folhear o *L'Express*): "O xá morreu, os molás dançam".

Poniatowski (servindo-se de mais uma vodca pura): "Carter está ferrado. Khomeiny jamais soltará os reféns".

Silêncio.

No *L'Express*, Raymond Aron escreve: "Mais vale deixar as leis dormirem quando, com ou sem razão, elas são recusadas pelos costumes". Giscard pensa: "Que sabedoria".

Poniatowski põe um joelho no chão diante da geladeira.

Ornano: "Ahn, e o filósofo que matou a esposa?".

Poniatowski: "Não estamos nem aí. É um comuna, o jogaram no hospício".

Silêncio. Poniatowski esvazia a fôrma de gelo.

Giscard (em tom marcial): "Esse negócio não deve influir na campanha".

Poniatowski (que entende que Giscard voltou ao assunto que o preocupa): "Ninguém encontra o motorista búlgaro e o falso médico".

Giscard (batendo com o indicador na sua pasta de couro): "Dane-se o motorista. Dane-se o médico. Dane-se este... Clube Logos. Eu quero o documento. Em cima da minha mesa".

50.

Quando Baudrillard soube que, com mais de trinta mil visitantes, a estrutura metálica do Centro Georges Pompidou, inaugurado em 1977 por Giscard na praça Beaubourg, e imediatamente apelidado de "refinaria" ou "Notre-Dame dos canos", corria o risco de "vergar", ficou radiante como uma criança, como o traquinas da *French Theory* que ele é, num livrinho intitulado *O efeito Beaubourg — Implosão e dissuasão*:

"Se a massa (de visitantes) imantada pela estrutura se torna uma variável destruidora da própria estrutura — isso, se os conceptores quiseram (mas como esperar?), se assim programaram a chance de acabar de uma só vez com a arquitetura e a cultura —, então Beaubourg constitui o objeto mais audacioso e o happening mais bem-sucedido do século."

Slimane conhece bem o bairro do Marais e a Rue Beaubourg, onde os estudantes fazem fila desde a abertura da biblioteca. Sabe disso porque já os viu, ao sair da boate, cansado pelos excessos da noite, perguntando-se como mundos paralelos podiam a esse ponto deslizar um sobre o outro sem jamais se tocarem.

Mas hoje, é ele que está na fila. Fuma, com o walkman no ouvido, apertado entre dois estudantes mergulhados em seus livros. Discretamente, tenta ler os títulos. O estudante na frente dele lê um livro de Michel de Certeau chamado *A invenção do cotidiano*. O outro, atrás, lê *Sobre o inconveniente de ter nascido*, de Cioran.

Slimane ouve *Walking in the Moon*, do Police.

A fila anda muito devagar. Dizem-lhe que vai demorar uma hora.

"FAÇAM BEAUBOURG SE DOBRAR! Nova palavra de ordem revolucionária. Inútil incendiá-lo. Inútil contestá-lo. Vamos! É a melhor maneira de destruí-lo. O sucesso de Beaubourg não é mais um mistério: as pessoas vão lá para isso, precipitam-se sobre esse edifício cuja fragilidade já transpira a catástrofe, com o único objetivo de fazê-lo se dobrar."

Slimane não leu Baudrillard mas quando chega sua vez,

sem saber que participa talvez dessa espécie de programa pós-situacionista, passa pela catraca.

Atravessa uma espécie de sala de imprensa onde pessoas consultam microfilmes em projetores, e pega uma escada rolante para chegar à sala de leitura, que parece um imenso ateliê de confecção, salvo que os trabalhadores não cortam camisas que depois são juntadas em máquinas de costura, mas leem livros tomando notas em caderninhos.

Slimane também localiza jovens vindos para paquerar, e mendigos, para dormir.

O que impressiona Slimane é o silêncio, mas também a altura do teto: meio fábrica, meio catedral.

Atrás de uma grande parede de vidro, um imenso televisor difunde imagens da televisão soviética. Instantes depois, as imagens já são as de um canal americano. Espectadores de idades variadas estão acomodados em poltronas vermelhas. Fede um pouco. Slimane não fica muito tempo ali e começa a circular entre as estantes.

Baudrillard escreve: "As pessoas têm vontade de pegar tudo, de pilhar tudo, de comer tudo, de manipular tudo. Ver, decifrar, aprender não as afeta. O único afeto maciço é o da manipulação. Os organizadores (e os artistas e os intelectuais) ficam apavorados com essa veleidade incontrolável, pois só esperam, sempre, o aprendizado das massas pelo *espetáculo* da cultura".

Dentro, fora, na praça, no teto, há tubos de ventilação em todo lugar. Se sobreviver a essa aventura, Slimane, como todo mundo, associará a identidade de Beaubourg, grande navio futurista, à imagem do tubo de ventilação.

"Eles nunca esperam essa fascinação ativa, destruidora, resposta brutal e original ao dom de uma cultura incompreensível, atração que tem todos os traços de um arrombamento e de um estupro de um santuário."

Slimane olha os títulos ao acaso. *Avez-vous lu René Char?*, de Georges Mounin. *Racine et Shakespeare*, de Stendhal. *La Promesse de l'aube*, de Gary. *Le Roman historique*, de Georg Lukács. *Au-dessous du volcan*. *Le Paradis perdu*. *Pantagruel* (este lhe diz algo.)
Passa diante de Jakobson sem vê-lo.
Tropeça num bigodudo.
"Ai, desculpe."
Talvez seja hora de encarnar esse búlgaro, para que ele não acabe como seu parceiro, soldado anônimo tombado numa guerra secreta cujos defensores se esclarecem mas cujas circunstâncias continuam turvas.

Digamos que ele se chama Nikolai. De qualquer maneira, seu nome verdadeiro permanecerá desconhecido. Com seu companheiro, seguiu a pista dos investigadores que os levaram aos gigolôs. Mataram dois. Ainda não sabe se deve matar esse aí. Hoje, não está armado. Veio sem o guarda-chuva. O espectro de Baudrillard lhe cochicha ao ouvido: *"Pânico em ritmo baixo, sem motivo externo"*. O outro pergunta: "O que está prrrocurando?". Slimane, desconfiado com desconhecidos desde que seus dois amigos morreram, se fecha e responde: "Nada". Nikolai lhe sorri: "É como tudo, é difícil de encontrrrar."

51.

Ainda estamos num hospital parisiense, mas desta vez ninguém pode entrar no quarto, pois é o Sainte-Anne, hospital psiquiátrico, e Althusser está sob o efeito de sedativos. Régis Debray, Etienne Balibar e Jacques Derrida montam guarda em frente à porta e conversam sobre qual comportamento adotar para proteger o velho professor. Peyrefitte, ministro da Justiça, também é um ex-aluno da Escola Normal Superior, mas isso não parece incliná-lo à magnanimidade, pois nos jornais já exige o tribunal do júri. Por outro lado, os três homens devem pacientemente ouvir as negações do bravo doutor Diatkine, o psiquiatra que acompanhava há anos Althusser, para quem é absolutamente impensável, que digo, fisicamente, "tecnicamente" impossível (cito), que Althusser tenha estrangulado a mulher.

Chega Foucault. A França é feita de modo que se você é professor na ENS de 1948 a 1980, então teve entre seus alunos e/ou colegas Derrida, Foucault, Debray, Balibar, Lacan. E também BHL.

Foucault pede notícias, dizem-lhe que ele repetia sem parar: "Matei Hélène, o que é que vem depois?".

Foucault se afasta com Derrida e lhe pergunta se ele fez o que haviam lhe pedido. Derrida balança a cabeça. Debray os observa, furtivamente.

Foucault diz que não teria feito uma coisa dessas, e aliás se recusou, quando lhe pediram. (Por rivalidade universitária, lembra de passagem que lhe pediram isso ANTES de pedirem a Derrida. O quê? Ainda é muito cedo para dizer. Mas ele se recusou porque não se engana um amigo, ainda que se trate do que se chama "um velho amigo" com tudo o que isso implica de lassidão e rancor mal recalcado.)

Derrida diz que é preciso avançar. Que havia interesses em jogo. Políticos.

Foucault levanta os olhos.

Chega BHL. E o põem porta afora, polidamente. Naturalmente, ele voltará, pela janela.

Enquanto isso, Althusser dorme. Seus ex-alunos esperam, por ele, que não esteja sonhando.

52.

"Tênis terra batida transmissão mundial na grama pronto é assim que se deve bater de novo direto nas frases segunda bola efeito topspin shot voleio revés longo das linhas borg connors vilas mc enroe…"

Sollers e Kristeva estão à mesa do barzinho do Jardin du Luxembourg, e Kristeva mordisca sem convicção um crepe de açúcar, enquanto Sollers monologa incansavelmente bebendo um café com leite.

Diz:

"No caso de Cristo há uma coisa um pouco especial, é que ele disse que vai voltar".

Ou então:

"Como diz Baudelaire: 'Levei muito tempo para me tornar infalível'."

Kristeva fixa a nata que boia na superfície da xícara.

"Apocalipse em hebreu é *gala*, o que quer dizer descobrir."

Kristeva se espicha para resistir à náusea que invade seu peito.

"Se o Deus da Bíblia tivesse dito 'estou em todo lugar', isso se saberia…"

Kristeva tenta raciocinar. Recita mentalmente: "O signo não é a coisa, mas mesmo assim".

Um editor conhecido deles, claudicando, com um cigarro Gitane na boca, e passeando com uma criança pequena, vem cumprimentá-los. Pergunta a Sollers em que está trabalhando "neste momento" e, naturalmente, Sollers não se faz de rogado: "Um romance cheio de retratos e de personagens… Centenas de notas tomadas ao vivo… A respeito da guerra dos sexos… Não conheço livro mais informado, múltiplo, corrosivo e leve".

Kristeva, ainda hipnotizada pela nata no leite, reprime um engulho. Psicanalista, faz seu diagnóstico: tem vontade de cuspir a si mesma.

"Um romance filosófico, e mesmo metafísico, de um realismo frio e lírico."

Regressão infantil ligada a um choque traumático. Mas ela é Kristeva: dona *de si mesma*. Ela *se contém*.

Sollers despeja seu falatório sobre o editor, que franze o cenho para manifestar uma espécie de atenção febril, enquanto o garotinho que o acompanha já o puxa pela manga: "A reviravolta altamente sintomática da segunda metade do século XX será descrita nas suas ramificações secretas e concretas. Disso poderá se tirar um quadro químico: os corpos femininos negativos (e por quê), os corpos positivos (e como)".

Kristeva estica lentamente a mão para a xícara. Desliza um dedo na alça. Leva aos lábios o líquido bege.

"Os filósofos serão mostrados em seus limites privados, as mulheres, em sua histeria e seus cálculos, mas também em sua gratuidade livre."

Kristeva fecha os olhos na hora de engolir. Ouve o marido citar Casanova: "Se o prazer existe, e se dele só se pode desfrutar em vida, a vida é, portanto, uma felicidade".

O editor saltita: "Excelente! Muito bem! Bem!".

A criança arregala os olhos espantados.

Sollers se entusiasma e passa ao presente na narração: "Aqui, os devotos e as devotas fazem cara feia, os sociômanos e os sociopatas gritam contra a superficialidade, a indústria espetacular fica parada ou quer absolutamente deformar a constatação, o Diabo está descontente, já que o prazer deve ser destruidor, e a vida, uma tragédia".

O café passa por Kristeva como um rio de lava morna. Ela *sente* a nata na boca, na garganta.

O editor quer encomendar um livro a Sollers quando ele tiver terminado este.

Sollers conta pela milésima vez uma anedota sobre ele e

Francis Ponge. O editor escuta polidamente. Ah, esses grandes escritores! Sempre repisando suas obsessões, sempre mexendo em sua matéria...

Kristeva pensa que a fobia não desaparece mas escorrega sob a língua, que o objeto fóbico é uma protoescrita e, inversamente, todo exercício da palavra, na medida em que seja escrita, é uma linguagem do medo. "O escritor: um fóbico que consegue metaforizar para não morrer de medo mas para ressuscitar nos signos", ela pensa.

O editor pergunta: "Tem notícias de Althusser?". De súbito, Sollers se cala. "Depois de Barthes, é terrível. Que ano!" Sollers olha para outro lugar quando vai responder: "Sim, o mundo está louco, não é mesmo? Mas é o destino das almas tristes". Não vê os olhos de Kristeva se abrirem como dois buracos negros. O editor se despede, junto com a criança, que dá uns ganidos.

Sollers continua em pé, calado por um instante. Kristeva visualiza o gole de café formando como uma água parada em seu estômago. O perigo passou, mas a nata continua ali. No fundo da xícara, e a náusea permanece. Sollers diz: "Sou dotado para as diferenças". Kristeva esvazia a xícara de um só gole.

Descem até o grande lago onde crianças brincam com barquinhos de madeira que seus pais alugam por hora, por alguns francos.

Kristeva pergunta se ele tem notícias de Louis. Sollers responde que os cães montam guarda mas que Bernard deve tê-lo visto. "Completamente aparvalhado. Parece que quando o encontraram ele repetia: 'Matei Hélène, o que é que vem depois?'. Você consegue imaginar uma coisa dessas? O que... é... que... vem... depois? Não é extraordinário?" Kristeva leva-o a considerações mais práticas. Sollers a tranquiliza: tendo em vista a desordem do apartamento, se a cópia não foi destruída, está irremediavelmente perdida. No pior dos casos, terminará dentro de um caixote e chineses a encontrarão daqui a duzentos anos sem entender do que se trata, e a utilizarão para acender um cachimbo de ópio.

"O seu pai estava errado. Da próxima vez, nada de cópia."

"Não tem importância, e não haverá próxima vez."

"Sempre há uma próxima vez, meu esquilo."

Kristeva pensa em Barthes. Sollers diz: "Eu o conheci melhor que ninguém".

Kristeva responde friamente: "Mas fui eu que o matei".

Sollers lhe cita Empédocles: "O sangue que banha o coração é pensamento". Mas como não consegue ficar mais de alguns segundos sem falar de si mesmo, trinca os dentes e murmura: "A morte dele não terá sido vã. Eu serei o que serei".

Depois, retoma o monólogo, como se nada houvesse: "Evidentemente, a mensagem não tem mais importância... Ah, ah, essa historinha não está clara oh, oh... O público, por definição, não tem memória, é virgem, é floresta virgem... Nós somos como peixes no ar... Pouco importa que Debord tenha se enganado a meu respeito, indo ao ponto de me comparar com Cocteau... Quem somos de início, e no final?...".

Kristeva suspira. Arrasta-o para os jogadores de xadrez.

Sollers é como uma criança, tem uma memória imediata de três minutos, e então fica absorto numa partida que opõe um velho e um jovem, ambos usando um boné de beisebol com a marca de um time de Nova York. Enquanto o jovem lança um ataque com o objetivo manifesto de não deixar seu adversário enrocar, o escritor sussurra no ouvido de sua mulher: "Olhe esse velho, é esperto como uma raposa, hoho. Mas se vier comprar briga comigo, eu encaro, hehe".

O poc-poc das bolas de tênis, nas quadras ali perto, chega até eles.

É a vez de Kristeva puxar o marido pela manga, pois está chegando a hora.

Atravessam uma profusão de balanços e chegam ao teatrinho de Guinhol. Sentam-se nos bancos de madeira, no meio das crianças.

O homem que se senta bem atrás deles é um bigodudo malvestido.

Ele puxa o paletó amassado.

Ele encaixa o guarda-chuva entre as pernas.

Ele acende um cigarro.

Ele se inclina para Kristeva e lhe murmura algo ao ouvido.

Sollers se vira e exclama alegremente: "Bom dia, Serguei!". Kristeva o corrige, autoritária: "Ele se chama Nikolai". Sollers tira um cigarro de um estojo de tartaruga azul e pede fogo ao búlgaro. A criança sentada ao lado dele o observa, curiosa. Sollers lhe mostra a língua. A cortina se abre, Guinhol aparece. "Bom dia, garotada! Bom dia, Guinhol!" Nikolai explica a Kristeva, em búlgaro, que seguiu o amigo de Hamed. Revistou a casa dele (desta vez, sem desarrumar nada) e é categórico: não existe cópia. Mas tem algo estranho: há algum tempo o sujeito passa os dias na biblioteca.

Enquanto isso, como não fala búlgaro, Sollers acompanha a peça. A história opõe Guinhol, de um lado, a um ladrão mal escanhoado, de outro, a um guarda que enrola os "erres" como Serguei. A intriga se articula em torno de um contencioso simples, pretexto para múltiplas cenas de ação com bastonadas. Grosso modo, Guinhol deve recuperar o colar da Marquesa, roubado pelo ladrão. Sollers logo desconfia que a Marquesa lhe deu o colar de livre e espontânea vontade, em troca de favores sexuais.

Kristeva pergunta que gênero de livro Slimane consultou.

Guinhol pergunta às crianças se o ladrão saiu por ali.

Nikolai responde que viu Slimane consultar essencialmente livros de linguística e de filosofia mas que, a seu ver, o gigolô não sabe muito bem o que procura.

As crianças respondem: "Saiiiiiiiiuuuu!".

Kristeva pensa que a informação é o fato de que ele procura alguma coisa. Quando quer repetir isso a Sollers, ele diz: "Saiiiiiuuu!".

Nikolai esclarece: sobretudo autores americanos. Chomsky, Austin, Searle, e também um russo, Jakobson, dois alemães, Bühler e Popper, um francês, Benveniste.

A lista é suficientemente eloquente para Kristeva.

As crianças gritam: "Nããããooo!". Sollers, divertido, diz: "Siiiiim!", mas seu grito se afoga no das crianças.

Nikolai ainda esclarece que Slimane se contentou em folhear alguns livros mas que leu particularmente Austin.

Kristeva deduz que ele vai tentar contatar Searle.

O ladrão se aproxima de mansinho, pelas costas de Guinhol, armado de um bastão. As crianças querem avisá-lo: "Cuidado! Cuidado!". Mas toda vez que ele se vira, o ladrão se esconde. Guinhol pergunta às crianças se o ladrão está nas redondezas. As crianças tentam avisá-lo mas é como se ele estivesse surdo, ele finge não entender, o que as deixa histéricas. Gritam, e Sollers com elas: "Atrás de você! Atrás de você!".

Guinhol leva uma bastonada. Silêncio angustiado na sala. Acreditam que ele morreu mas na verdade, não, faz de conta. Ufa.

Kristeva reflete.

Graças a sua astúcia, Guinhol, por sua vez, bate no ladrão. Para parecer eficaz, lhe dá uma surra de bastonadas. (No mundo real, ninguém sobreviveria a tantas pancadas na cabeça, pensa Nikolai.)

O guarda prende o ladrão e felicita Guinhol.

As crianças aplaudem loucamente. Não se sabe muito bem se Guinhol entregou o colar ou se, finalmente, o guardou.

Kristeva põe a mão no ombro do marido e lhe grita no ouvido: "Preciso ir aos Estados Unidos".

Guinhol se despede: "Adeus, garotada!".
O guarda: "Adeus, garrrotada."
Sollers, se virando: "Tchau, Serguei."
Nikolai: "Adeus, senhorrr Krristeva."
Kristeva a Sollers: "Vou a Ithaca."

53.

Slimane também acorda numa cama que não é a sua mas, fora ele, não há ninguém ali, senão a marca de um corpo como que desenhado com giz naqueles lençóis ainda quentes. Em matéria de cama, essa é um colchão posto diretamente no chão, num quarto quase nu e sem janela, mergulhado na escuridão. Do outro lado da porta lhe chegam vozes masculinas misturadas com música clássica. Ele se lembra perfeitamente de onde está e conhece essa música. (É Mahler.) Abre a porta e, sem se dar ao trabalho de se vestir, vai para o salão.

É um imenso salão, no sentido do comprimento, cercado por uma longa vidraça que domina Paris (para Boulogne e Saint-Cloud) pois estamos no oitavo andar. Em torno de uma mesa de centro, Michel Foucault, enrolado num quimono preto, explica a dois jovens de cueca, um dos quais tendo seu retrato reproduzido em três fotos penduradas numa coluna ao lado do sofá, os mistérios da sexualidade do elefante.

Ou mais exatamente, Slimane acredita entender, como a sexualidade do elefante é vista e comentada na França no século XVII.

Os dois jovens fumam cigarros que Slimane sabe que estão cheios de ópio, pois é a técnica que eles adotaram para amortecer a depressão que se segue ao prazer da droga. Curiosamente, Foucault nunca precisou recorrer a isso, de tal forma encara muito bem todas as drogas: é capaz de estar diante de sua máquina de escrever desde nove horas da manhã depois de toda uma noite passada sob LSD. Os jovens parecem custar mais a fazer isso. Cumprimentam, porém, Slimane, com uma voz cavernosa. Foucault lhe propõe um café, mas nesse exato instante ouve-se um barulho na cozinha e aparece um terceiro jovem, com ar aflito e um pedaço de plástico na mão. É Mathieu Lindon que acaba de quebrar a cafeteira. Os dois outros não conseguem reprimir um riso de tísico. Foucault, condescendente, propõe um chá. Slimane se senta e começa a passar manteiga numa torrada, enquanto o grande careca dentro do quimono retoma sua fala sobre os elefantes.

Para Francisco de Sales, bispo de Genebra no século XVII e autor de uma *Introdução à vida devota*, o elefante é um modelo de castidade: fiel e sóbrio, só conhece uma parceira, que ele honra uma vez a cada três anos, durante cinco dias, ao abrigo dos olhares, antes de ir se lavar longamente para se purificar. O belo Hervé, de cueca, pragueja pegando o cigarro, e reconhece por trás da fábula do elefante a moral católica em todo o seu horror e em que ele cospe, pelo menos simbolicamente, pois a saliva lhe falta e, em vez disso, ele tosse. Foucault, dentro do quimono, se anima: "Justamente! O que é muito interessante é que já se encontra em Plínio a mesma análise dos costumes do elefante. Portanto, se fizermos a genealogia dessa moral, como diria o outro, perceberemos que tem raízes, tudo indica, numa época anterior ao cristianismo, ou pelo menos numa época em que seu desenvolvimento ainda é amplamente embrionário". Foucault jubila. "Vejam, fala-se *do* cristianismo como se *o* cristianismo existisse... Mas cristianismo e paganismo não constituem unidades bem formadas, individualidades perfeitamente claras. Não se deve imaginar blocos estanques que aparecem de repente e desaparecem também repentinamente, sem se influenciar, se interpenetrar, se metamorfosear."

Mathieu Lindon, que continuou em pé, com o pedaço de cafeteira na mão, pergunta: "Mas, ahn, Michel, aonde é que você quer chegar?".

Foucault lhe sorri com um sorriso deslumbrante: "Na verdade, o paganismo não pode ser tratado como uma unidade, mas o cristianismo menos ainda! É preciso rever nossos métodos, entende?".

Slimane dá uma dentada na torrada e diz: "Ei, Michel, você continua indo aos seus colóquios em Cornell? Onde fica exatamente esse povoado?".

Foucault, sempre radiante de responder a perguntas, sejam quais forem, sem se espantar que Slimane se interesse por seus colóquios, lhe responde que Cornell é uma grande universidade americana situada numa cidadezinha do norte dos Estados Unidos chamada Ithaca, como Ítaca, a ilha de Ulisses. Não sabe por que aceitou o convite, já que é um colóquio sobre a linguagem, o *linguistic turn* como eles dizem por lá, e que faz tempo que não trabalha mais nisso (*As palavras e as coisas* é de 1966), mas, afinal, disse sim e não gosta de voltar atrás, portanto vai. (Na verdade, sabe muito bem: adora os Estados Unidos.)

Depois de mastigar bastante a torrada, Slimane toma um gole de chá escaldante, acende um cigarro, pigarreia e pergunta: "Acha que eu poderia ir com você?".

54.

"Mas não, meu querido, você não pode ir comigo. É um colóquio reservado aos universitários e você detesta que lhe chamem de sr. Kristeva."

O sorriso de Sollers dissimula mal a ferida narcísica que, é de temer, jamais se cicatriza.

Imaginemos Montaigne, Pascal, Voltaire defendendo uma tese.

Por que os nulos desses americanos ainda se obstinam em ignorá-lo, ele, gigante entre os gigantes, que se lerá, que se relerá em 2043?

Imaginemos Chateaubriand, Stendhal, Balzac, Hugo. Então seria preciso, um dia, pedir autorização para pensar?

O mais engraçado é que convidam Derrida, evidentemente. Mas vocês, caros amigos ianques, sabem que o ídolo de vocês, aquele que reverenciam porque escreve *différance* com um "a" (o mundo se decompõe, o mundo se dissolve), escreveu sua obra-prima, A *disseminação* (o mundo se *dissemina*) em homenagem a *Números*, que ninguém, nem em Nova York nem na Califórnia, quis traduzir? Ah, realmente, é de morrer de rir!

Sollers ri, batendo na barriga. Hohoho! Sem ele, não haveria Derrida! Ah, se o mundo soubesse disso... Ah, se os Estados Unidos soubessem disso...

Kristeva ouve com paciência esse discurso que já conhece.

"Imaginemos Flaubert, Baudelaire, Lautréamont, Rimbaud, Mallarmé, Claudel, Proust, Breton, Artaud apresentando *uma tese*." Sollers interrompe-se brutalmente e finge refletir, mas Kristeva sabe de antemão o que vai acrescentar: "Há uma de Céline, mas é uma tese de medicina, aliás literariamente fantástica". (Subtexto: leu a tese de medicina de Céline. Quantos universitários podem dizer o mesmo?)

Depois, vai se esfregar na mulher, enfiando a cabeça sob seu braço, e diz com voz de passarinho:

"Mas por que você quer ir, você, meu esquilo adorado?"

"Você sabe por quê. Porque Searle estará lá."

"E todos os outros também!", Sollers explode.

Kristeva acende um cigarro, examina o motivo bordado da almofada na qual está encostada, uma reprodução da licorne tirada da tapeçaria de Cluny que ela e Sollers compraram, outrora, no aeroporto de Cingapura. Está com as pernas encolhidas, o cabelo preso num rabo de cavalo, acaricia a planta ao lado do sofá e pronuncia a meia voz, mas articulando exageradamente, com seu levíssimo sotaque: "Sim... Os outrrros".

Para reprimir o nervosismo, Sollers recita seu pequeno rosário pessoal:

"Foucault: irritado demais, ciumento, veemente. Deleuze? Amargo demais. Althusser? Doente demais (haha!) Derrida? Dissimulado demais em seus envolvimentos sucessivos (haha). Detesta Lacan. Não vê inconveniente em que os comunistas cuidem da segurança em Vincennes. (Vincennes: lugar para vigiar os enfurecidos.)"

A verdade, Kristeva conhece, é que Sollers tem medo de morrer sem ter sua obra publicada numa edição da Pléiade.

Por ora, o gênio incompreendido se esforça em vilipendiar os americanos, com seus *"gay and lesbian studies"*, seu feminismo totalitário, seu fascínio pela "desconstrução" ou pelo "o objeto pequeno tem"..., quando na verdade é claro que o nome de Molière lhes é perfeitamente desconhecido!

E suas mulheres!

"As americanas? Infrequentáveis, na maioria: dinheiro, processos, romance familiar, infecção pseudopsi. Felizmente, em Nova York têm as latinas e as chinesas, e até mesmo muitas europeias." Mas em Cornell! Puff. Puah, como diria Shakespeare.

Kristeva toma um chá de jasmim folheando uma revista inglesa de psicanálise.

Sollers fica andando em torno da grande mesa do salão, furibundo, com os ombros encolhidos como um touro: "Foucault, Foucault, eles só têm isso na cabeça".

Em seguida, levanta-se subitamente, como um sprinter que verga o busto depois da linha de chegada: "Ei, diabo, que me importa? Eu conheço a lenga-lenga: seria preciso viajar, fazer conferências, falar o anglo-americano do colonizado, participar de colóquios chatos, 'estar junto', diluir a fala, ter um jeito humano".

Kristeva, largando a xícara, lhe fala com doçura: "Você terá sua revanche, meu querido".

Sollers, febril, começa a falar dele na terceira pessoa, apertando o pulso: "O senhor tem uma facilidade de elocução, ela é flagrante, irritante (preferiríamos que o senhor fosse gago, mas paciência)...".

Kristeva o pega pela mão.

Sollers sorri e diz: "Às vezes a gente precisa de encorajamentos".

Kristeva sorri e lhe responde: "Venha, vamos ler Joseph de Maistre".

55.

No Quai des Orfèvres, Bayard bate à máquina seu relatório enquanto Simon lê um livro de Chomsky sobre a gramática gerativa, do qual, ele deve reconhecer, não entende muita coisa.

Sempre que chega ao final da linha, Bayard aciona com a mão direita a alavanca para levar o rolo até o outro lado, enquanto, com um gesto da mão esquerda, apanha a xícara de café, dá um gole, dá uma tragada no cigarro e põe o cigarro na beira de um cinzeiro amarelo com a marca Pastis 51. Crac tac tac tac, tac tac tac, crac tac tac tac, e assim por diante.

Mas de repente o tac tac para. Bayard se endireita na cadeira forrada de couro sintético, vira-se para Simon e pergunta:

"Na verdade, de onde vem esse nome Kristeva?"

56.

Serge Moati está se empanturrando de fatias de bolo mármore quando Mitterrand chega. Fabius o recebe de chinelos em seu palacete do Panthéon. Lang, Badinter, Attali, Debray esperam comportados, bebendo um café. Mitterrand joga seu cachecol para Fabius, reclamando: "O seu amigo Mauroy, esse aí, vou liquidá-lo!". Não há nenhuma dúvida quanto ao seu mau humor, e os jovens conjurados compreendem que a sessão de trabalho será difícil. Mitterrand mostra os dentes: "Rocard! Rocard!". Ninguém abre o bico. "Eles perderam no congresso de Metz e gostariam que eu me candidatasse para a presidencial, a fim de se livrarem de mim!". Seus jovens lugares-tenentes suspiram. Moati mastiga devagar o bolo mármore. O jovem conjurado com cabeça de pássaro se arrisca: "Presidente...", mas Mitterrand se vira para ele, glacial, terrível, espetando o dedo no peito dele, e diz: "Cale o bico, Attali...". E Attali recua até a parede, enquanto o putativo candidato continua: "Todos eles querem que eu fracasse, mas facilmente consigo driblar essa tática: basta que eu não me candidate, haha! Deixar esse idiota do Rocard ser derrotado por esse imbecil do Giscard. Rocard, Giscard... Será a guerra dos imbecis! Grandiosa! Sublime! A segunda esquerda, isso é uma besteira, Debray! Besteiras à francesa! Robert, pegue uma caneta, vou lhe ditar um comunicado! Eu abdico! Passo a minha vez. Haha! A vez que poderia dar certo!". Reclama: "Fracassar! O que quer dizer, fracassar?".

Ninguém ousa responder, nem mesmo Fabius, que sabe ocasionalmente enfrentar o chefe, mas que não levará a audácia a ponto de se meter num assunto tão escorregadio. E, aliás, a pergunta era puramente retórica.

Mitterrand deve registrar sua profissão de fé. Preparou seu

pequeno texto, é raso, é convencional, é nulo. Fala de imobilismo e de água que dorme. Nenhuma paixão, nenhuma mensagem, nenhum sopro, apenas fórmulas empoladas e vazias. Transpira a imagem da cólera fria do eterno perdedor. O registro termina num silêncio lúgubre. Fabius mexe nervosamente os artelhos dentro dos chinelos. Moati mastiga o bolo como se fosse de cimento. Debray e Badinter trocam um olhar inexpressivo. Attali olha pela janela uma agente de trânsito multar o Renault R5 de Moati. Até Jack Lang parece perplexo.

Mitterrand trinca os dentes. Usa a máscara que usou a vida toda, murado na arrogância à qual sempre recorre para disfarçar a raiva que devora suas entranhas. Levanta-se, vai pegar o cachecol e parte sem se despedir de ninguém.

O silêncio se prolonga mais uns longos minutos.

Moati, pálido: "Bem, em suma, Séguéla* é nossa única esperança".

Atrás dele, Lang murmura: "Não, resta outra".

57.

"Não entendo como poderia, na primeira vez, ter dado errado. Ele sabia que procurava um documento relativo a esse linguista russo, Jakobson. Vê um livro de Jakobson em cima da mesa, e não dá uma olhada?"

Sim, de fato, parece *inacreditável*.

"E como por acaso, está lá justo quando a gente chega à casa de Barthes, quando na verdade tivera semanas para voltar ao apartamento, pois tinha a chave."

* Jacques Séguéla, publicitário que fez a campanha, vitoriosa, de François Mitterrand à presidência da República em 1981. (N. T.)

Simon ouve Bayard, enquanto o Boeing 747 arranca sua carcaça de longo-correio da pista de decolagem. Giscard, esse grande burguês fascista, finalmente aceitou pagar a viagem deles, mas não a ponto de pagar um voo no Concorde.

A pista búlgara leva a Kristeva.

Ora, Kristeva partiu para os Estados Unidos.

Portanto, que venham os hot-dogs e os canais a cabo.

Evidentemente, há uma criança que chora na fileira deles.

Uma aeromoça vem pedir a Bayard que apague o cigarro, pois é proibido fumar na decolagem e na aterrissagem.

Simon pegou o *Lector in fabula* de Umberto Eco para ler na viagem. Bayard lhe pergunta se está aprendendo coisas interessantes no livro, e com interessantes quer dizer úteis à investigação mas talvez, na verdade, não só isso. Simon põe os olhos na página e lê: "Eu vivo (digo: eu que escrevo tenho a intenção de estar vivo no único mundo que conheço) mas no momento em que teorizo a respeito dos possíveis mundos narrativos eu decido (a partir do mundo do qual experimento fisicamente) reduzir esse mundo a uma experiência semiótica para compará-lo a mundos narrativos".

Simon sente uma onda de calor enquanto a aeromoça agita os braços para mostrar as recomendações de segurança. (A criança para de chorar, está fascinada com a coreografia de guarda de trânsito.)

Oficialmente, Kristeva foi para a Universidade de Cornell, em Ithaca, estado de Nova York, para um colóquio cujo título Bayard não tentou entender, nem sequer o tema. Tudo o que precisa saber é que esse John Searle, o filósofo americano de quem Eco falou, também está entre os convidados. Não se trata de organizar clandestinamente a fuga da búlgara, algo no gênero Eichmann. Se Giscard quisesse prender o assassino de Barthes, e como tudo leva a crer que ela está na jogada, ele a teria impedido de voar. Trata-se de entender o que se trama. E, aliás, não é sempre assim?

Para o Chapeuzinho Vermelho, o mundo real é aquele em que os lobos falam.

E recuperar esse maldito documento.

Bayard tenta entender: a sétima função da linguagem será um modo de usar? Um sortilégio? Um manual do usuário? Uma quimera deixando histéricos os pequenos meios políticos e intelectuais que veem nela a sorte grande suprema para quem conseguir agarrá-la?

Na poltrona ao lado dele, separado pelo corredor, o garotinho pega um cubo de facetas multicoloridas e começa a manipulá-lo em todos os sentidos.

No fundo, pensa Simon, qual é a diferença fundamental entre ele mesmo e a Chapeuzinho Vermelho ou Sherlock Holmes?

Ouve Bayard interrogar-se em voz alta, ou talvez se dirigindo a ele: "Admitamos que a sétima função da linguagem seja mesmo essa função performativa. Ela permite, a quem dominá-la, convencer qualquer um em qualquer circunstância, tudo bem. Aparentemente, o documento cabe numa folha, digamos frente e verso, com letra miúda. Como o modo de usar de um troço tão poderoso poderia caber em tão pouco espaço? Qualquer manual técnico, para uma lava-louça ou uma tevê, ou para o meu carro, tem várias páginas".

Simon range os dentes. Sim, é difícil imaginar. Não, não tem explicação. Se tivesse, ainda que a mais mínima intuição do que está contido no documento, já teria se feito eleger presidente e teria dormido com todas as mulheres.

Enquanto fala, Bayard fica de olho no brinquedo da criança. Pelo que pode observar, o cubo é subdividido em cubos menores, que é preciso juntar por cores, efetuando operações de rotação verticais e horizontais. O garoto tenta fazer isso com uma aplicação frenética.

Em *Lector in fabula*, Eco trata do estatuto dos personagens fictícios que ele chama de "supranumerários", porque vão se juntar às pessoas do mundo real. Ronald Reagan ou Napoleão fazem parte do mundo real, mas não Sherlock Holmes. Mas então, que sentido dar a uma asserção como "Sherlock Holmes não é casado" ou "Hamlet é louco"? Pode-se tratar um supranumerário como uma pessoa real?

Eco cita Volli, um semiólogo italiano que disse: "Eu existo, Emma Bovary, não". Simon se sente cada vez mais angustiado.

Bayard se levanta para ir ao banheiro, não que tenha realmente vontade de mijar, mas vê que Simon está mergulhado no livro, então é melhor desenferrujar as pernas, sobretudo porque já entornou todas as suas garrafinhas de bebida.

Indo para o fundo do avião, ele encontra Foucault, em grande conversa com um jovem árabe que está com fones de ouvido em torno do pescoço.

Ele viu o programa do colóquio e isso não deveria surpreendê-lo, pois sabia que Foucault estava convidado, mas não pode reprimir um gesto de surpresa. Foucault lhe sorri com seu sorriso cruel.

"Não conhece Slimane, delegado? Era um grande amigo de Hamed. Naturalmente, o senhor não elucidou as circunstâncias da morte dele, não é? Um bicha a mais ou a menos, não é mesmo? Ou será um árabe? Será que isso conta em dobro?"

Quando Bayard volta para seu lugar, encontra Simon dormindo, a cabeça inclinada, no desconforto característico de quem tenta dormir sentado. Foi uma outra frase de Eco, citando a sogra, que o derrubou: "O que teria acontecido se meu genro não tivesse se casado com a minha filha?".

Simon sonha. Bayard fica pensativo. Foucault leva Slimane ao bar, no andar de cima do avião, para lhe falar de sua conferência sobre os sonhos sexuais na Antiguidade grega.

Pedem dois uísques à aeromoça, que sorri tanto quanto o filósofo.

Segundo Artemidoro, nossos sonhos sexuais são como profecias. É preciso estabelecer correspondências entre as relações sexuais vividas em sonho e as relações sociais na realidade. Por exemplo, sonhar que se dorme com um escravo é bom sinal: na medida em que o escravo é nossa propriedade, isso quer dizer que nosso patrimônio vai crescer. Com uma mulher casada, é mau sinal: não se deve tocar na propriedade alheia. Com a mãe, é preciso ver. Segundo Foucault, exagerou-se muito a importância que os gregos atribuíam a Édipo. Em todos os casos, o ponto de vista é o do macho livre ativo. Penetrar (homem, mulher, escravo, membro da família) é bom. Ser penetrado é ruim. O pior, o mais antinatural, são as lésbicas praticando a penetração (logo depois das relações sexuais com os deuses, os animais, e os cadáveres).

"Cada um com seus critérios, todos normativos!" Foucault ri, pede mais dois uísques e arrasta Slimane, que se deixa levar de bom grado, para o banheiro (mas se nega a tirar o walkman).

Não temos nenhum jeito de saber com que Simon sonha pois não estamos dentro da sua cabeça, não é?

Bayard viu Foucault e Slimane subirem a escada para ir ao bar do nível superior do avião. Movido por um impulso pouco racional, volta para examinar os assentos vazios. Há livros na bolsa do assento à frente de Foucault e revistas sobre o de Slimane. Bayard abre o compartimento de bagagens em cima das poltronas e pega as sacolas que ele supõe ser dos dois homens. Senta-se no lugar de Foucault para vasculhar a sacola do filósofo e a mochila do gigolô. Papéis, livros, uma camiseta limpa, cassetes. Nem traço do documento, a priori, mas Bayard pensa que talvez não esteja escrito em maiúsculas "sétima função da linguagem" no documento, então pega as duas sacolas e volta ao seu lugar, para acordar Simon.

Até que Simon emerja, entenda a situação, se espante com a presença de Foucault, se indigne com o que Bayard lhe pede, aceite apesar de tudo remexer em bagagens que não são dele, passam-se uns bons vinte minutos, tanto assim que quando Simon está em condições de garantir a Bayard que não há nos pertences de Foucault nem nos de Slimane o que quer que seja que se pareça de perto ou de longe com a sétima função da linguagem, os dois homens veem Foucault reaparecer, descendo a escadinha.

Ele vai voltar para seu assento e perceber, a qualquer momento, que seus pertences desapareceram.

Sem precisar se colocar de acordo, os dois homens reagem como uma equipe aguerrida. Simon passa por cima de Bayard e sai para o corredor onde Foucault vem a seu encontro, enquanto Bayard se põe no outro corredor, do lado oposto, para ir até o fundo da aeronave e, dando a volta, chegar à fileira de Foucault.

Simon fica em pé na frente de Foucault que, chegando ali, espera que ele o deixe passar, mas Simon não se afasta, então Foucault levanta os olhos e, por trás de seus óculos de míope, reconhece o rapaz.

"Nossa! Alcibíades!"

"Sr. Foucault, que surpresa!... É uma honra, adoro o que o senhor faz... Sobre o que trabalha atualmente?... Sempre o sexo?"

Foucault aperta os olhos.

Bayard vai pelo outro corredor mas cai numa aeromoça que tranca a passagem com seu carrinho de bebidas. Ela serve tranquilamente chás e taças de vinho tinto aos passageiros, tentando lhes vender produtos *duty free* enquanto Bayard perde a paciência atrás dela.

Simon não ouve a resposta de Foucault pois se concentra na pergunta seguinte. Atrás de Foucault, Slimane fica impaciente. "Vamos andar?" Simon agarra a oportunidade: "Ah, mas está acompanhado? Muito prazer, muito prazer! Ele também o chama de Alcibíades? Haha, hum. Já foi aos Estados Unidos?".

Bayard poderia, a rigor, empurrar a aeromoça, mas não conseguiria passar por cima do carrinho, e ainda há três fileiras até chegar.

Simon pergunta: "Viu Peyrefitte? Que nojento, hein. O senhor nos faz falta em Vincennes, sabe?".

Foucault, gentil mas firme, pega Simon pelos ombros, faz uma espécie de passo de tango e gira com ele, tanto assim que Simon fica entre Foucault e Slimane, o que, concretamente, significa que Foucault passou e nada além de uns metros o separa de seu lugar.

Bayard chega enfim à altura dos toaletes, no fundo da aeronave, onde um passageiro o deixa ir para o outro corredor. Chega ao assento de Foucault mas este vem a seu encontro e vai vê-lo recolocando as sacolas no compartimento.

Simon, que não precisa de óculos e sabe qual é a situação, viu Bayard antes de Foucault ver, então grita: "Herculine Barbin!".

Os passageiros levam um susto. Foucault se vira. Bayard abre o compartimento, enfia as duas sacolas, fecha o compartimento. Foucault encara Simon. Simon sorri bestamente e acrescenta: "Somos todos Herculine Barbin, não é, sr. Foucault?".

Bayard contorna Foucault se desculpando, como se voltasse do toalete. Foucault olha Bayard passar, dá de ombros e todos voltam enfim a seus lugares.

"Quem é Herculine Barbicha?

"Um hermafrodita do século XIX que conheceu muitas desgraças. Foucault editou suas memórias. Viu a história um pouco como um caso pessoal, para denunciar a atribuição normativa do biopoder que nos obriga a escolher nosso sexo e nossa sexualidade, só reconhecendo duas escolhas possíveis, homem ou mulher, nos dois casos heterossexuais, ao contrário dos gregos, por exemplo, muito mais relaxados sobre a questão, embora tivessem suas normas que eram…"

"Hum, hum, ok!"

"Quem é o homem que acompanha Foucault?"

O resto da viagem se passa sem problemas. Bayard acende um cigarro. A aeromoça vem lhe lembrar que é proibido fumar durante a aterrissagem, então o delegado apela para as garrafinhas sobressalentes de bebida.

Sabemos que o jovem que acompanha Foucault se chama Slimane, não sabemos seu sobrenome, mas na hora de entrar em solo americano Simon e Bayard o veem em grande discussão com vários policiais do controle de passaportes, pois seu visto não está em ordem, ou melhor, ele não tem visto, Bayard se pergunta como puderam deixá-lo embarcar no aeroporto de Roissy. Foucault tenta interceder em favor dele mas nada adianta, o policial americano não costuma brincar com estrangeiros e Slimane diz a Foucault para não esperá-lo e não se preocupar, ele saberá se virar. Depois, Simon e Bayard os perdem de vista e se enfiam num trem de subúrbio.

Não chegam de barco, como Céline em *Viagem ao fim da noite*, mas saem de debaixo da terra na estação de Madison Square Garden e a entrada no centro de Manhattan é um choque igualmente grande: os dois, assustados, levantam os olhos e contemplam a linha de fuga dos arranha-céus e a nesga de luz sobre a Oitava Avenida, atingidos ao mesmo tempo por uma sensação de irrealidade e outra, igualmente poderosa, de familiaridade. Simon, velho leitor de *Doutor Estranho*, espera ver o Homem-Aranha surgir no meio dos táxis amarelos e dos sinais vermelhos. (Mas o Homem-Aranha é um "supranumerário", é impossível.) Um autóctone com ar apressado se detém espontaneamente para lhes oferecer ajuda e isso acaba de desorientar os dois parisienses, pouco acostumados a uma solicitude daquelas.

Na noite nova-iorquina eles sobem a Oitava Avenida até o terminal do Port Authority, diante do prédio gigantesco que abriga o *New York Times*, como indicam sem equívoco, na fachada, as imensas letras góticas. Depois, entram num ônibus para Ithaca. Adeus, fantasmagoria dos arranha-céus.

Como o trajeto dura cinco horas e todo mundo está cansado, Bayard tira da sacola um pequeno cubo de facetas multicoloridas e começa a brincar com ele. Simon não acredita: "Você roubou o cubo Rubik's do menino?". Bayard termina a primeira fileira, enquanto o ônibus sai do Lincoln Tunnel.

58.

"Shift into Overdrive in the Linguistic Turn"
Cornell University, Ithaca, fall 1980
(Conference organizer: Jonathan D. Culler)

List of talks:

Noam Chomsky
Degenerative Grammar

Hélène Cixous
As lágrimas do hibisco

Jacques Derrida
A Sec Solo

Michel Foucault
Jogos de polissemia na onirocrítica de Artemidoro

Félix Guattari
O regime significante despótico

Luce Irigaray
Falogocentrismo e metafísica da substância

Roman Jakobson
Stayin' Alive, Structurally Speaking

Frederic Jameson
The Political Unconscious: Narrative as a Socially Symbolic Act

Julia Kristeva
A linguagem, essa desconhecida

Sylvère Lotringer
Italy: Autonomia — Post-political Politics

Jean-François Lyotard
PoMo de boca: A palavra pós-moderna

Paul de Man
Cerisy do bolo: A desconstrução na França

Jeffrey Mehlman
Blanchot, the Laundry Man

Avital Ronell
"Because a Man Speaks, He Thinks He's Able to Speak about Language — Goethe & The Metaspeakers

Richard Rorty
Wittgenstein *vs.* Heidegger: Clash of the Continents?

Edward Said
Exile on Main Street

John Searle
Fake or Feint: Performing the F Words in Fictional Works

Gayatri Spivak
Should the Subaltern Shut Up Sometimes?

Morris J. Zapp
Fishing for Supplement in a Deconstructive World

59.

"Deleuze's not coming, right?"
"No, but Anti-Oedipus is playing tonight, I am so excited!"
"Have you listened to their new single?"
"Yeah, it's awesome. So L. A.!"*

Kristeva está sentada na grama, entre dois rapazes. Ela diz, acariciando os cabelos dos dois: *"I love America. You are so ingenuous, boys"*.

Um deles tenta beijá-la no pescoço. Ela o afasta, rindo. O outro lhe cochicha: *"You mean 'genuine', right?"*. Kristeva solta um gritinho. Sente como um arrepio elétrico atravessar seu cor-

---

* "Deleuze não vem, certo?"; "Não, mas o Anti-Édipo vai tocar esta noite, estou muito animado!"; "Vocês ouviram a última música dele?"; "Sim, é incrível, tão L. A.!". Mais abaixo: "Adoro a América. Vocês são tão engenhosos, garotos!"; "Você quer dizer genuíno, não é?"; "Uau, fale isso de novo! O que Spinoza diz?". (N. T.)

po de esquilo. Diante deles, outro estudante acaba de enrolar e acender um baseado. O cheiro gostoso de maconha se espalha no ar. Kristeva dá umas tragadas, a cabeça roda um pouco, ela pontifica sobriamente: "Como dizia Spinoza, cada negação é uma definição". Os três jovens pós-hippies pré-new wave se extasiam, divertidos: "*Wow, say it again! What did Spinoza say?*".

No campus, estudantes mais ou menos ocupados vão e vêm, cruzando o grande gramado entre edifícios góticos, vitorianos e neoclássicos. Uma espécie de campanário domina o lugar, por sua vez no alto de uma colina dando para um lago e desfiladeiros. Estamos talvez no meio de lugar nenhum, mas pelo menos é no meio. Kristeva come um clube-sanduíche pois a baguete, que ela tanto aprecia, ainda não chegou ao recuado condado de Onondaga, comuna de Syracuse, nos confins do estado de Nova York, a meio caminho entre a cidade de Nova York e Toronto, antigo território da tribo dos Cayugas que se ligava à confederação iroquesa, onde fica a cidadezinha de Ithaca que abriga a prestigiosa Universidade Cornell. Ela franze o cenho e diz: "A menos que seja o contrário".

A eles se junta um quarto jovem, que sai do departamento de hotelaria com um embrulho de papel-alumínio numa das mãos e *Of Grammatology* na outra (mas que não se atreve a perguntar a Kristeva se ela conhece Derrida). Trouxe muffins recém-saídos do forno, que ele mesmo preparou. Kristeva participa de bom grado desse piquenique improvisado, embriagando-se um pouco com tequila. (Como convém, a garrafa está disfarçada num saco de papel.)

Olha os estudantes passarem com livros debaixo do braço ou tacos de hóquei ou estojos de guitarras.

Um velho de fronte larga, basta cabeleira penteada para trás, como se tivesse um denso matagal na cabeça, resmunga sozinho debaixo de uma árvore. Aliás, suas mãos, que ele abana, parecem galhos.

Uma jovem de cabelo curto, que lembra um pouco uma mistura de Cruella em *A guerra dos dálmatas* e Vanessa Redgrave, parece a única participante de uma passeata invisível. Grita slogans que Kristeva não entende. Aparenta estar muito furiosa.

Um grupo de jovens joga com uma bola de futebol americano. Um deles declama Shakespeare enquanto os outros bebem vinho tinto no gargalo. (Nada de sacos de papel, são rebeldes.) Arremessam um para o outro tomando o cuidado de lançar a bola em espiral. O que está com a garrafa não consegue apanhá-la com uma só mão (que segura o cigarro), então os outros ficam debochando dele. Todos já parecem bem altos.

O olhar de Kristeva cruza com o do homem-arbusto de fronte larga e ambos sustentam mutuamente o olhar, por um rápido instante, um pouquinho demais para que a coisa seja insignificante.

A jovem irritada vai se postar diante de Kristeva e diz: "*I know who you are. Go home, bitch*".* Os amigos de Kristeva se olham, pasmos, caem na risada, depois respondem num tom muito excitado: "*Are you stoned? Who the fuck do you think you are?*". A mulher se afasta e Kristeva olha-a retomando sua passeata solitária. Tem quase certeza de que ela nunca a viu na vida.

Um outro grupo de jovens vai encontrar os jogadores de futebol, e logo o clima muda; Kristeva, de onde está, vê que os dois grupos manifestam de imediato uma mútua e franca hostilidade.

Toca um sino de igreja.

O novo grupo interpela ruidosamente o primeiro. Pelo que Kristeva ouve, os primeiros chamam os segundos de franceses chupadores. Kristeva não entende logo de cara se se trata de uma aposição preposicional (chupadores que, além disso, têm a

---

* "Eu sei quem você é. Sai fora, sua puta"; "Você está chapada? Que bosta você pensa que é?". (N. T.)

característica de ser franceses) ou de um complemento de nome (praticam a felação em franceses) mas tendo em vista que o grupo visado parece anglo-saxão (pois ela acha ter notado que dominavam certas regras do futebol americano), ela pensa que a hipótese mais provável é a segunda. (A observar que a ambiguidade funciona também em inglês: o French de "French suckers" pode ser um adjetivo em posição de epíteto anteposto, tanto quanto um substantivo genitivo absoluto.)

Seja como for, o primeiro grupo rebate com insultos da mesma ordem (*"you analytic pricks!"*,* e com certeza a situação degeneraria se um homem de uns sessenta anos não tivesse intervindo para apartá-los gritando (em francês, surpreendentemente): "Acalmem-se, pobres loucos!". Um dos jovens admiradores de Kristeva lhe diz então, para impressioná-la por sua compreensão da situação: *"This is Paul de Man. He's French*, não é?". Kristeva esclarece: "Não, belga".

O homem-arbusto resmunga sob a árvore: *"The sound shape of language..."*.

A jovem que faz passeata sozinha se esgoela, como se torcesse por um dos dois times: *"We don't need Derrida, we have Jimi Hendrix!"*.

Distraído pelo slogan algo desconcertante de Cruella Redgrave, Paul de Man não viu chegar às suas costas uma voz que lhe diz: *"Turn round, man. And face your ennemy"*. Um homem de terno de tweed apareceu atrás dele, sambando dentro de um casaco muito folgado, os braços muito compridos, o cabelo repartido de lado, com uma mecha caindo na testa, com cara de quem representa um papel de coadjuvante num filme de Sydney Pollack, mas olhinhos penetrantes que escrutam qualquer um até os ossos.

---

* "Seu cuzão analítico!"; "A forma sólida da linguagem"; "Vire-se, homem. E encare seu inimigo". (N. T.)

Esse aí é John Searle.

O homem-arbusto de fronte larga observa Kristeva que observa a cena. Atenta, concentrada, a jovem deixa um cigarro se consumir entre os dedos. Os olhos do homem-arbusto vão de Searle a Kristeva, de Kristeva a Searle.

Paul de Man tenta exibir um ar a um só tempo irônico e conciliador e é apenas meio convincente nesse papel de sujeito muito à vontade, mas diz: "*Peace, my friend! Put your sword down and help me separate those kids*".* O que, não se sabe por que, acaba de irritar Searle, que vai para cima de Paul de Man e todos ficam com a impressão de que vai lhe dar uma surra. Kristeva aperta o braço do rapaz, que aproveita para pegar sua mão. Paul de Man fica imóvel, estarrecido, fascinado pelo corpo ameaçador que vai ao seu encontro e pela ideia do impacto, mas, enquanto esboça um gesto para se proteger ou — quem sabe — se defender, ressoa uma terceira voz, cuja entonação falsamente jovial não consegue disfarçar uma preocupação levemente histérica: "*Dear Paul! Dear John! Welcome to Cornell! I'm so glad you could come!*".

É Jonathan Culler, o jovem pesquisador que organizou o colóquio. Ele tenta cumprimentar Searle e este lhe dá a mão de má vontade, mão mole e olhar de mau, fixado em Paul de Man, a quem diz, em francês: "Pega os teus *Derrida boys* e te arranca. Agora". Paul de Man leva embora o grupinho, o incidente está terminado, o rapaz beija Kristeva como se tivessem escapado de um grande perigo ou pelo menos como se tivessem vivido um momento de grande intensidade, e Kristeva talvez não esteja longe de pensar a mesma coisa — em todo caso, não opõe resistência.

---

* "Paz, meu amigo! Abaixe a espada e me ajude a separar aqueles garotos". Mesmo parágrafo: "Querido Paul! Querido John! Bem-vindos a Cornell! Estou tão feliz por terem podido vir!". Mais adiante: "Sabe... Acho que o mundo não está preparado"; "De qualquer maneira, nos vemos mais tarde, tenho que fazer o check-in no Hilton". (N. T.)

O ronco de um motor ruge na noite que cai. Um Lotus Esprit para, cantando pneu. Um quarentão elegante sai do carro, charuto na boca, boné na cabeça, lencinho de seda, e se dirige direto para Kristeva. "*Hey, chica!*". Beija sua mão. Ela se vira para os jovens, apontando para ele: "Meninos, apresento-lhes Morris Zapp, grande especialista do estruturalismo, do pós-estruturalismo, da Nova Crítica, e de muitas outras coisas".

Morris Zapp sorri e acrescenta, assumindo um ar suficientemente distante para que não o critiquem de imediato por sua vaidade (mas, mesmo assim, em francês): "O primeiro professor com salário de seis dígitos!".

Os jovens fazem "*wow*", fumando um baseado.

Kristeva ri com seu riso claro e pergunta: "Você nos preparou a conferência sobre os Volvo?".

Morris Zapp finge um ar desolado: "*You know... I think the world is not ready*". Dá uma olhada para Searle e Culler, que ficaram conversando na grama, e não ouve Searle explicar a Culler que todos os participantes são nulos, a não ser ele e Chomsky, mas desiste de ir cumprimentá-los e diz a Kristeva: "*Anyway, I'll see you later, I have to check in at the Hilton*".

"Você não vai dormir no campus?"

"Meu Deus, não, que horror!"

Kristeva ri. A *Telluride House* de Cornell, que acolhe os participantes de fora, é, porém, de excelente padrão. Morris Zapp, para alguns, é o homem que terá elevado o carreirismo universitário ao nível das belas-artes. Enquanto ele volta para o Lotus, faz o motor roncar, quase entra na traseira do ônibus vindo de Nova York e desce a colina dirigindo como um alucinado, ela pensa que eles não estão errados.

Depois, Kristeva avista Simon Herzog e o delegado Bayard, que descem do ônibus, e ela faz um muxoxo.

Não presta mais atenção no homem-arbusto, que, debaixo da árvore, continua a observá-la, mas ele também não vê que, por sua vez, está sendo observado por um rapaz magrela de tipo norte-africano. O velho de fronte larga usa um terno de risca de giz de tecido grosso, que parece saído de um romance de Kafka, e uma gravata de lã. Resmunga algo, debaixo da árvore, algo que ninguém consegue ouvir, mas mesmo se conseguissem poucas pessoas aqui o compreenderiam, pois é em russo. O jovem árabe põe novamente o walkman no ouvido. Kristeva deita na grama contemplando as estrelas. Em cinco horas de viagem, Bayard só conseguiu resolver uma face do cubo Rubik's. Simon descobre, maravilhado, a beleza do campus, e não pode deixar de pensar em Vincennes, que, em comparação, parece uma lata de lixo gigantesca.

60.

"No início, havia a filosofia e a ciência, que andavam de mãos dadas, até o século XVIII, para, grosso modo, combater o obscurantismo da Igreja, e depois, progressivamente, a partir do século XIX, com o Romantismo e tudo isso, começou-se a voltar ao espírito das Luzes e os filósofos começaram a dizer, na Alemanha e na França (mas não na Inglaterra): a ciência não pode penetrar no segredo da vida. A ciência não pode penetrar no segredo da alma humana. Cabe à filosofia, e só a ela, se encarregar disso. E assim, a filosofia continental se descobriu hostil não apenas à ciência, como também a seus princípios: clareza, rigor intelectual, cultura da prova. Tornou-se cada vez mais esotérica, cada vez mais *freestyle*, cada vez mais espiritualista (salvo a filosofia marxista), cada vez mais vitalista (com Bergson, por exemplo).

E isso culminou com Heidegger: filósofo reacionário, no sentido pleno da palavra, ele decide que faz séculos que a filosofia se perde e que é preciso voltar à questão primordial, a questão do Ser, então escreve *Ser e tempo* em que diz que vai buscar o Ser. Salvo que nunca o encontrou, haha, mas, bem. Em todo caso, foi ele que realmente inspirou essa moda dos filósofos de estilo enrolado, cheios de neologismos complicados, raciocínios afetados, analogias capengas e metáforas arriscadas, de que hoje Derrida é o herdeiro.

Enquanto isso, os ingleses e americanos permaneceram fiéis a uma ideia mais científica da filosofia. Isso é o que se chama de filosofia analítica, da qual Searle se reclama."

(Estudante anônimo, declarações colhidas no campus.)

61.

É preciso ser honesto, come-se muito bem nos Estados Unidos, e em especial na cantina de Cornell reservada aos professores, que em matéria de qualidade culinária mais parece um restaurante, embora seja um self-service.

Nesse almoço, ali se encontra a maioria dos palestrantes espalhados pelo refeitório segundo uma geopolítica que Bayard e Simon ainda não dominam. A sala se compõe de mesas que podem receber de seis a oito pessoas, e nenhuma está completamente ocupada, Simon e Bayard sentem no ar que, claramente, há grupinhos.

"Eu gostaria que me fizessem uma exposição sobre as forças em presença", diz Bayard a Simon escolhendo como prato quente uma entrecôte dupla com purê, bananas da terra e morcela branca. O cozinheiro, negro, que o ouviu, lhe responde em francês: "Está vendo a mesa perto da porta? É o canto dos analíticos. Estão em território hostil e são inferiores em número, então ficam juntos". Ali estão Searle, Chomsky e Cruella Redgrave, que na verdade se chama Camille Paglia, uma especialista da história da sexualidade, o que a torna concorrente direta de Foucault, que ela odeia com todo o seu ser. "Do outro lado, perto da janela, temos uma *belle brochette*, como vocês dizem na França: Lyotard, Guattari, Cixous, e Foucault no meio, *you know him, of course*, o grande careca que fala alto, *right*? Kristeva está lá, com Morris Zapp e Sylvère Lotringer, o *boss* da revista *Sémiotexte*. No canto, sozinho, um velho de gravata de lã e cabelos *weird*, não sei quem é. (Jeito curioso, pensa Bayard). A jovem *lady* de cabelo violeta, atrás dele, também não." Seu ajudante de cozinha, porto-riquenho, dá uma olhada e comenta em tom neutro: "Heideggerianos, com certeza".

Por reflexo profissional mais que por verdadeiro interesse, Bayard quer perguntar até que ponto as rivalidades são exacerbadas entre os professores. À guisa de resposta, o cozinheiro negro aponta a mesa de Chomsky, diante da qual passa um rapaz com cara de camundongo. Searle berra para ele:

"*Hey, Jeffrey, you must translate for me the last piece of trash of the asshole.*"

"*Hey, John, I'm not your bitch. You do it yourself, o.k.?*"

"*Very well, you scumbag, my French is good enough for this shit.*"*

O cozinheiro negro e seu assistente porto-riquenho caem na gargalhada batendo um na palma do outro. Bayard não entendeu o diálogo mas entendeu a ideia. Atrás dele, alguém se impacienta: "Pode avançar, por favor?". Simon e Bayard reconhecem o jovem árabe que acompanhava Foucault. Ele segura uma bandeja com um prato de frango ao curry, batatas-roxas,

---

* "Ei, Jeffrey, você precisa traduzir para mim o último lixo do imbecil"; "Ei, John, eu não sou a sua puta. Traduza você mesmo, o.k.?"; "Tudo bem, seu idiota, meu francês é bom o suficiente para essa merda". (N. T.)

ovos cozidos e purê de aipo, mas não tem a credencial, então é mandado para a caixa. Foucault percebe e quer interceder em seu favor mas Slimane lhe faz sinal de que está tudo bem, e na verdade, depois de curtas negociações, ele passa com a bandeja. Bayard vai se sentar com Simon na mesa do velho sozinho. Depois, vê Derrida chegar, reconhecendo-o sem jamais tê-lo visto: a cabeça encolhida entre os ombros, maxilar quadrado, lábios finos, nariz de águia, terno de veludo cotelê, camisa aberta, cabelos grisalhos penteados como chamas. Ele se serviu de cuscuz, com vinho tinto. Está acompanhado por Paul de Man. A mesa de Searle para de falar, e Foucault também. Cixous lhe faz sinal mas ele não a vê, seus olhos buscam, e logo encontram, Searle na sala. Um segundo em suspenso, com a bandeja na mão, e depois vai se juntar a seus amigos. Cixous o beija, Guattari lhe dá um tapinha nas costas, Foucault aperta sua mão, sempre lhe fazendo uma cara meio mal-humorada (consequência de um velho artigo de Derrida, "Cogito e história da loucura", no qual, grosso modo, ele sugeriu que Foucault não tinha entendido nada de Descartes). A jovem de cabelo violeta também vai cumprimentá-lo: chama-se Avital Ronell, é uma especialista em Goethe e grande admiradora da desconstrução.

Bayard observa o jogo dos corpos e a expressão dos rostos. Come sua morcela, calado, enquanto Simon comenta o programa que tem diante dos olhos: "Viu? Há uma conferência sobre Jakobson. Vamos?".

Bayard acende um cigarro. Quase tem vontade de dizer sim.

62.

"Os filósofos analíticos são verdadeiros operários. Linha Guillermo Villas, sabe? São muito chatos, definem todos os termos durante horas; para cada raciocínio, nunca esquecem de colocar a premissa, e depois a premissa da premissa, e assim por diante. São os malditos lógicos. No final, levam vinte páginas para te explicar uns troços que cabem em dez linhas. Estranhamente, é uma crítica que costumam fazer aos Continentais, criticando-os sobretudo por trabalharem numa fantasia tresloucada, por não serem rigorosos, por não definirem os termos, fazerem literatura mas não flosofia, não terem espírito matemático, serem poetas, em suma, uns caras nada sérios, próximos do delírio místico (embora todos sejam ateus, sabe). Mas, bem, grosso modo, os Continentais são mais tipo McEnroe. Com eles, pelo menos, a gente não se chateia."

(Estudante anônimo, declarações colhidas no campus.)

63.

Supostamente, Simon deve ter um bom nível em inglês, mas o estranho é que o que é considerado a média na França, em matéria de domínio de uma língua estrangeira, sempre se revela amplamente insuficiente.

Assim, Simon só entende uma de três frases da conferência de Morris Zapp. Para desculpá-lo, é preciso dizer que o tema, sobre a desconstrução, não lhe é muito familiar, e envereda por conceitos difíceis ou pelo menos obscuros. Mas, afinal, justamente, ele esperava encontrar aí elementos de esclarecimento.

Bayard não está lá e Simon se alegra: ele teria sido insuportável.

Dito isso, já que a conferência lhe escapa amplamente, procura o sentido em outro lugar: nas inflexões irônicas de Morris Zapp, nos risos de entendidos do público (todos desejando evidenciar o fato de pertencerem de direito ao aqui-e-agora daquele anfiteatro — "mais um anfiteatro", pensa Simon, vítima de um mau reflexo estrutural paranoico que consiste em buscar *motivos recorrentes*) nas questões do auditório cujo teor nunca é o que realmente está em jogo, mas que mais parecem tentativas, senão de *desafiar* o mestre, pelo menos de se posicionar em relação aos outros ouvintes como um interlocutor legítimo dotado de espírito crítico afiado e de capacidades intelectuais superiores (numa palavra, de se *distinguir*, como diria Bourdieu). Simon adivinha, pelo tom de cada pergunta, a situação do emissor: *undergrad*, doutorando, professor, especialista, rival... Detecta sem dificuldade os chatos, os tímidos, os puxa-sacos, os arrogantes, e, os mais numerosos, aqueles que esquecem de fazer a pergunta, soltando intermináveis monólogos, inebriados pelas próprias palavras, movidos por essa necessidade imperiosa de dar sua opinião. Claramente, algo de existencial se representa nesse teatro de marionetes.

Mas, enfim, acaba captando uma passagem que prende sua atenção: *"The root of critical error is a naive confusion of litterature with life"*.* Isso o intriga, então ele pergunta ao vizinho, um quarentão inglês, se por acaso não poderia lhe fazer uma espécie de tradução simultânea ou pelo menos lhe resumir a fala, e como o inglês, a exemplo da metade do campus e de três quartos dos que foram para o colóquio, possui um excelente nível de francês, lhe explica que, segundo a teoria de Morris Zapp, há, na base da crítica literária, um erro metodológico original que consiste em confundir a vida com a literatura (Simon redobra de atenção), quando na verdade não é a mesma coisa, e não *funciona* da mesma maneira. "A vida é transparente, a literatura, opaca, diz o inglês. (Pensa Simon que é discutível.) A vida é um sistema aberto, a literatura, um sistema fechado. A vida é feita de coisas, a literatura é feita de palavras. A vida é mesmo aquilo

---

* "A raiz do erro crítico é uma ingênua confusão da literatura com a vida". (N. T.)

de que parece falar: quando se tem medo de avião, é questão de morte. Quando se paquera uma moça, é questão de sexo. Mas em *Hamlet*, mesmo o crítico mais débil percebe que não se trata de um homem que quer matar o tio, e que se trata de outra coisa."

Eis o que tranquiliza um pouco Simon, que não tem a menor ideia do que suas aventuras pessoais podem *falar*.

Com exceção da linguagem, evidentemente. Hum.

Morris Zapp prossegue a conferência num modo cada vez mais derridiano, pois agora afirma que compreender uma mensagem é decodificá-la, já que a linguagem é um código. Ora, "toda decodificação é uma nova codificação". De tal forma que, grosso modo, nunca se pode ter certeza de nada, e sobretudo, de que dois interlocutores se compreendam, pois ninguém pode ter certeza de que emprega as palavras exatamente no mesmo sentido que o interlocutor (inclusive na mesma língua).

Estamos bem, pensa Simon.

E Morris Zapp emprega essa surpreendente metáfora, que o inglês lhe traduz: "A conversação é, em suma, um jogo de tênis que se joga com uma bola de massa de modelar, que assume uma nova forma toda vez que bate na rede".

Simon sente o chão se desconstruir sob seus pés. Sai para fumar um cigarro e dá de cara com Slimane.

O jovem árabe espera o fim da conferência para falar com Morris Zapp. Simon pergunta o que quer lhe perguntar. Slimane responde que não tem o hábito de perguntar coisa nenhuma a pessoa nenhuma.

64.

"Sim, então, evidentemente, o paradoxo é que a chamada filosofia 'continental' tem hoje muito mais sucesso nos Estados

Unidos do que na Europa. Aqui, Derrida, Deleuze e Foucault são estrelas absolutas nos campi, enquanto na França não são estudados nas letras e são esnobados na filosofia. Aqui, são estudados em inglês. Para os departamentos de inglês, a *French Theory* foi o instrumento de um golpe que lhes permitiu passar de zero à esquerda nas ciências humanas a disciplina que engloba todas as outras, porque como a *French Theory* parte do postulado de que a linguagem está na base de tudo, então o estudo da linguagem equivale a estudar filosofia, sociologia, psicologia... É isso, o famoso *linguistic turn*. Com isso, os filósofos se irritaram e começaram a trabalhar também sobre a linguagem, os Searle, os Chomsky, passam boa parte do tempo a denegrir os franceses, na base de injunções à clareza, 'o que se concebe bem se enuncia claramente', e de desmistificações do tipo 'nada de novo sob o sol, Condillac já tinha dito, Anaxágoras não repetia outra coisa, eles todos chuparam de Nietzsche etc.'. Eles têm a impressão de terem perdido o papel de estrelas por causa de uns saltimbancos, bufões e charlatães, é normal que estejam furiosos. Mas é preciso dizer que Foucault é, de qualquer maneira, bem mais sexy que Chomsky."

(Estudante anônimo, declarações colhidas no campus.)

65.

É tarde, o dia foi marcado por conferências, o público foi numeroso e atento, a efervescência no campus diminui, provisoriamente. Aqui e ali ouvem-se risos de estudantes bêbados na noite.

Slimane está deitado, sozinho, no quarto que divide com Foucault, escutando seu walkman, quando batem à porta: "*Sir? There is a phone call for you*".*

---

* "Cavalheiro? Há uma ligação para o senhor". Mais abaixo: "Perdi meu inglês". (N. T.)

Slimane arrisca-se, prudente, no corredor. Já recebeu as primeiras ofertas, talvez um comprador potencial queira dar um lance. Pega o telefone na parede.

É Foucault, apavorado, que articula a duras penas: "Venha me buscar! Está recomeçando. *J'ai perdu l'anglais*".

Como Foucault conseguiu encontrar uma boate gay, SM para completar, naquele povoado, Slimane ignora. Ele entra num táxi e vai a um estabelecimento chamado The White Sink, situado nos arredores da cidade baixa. Os clientes usam calças de couro e bonés Village People, Slimane acha o ambiente algo simpático, a priori. Um grandalhão, armado de um chicote, quer lhe oferecer um drink, mas ele recusa polidamente e vai inspecionar os *backrooms*. Encontra Foucault sob o efeito de LSD (Slimane reconhece de imediato os sintomas), agachado no chão, no meio de três ou quatro americanos que parecem lhe dedicar uma solicitude interrogativa, seminu, com grandes lanhadas vermelhas no corpo, completamente abobalhado, só conseguindo repetir: "Perdi meu inglês! Ninguém me entende! Tire-me daqui!".

O táxi se nega a levar Foucault, provavelmente temendo que vomite nos assentos, ou então detesta bichas, e Slimane o põe de pé segurando-o pelos ombros e voltam andando para o hotel do campus.

Ithaca é uma cidadezinha de trinta mil habitantes (o dobro com os estudantes do campus) mas muito espalhada. A estrada é longa, as ruas desertas, é uma enfiada sem fim de casas de madeira, todas mais ou menos similares, cada uma com seu sofá e sua cadeira de balanço na varanda, algumas garrafas de cerveja vazias sobre mesas de centro, e cinzeiros cheios. (Ainda se fuma nos Estados Unidos, em 1980.) Há uma igreja de madeira a cada cem metros. Os dois homens cruzam vários riachos. Foucault vê esquilos por todo lado.

Um carro de polícia diminui a velocidade, emparelhado a

eles. Slimane distingue os rostos desconfiados dos policiais atrás da lanterna apontada para ele. Diz algo em francês, assumindo um ar jovial. Foucault emite um borborigmo. Slimane sabe que, para olhos treinados, o homem que se apoia nele parece não apenas bêbado mas completamente baratinado. Só espera que Foucault não tenha LSD no bolso. A patrulha hesita. E se vai, sem pará-los.

Chegam enfim ao centro da cidade. Slimane compra um waffle para Foucault num *diner* mantido por mórmons. Foucault grita: *"Fuck Reagan!"*.

Levam uma hora na subida da colina, e ainda assim, felizmente que Slimane tem a ideia de cortar pelo cemitério. No trajeto, Foucault repete: "Um bom velho clube-sanduíche e uma coca…".

Foucault tem uma crise de pânico nos corredores do hotel porque viu O *iluminado* logo antes de partir. Slimane o ajuda, Foucault pede um beijinho e dorme, sonhando com lutadores greco-romanos.

66.

"Não digo isso porque sou iraniano, mas Foucault só diz besteiras. Chomsky tem razão."

(Estudante anônimo, declarações colhidas no campus.)

67.

Simon simpatizou com uma jovem lésbica judia feminista, ao sair da conferência de Cixous sobre a escrita feminina. Chama-se Judith, vem de uma família judia da Hungria, prepara um ph.D. de filosofia e se interessa pela performatividade no sentido de que desconfia que o poder patriarcal recorreu a uma forma subreptícia de performativo para naturalizar a construção cultural que é o modelo de casal monogâmico heteronormado: em suma, a seu ver basta que o macho branco hétero declare que isto *é* para que isto *seja*.

A performatividade não é apenas a investidura dos cavaleiros, é também essa brincadeira retórica que consiste em transformar o resultado de uma relação de formas em evidência imemorial.

E sobretudo: "natural". A natureza, eis o inimigo. O argumento choque da reação: "antinatural", variante vagamente modernizada de tudo o que ia antigamente contra a vontade divina. (Deus, mesmo nos Estados Unidos, está um pouco cansado em 1980, mas a reação, de seu lado, jamais desarma.)

Judith: "A natureza é a dor, a doença, a crueldade, a barbárie e a morte. *Nature is murder*".* Ri ao parodiar o slogan dos *pro-life*.

Simon, para concordar com ela: "Baudelaire detestava a natureza".

Ela tem um rosto quadrado, um corte de estudante limpa e um ar de primeira da classe que está terminando ciências políticas, salvo que é uma feminista radical que não está muito longe de pensar, como Monique Wittig, que a lésbica não é uma mulher, pois uma mulher se define como o *suplemento* do homem, a quem é *por definição* submetida. O mito de Adão e Eva, em certo sentido, é o performativo original: a partir do momento em que se decreta que a mulher vem depois do homem, foi criada com um pedaço de homem e é quem faz as besteiras ao morder

---

* "Natureza é assassinato". (N. T.)

a maçã, que é ela a safada, e bem mereceu parir na dor, evidentemente, para ela está tudo ferrado. Era só o que faltava que se negasse a cuidar das crianças.

Chega Bayard, perdeu a conferência de Cixous, preferindo ir assistir a um treino do time de hóquei para, diz ele, farejar o ar do campus. Carrega uma cerveja metade vazia e um pacote de Chips. Judith olha para Bayard com curiosidade mas, ao contrário do que Simon pensaria, sem animosidade aparente.

"As lésbicas não são mulheres, e estão se lixando para você, para você e seu falogocentrismo." Judith ri. Simon ri junto com ela. Bayard pergunta: "De que se trata?".

68.

"Tire esses óculos pretos, não tem sol, você está vendo que o tempo está um horror."

Por mais que diga a lenda, Foucault está bastante indisposto depois de suas façanhas na noite passada. Mergulha um imenso cookie de noz-pecã dentro de um expresso duplo notavelmente bebível. Slimane o acompanha comendo um cheeseburger ao bacon e molho de gorgonzola.

O estabelecimento fica no alto da colina, na entrada do campus, do outro lado do desfiladeiro cortado por uma ponte de onde, às vezes, se jogam estudantes deprimidos. Eles não chegam realmente a saber se estão num pub ou num salão de chá. Na dúvida, Foucault, sempre curioso apesar da ressaca, quer pedir uma cerveja mas Slimane anula o pedido. A garçonete, provavelmente acostumada com os caprichos dos *visiting professors* e outras estrelas do campus, dá de ombros e bate os calcanhares recitando mecanicamente: "*No problem, guys. Let me know if you need anything. O.k.? I'm Candy, by the way*". Foucault resmunga: "*Hello, Candy. You're so sweet*". A garçonete não ouviu e talvez seja *for the best*,* pensa Foucault, que constata de passagem que seu inglês voltou.

Sente um contato no ombro. Levanta os olhos e, atrás dos óculos, reconhece Kristeva. Ela carrega na mão um copo fumegante do tamanho de uma garrafa térmica. "Como vai, Michel? Faz tempo." Foucault se recompõe instantaneamente. As feições de seu rosto se rearrumam, ele tira os óculos e oferece a Kristeva seu famoso sorriso, com todos os dentes de fora. "Julia, você está deslumbrante." Pergunta-lhe, como se tivessem se visto na véspera: "O que está bebendo?".

Kristeva ri: "Um chá horroroso. Os americanos não sabem fazer chá. Quando se esteve na China, sabe…".

Para evitar que nada transpareça sobre seu estado, Foucault engata:

"Sua conferência foi bem? Não pude assistir."

"Ah, sabe… Nada revolucionário."

Ela marca um tempo. Foucault ouve o estômago roncar. "As revoluções, guardo-as para as grandes ocasiões."

Foucault finge rir, depois se desculpa: "O café daqui me dá vontade de mijar, haha". Levanta-se e dirige-se na maior calma possível para o toalete, onde vai se esvaziar por todos os buracos.

Kristeva se senta no lugar dele. Slimane olha para ela, sem dizer nada. Ela notou a palidez de Foucault, sabe que não voltará do toalete antes de estar em condições perfeitas de dar o troco sobre seu estado físico, portanto considera que tem dois a três minutos diante de si.

"Disseram-me que você tinha alguma coisa que poderia encontrar um comprador aqui."

---

* "Sem problema. Me chamem se precisarem de alguma coisa, o.k.? Aliás, meu nome é Candy"; "Oi, Candy. Você é um doce"; "O melhor". (N. T.)

"Deve estar enganada, senhora."

"Creio, ao contrário, que você é que se prepara para cometer um erro, lastimável para todos."

"Não sei do que está falando, senhora."

"Estou pronta, no entanto, a me apresentar como compradora, pessoalmente, em troca de uma indenização substancial, mas o que eu gostaria, sobretudo, é de obter uma garantia."

"Que gênero de garantia, senhora?"

"A garantia de que ninguém mais se beneficiará dessa aquisição."

"E como conta obter essa garantia, senhora?"

"Cabe a você me dizer, Slimane."

Slimane nota o emprego do nome de batismo.

"Escute-me bem, puta imunda, não estamos em Paris, e não vi os seus dois cachorrinhos consigo. Se voltar a se aproximar de mim, eu te sangro como uma porca e te jogo no lago."

Foucault volta do banheiro, vê-se que passou água no rosto e sua aparência é impecável, ele enganaria perfeitamente, pensa Kristeva, não fosse algo doentio nos olhos. Poderia jurar que ele está prestes a dar uma conferência, e é aliás talvez o que vá fazer, e só gostaria de conseguir se lembrar da hora exata de sua intervenção.

Kristeva lhe devolve o lugar, desculpando-se. "Feliz de tê-lo conhecido, Slimane." Não lhe dá a mão porque sabe que ele não a pegaria. Ele não beberá em garrafas já abertas. Ele não utilizará o saleiro sobre a mesa. Ele evitará qualquer contato físico com quem quer que seja. Esse aí desconfia, e tem razão. Sem Nikolai, as coisas vão talvez ser um pouco mais complicadas. Mas nada, ela considera, que não esteja em condições de administrar.

69.

"Desconstruir um discurso consiste em mostrar como ele mina a filosofia à qual pretende, ou a hierarquia das oposições para as quais apela, identificando no texto as operações retóricas que conferem a seu conteúdo um fundamento presumido, seu conceito-chave ou suas premissas."

(Jonathan Culler, organizador do colóquio *Shift into Overdrive in the Linguistic turn.*)

70.

"Estamos, por assim dizer, na idade de ouro da filosofia da linguagem."

Searle faz sua conferência, e todo o mundinho universitário americano já sabe que será um ataque em regra a Derrida para vingar a honra de seu mestre Austin, o qual, estima o lógico americano, foi gravemente questionado pelo desconstrucionista francês.

Simon e Bayard estão na sala mas não entendem nada, ou muito pouco, porque é em inglês. Fala-se em *"speech acts"*, isso, tudo bem. Simon entende *"illocutory"*, *"perlocutionary"*. Mas o que quer dizer *"utterance"*?*

Derrida não foi, mas enviou emissários que não deixarão de lhe fazer um resumo: seu fiel lugar-tenente Paul de Man, sua tradutora Gayatri Spivak, sua amiga Hélène Cixous... A bem da verdade, todo mundo está lá, menos Foucault, que não se deu ao trabalho de se deslocar. Talvez conte com Slimane para lhe resumir a intervenção, ou então está pouco ligando.

* "Atos de fala"; "ilocutório"; "perlocucionário"; "elocução". (N. T.)

Bayard localizou Kristeva, e todas as pessoas que viu no refeitório, inclusive o velho de gravata de lã com um arbusto na cabeça.

Searle repete várias vezes que não é necessário relembrar isso ou aquilo, que ele não fará a injúria a seu honorável auditório de explicar este ou aquele ponto, que ali não é lugar de se demorar em evidências tão gritantes etc.

Ainda assim, o que Simon entende é que Searle pensa que, de fato, só sendo muito idiota para confundir "iterabilidade" e "permanência", linguagem escrita e linguagem falada, discurso sério e discurso fingido. Em suma, a mensagem de Searle é: *Fuck Derrida*.

Jeffrey Mehlman se inclina ao ouvido de Morris Zapp: "*I had failed to note the charmingly contentious. Searle had the philosophical temperament of a cop*".* Zapp ri. Estudantes atrás dele fazem psiu.

No final da conferência, um estudante faz uma pergunta: Searle pensa que a querela que o opõe a Derrida (já que, embora ele tenha tomado o cuidado de não nomear o adversário, todos entenderam quem era o objeto e o alvo de sua intervenção — murmúrios de aprovação na sala) é emblemática da confrontação entre duas grandes tradições filosóficas (analítica e continental)?

Searle responde num tom de cólera contida: "*I think it would be a mistake to believe so. The confrontation never takes place*". A compreensão de Austin e de sua teoria dos *speech acts* por "*some*

---

* "Eu deixei de anotar a charmosa controvérsia. Searle tinha o temperamento filosófico de um policial". Mais abaixo: "Penso que teria sido um erro acreditar nisso. A confrontação nunca acontece"; "Atos de fala"; "Alguns filósofos chamados de continentais"; "Como eu apenas demonstrei"; "Chega de gastar seu tempo com essas loucuras, jovem. Essa não é a forma séria como a filosofia funciona. Agradeço sua atenção". (N. T.)

philosophers so-called continental" foi tão confusa, tão aproximativa, tão recheada de erros e contrassensos, *"as I just gave the demonstration of it"*, que é inútil demorar-se mais tempo nisso. E Searle acrescenta, com ar de *clergyman* severo: *"Stop wasting your time with those lunacies, young man. This is not the way serious philosophy works. Thank you for your attention"*.

Depois, desafiando os cochichos da sala, levanta-se e vai embora.

Mas enquanto o público começa a se dispersar, Bayard avista Slimane, que vai atrás do conferencista. "Veja, Herzog! Parece que o árabe tem perguntas sobre o perlocutório...". Simon capta mecanicamente o racismo e o anti-intelectualismo larvares. Mas, afinal, atrás da conotação populista do sarcasmo, há mesmo assim uma verdadeira pergunta: o que Slimane pode querer com Searle?

71.

"Que se faça a luz. E a luz se fez." (Manuscritos do mar Morto, cerca do século II a.C., mais antiga ocorrência de performativo encontrada até hoje no mundo judeu-cristão.)

72.

Mal Simon aperta o botão do *elevator*, já sabe que sobe ao paraíso. As portas se abrem no andar dos *Romance Studies* e Simon penetra num labirinto de estantes com livros até o teto, iluminadas por fracos neons. O sol jamais se põe na biblioteca de Cornell, aberta vinte e quatro horas por dia.

Todos os livros que Simon poderia desejar estão ali, e os

outros também. Ele é o pirata na caverna do tesouro, com a diferença de que, se quiser levar um pedaço, bastará preencher um formulário. Simon toca na lombada dos livros com a ponta dos dedos, como se acariciasse as espigas de um campo de trigo do qual seria o dono. Eis o comunismo real: o que é de todos é meu, e vice-versa.

Nessa hora, porém, a biblioteca está aparentemente deserta.

Simon anda pela seção *Structuralism*. Nossa, um livro de Lévi-Strauss sobre o Japão?

Para na seção *Surrealism* e se extasia diante daquele muro de maravilhas: *Connaissance de la mort*, de Roger Vitrac... *Sombre printemps*, de Unica Zürn... *La Papesse du diable*, atribuído a Desnos... Raridades de Crevel em francês e inglês... Inéditos de Annie Le Brun e de Radovan Ivsic...

Um estalo. Simon se imobiliza. Ruídos de passos. Por reflexo, porque tem a impressão de que sua presença no meio da noite numa biblioteca universitária é necessariamente, senão ilegal, pelo menos, como dizem os americanos, *inapropriada*, esconde-se atrás das *Recherches sur la sexualité* do "escritório de pesquisas surrealistas".

Vê Searle passar pela correspondência de Tzara.

Ouve-o falar com alguém numa seção adjacente. Simon retira delicadamente a caixa encadernada dos doze números em fac-símile de *Révolution surréaliste* para ver melhor e, pela fresta, reconhece a grácil silhueta de Slimane.

Searle fala muito baixo mas Simon ouve distintamente Slimane lhe dizer: "Você tem vinte e quatro horas. Depois vendo a quem der mais". Em seguida, põe o walkman no ouvido e retorna para o elevador.

Mais Searle não vai com ele. Folheia distraído alguns livros. Quem pode dizer em que pensa? Simon tira do espírito aquela impressão de déjà-vu.

Querendo repor no lugar a *Révolution surréaliste*, Simon deixa cair um número da *Le Grand Jeu*. Searle levanta a cabeça, como um cão de guarda. Simon resolve se eclipsar o mais discretamente possível, e ziguezagueia em silêncio pelas estantes, enquanto ouve atrás de si o filósofo da linguagem apanhar a *Le Grand Jeu*. Imagina-o farejando a revista. Apressa-se quando ouve passos indo na direção dele. Atravessa a seção *Psychoanalisys* e entra na do *Nouveau roman* mas é um beco sem saída. Volta-se e leva um susto ao ver Searle avançar para ele, com um corta-papel numa das mãos, a *Le Grand Jeu* na outra. Mecanicamente, apanha um livro para se defender (*Le Ravissement de Lol V. Stein*, e não irá muito longe com isso, pensa, joga-o no chão e apanha outro: *La Route des Flandres* é melhor); Searle não levanta o braço como em *Psicose*, mas Simon tem certeza de que deverá proteger seus órgãos vitais contra a lâmina do corta-papel, quando ouvem abrirem-se as portas do elevador.

Simon e Searle, escondidos em seus becos, veem passar uma jovem de botas e um homem com físico de touro, que se dirigem para a fotocopiadora. Searle guardou o corta-papel no bolso, Simon baixou seu Claude Simon e, movidos pela mesma curiosidade, os dois observam o casal pela fresta das obras completas de Nathalie Sarraute. Ouve-se o ronrom e percebe-se a luz azulada da fotocopiadora, mas logo o homem-touro abraça a jovem debruçada sobre a máquina. Ela solta um suspiro imperceptível e, sem olhá-lo, põe a mão na sua braguilha. (Simon pensa no lenço de Otelo.) Sua pele é muito branca e seus dedos são muito compridos. O homem-touro desabotoa seu vestido e o faz escorregar a seus pés. Ela não usa sutiã nem calcinha, seu corpo parece uma pintura de Rafael, seus seios são pesados, sua cintura, fina, seus quadris, largos, seus ombros bem fornidos e seu sexo, depilado. Os cabelos pretos de corte quadrado dão ao rosto triangular uma luz de princesa cartaginesa. Searle e Simon arregalam os olhos quando ela se ajoelha para pegar na boca o sexo do homem-touro, eles querem ver se o sexo do homem é condizente com o do touro. Simon pousa *La Route des Flandres*. O touro levanta e vira a jovem e se enfia dentro dela, que se dobra afastando as nádegas com as próprias mãos enquanto ele a segura bloqueando sua nuca. Ele executa o que está em sua natureza de touro: joga-se em cima dela, primeiro lenta e pesadamente, depois com uma fúria crescente, e ouve-se a fotocopiadora bater contra a parede; ele a joga no chão, e ela lhe arranca um longo rugido que se espalha pelas aleias da biblioteca deserta (pensam eles).

Simon não consegue se desprender daquela visão de acasalamento jupiteriano, e no entanto, é preciso. Mas tem escrúpulos em interromper aquela magnífica trepada. À custa de um violento esforço de vontade, seu instinto de conservação o faz varrer a prateleira onde se amontoam os livros de Duras, que ele joga no chão. O barulho da queda imobiliza a todos. Os gritos param imediatamente. Simon olha para Searle, direto nos olhos. Contorna-o devagar, sem que este esboce o menor gesto. Quando se acha na aleia central, vira-se para a fotocopiadora. O homem-touro o encara, com o pau de fora. A jovem, lentamente, lançando-lhe um olhar de desafio, apanha o vestido e passa uma perna, e depois a outra, e depois dá as costas ao homem-touro para que este a abotoe. Simon se dá conta de que ela não tirou as botas. Ele foge pela escada de serviço.

Fora, no gramado do campus, encontra os jovens amigos de Kristeva, que, parece, dali não saíram faz três dias, a julgar pelos cadáveres de garrafas e sacos de chips que cobrem a relva ao redor. A convite deles, senta-se ao lado, oferecem-lhe uma cerveja e ele aceita, muito grato, o baseado que lhe estendem. Simon sabe que está fora de perigo (se é que houve perigo — está bem certo de ter visto o corta-papel?), mas não sente baixar no peito o nível de angústia. Há outra coisa.

Em Bolonha, ele se deita com Bianca num anfiteatro do século XVII e escapa de um atentado a bomba. Aqui, por pouco, não é apunhalado numa biblioteca noturna por um filósofo da linguagem e assiste a uma cena de trepada mais ou menos mitológica em cima de uma fotocopiadora. Encontrou Giscard no Elysée, cruzou com Foucault numa sauna gay, participou de uma perseguição de carro da qual foi vítima de uma tentativa de assassinato, viu um homem matar outro com um guarda-chuva envenenado, descobriu uma sociedade secreta onde se cortam os dedos dos perdedores, atravessou o Atlântico para recuperar um misterioso documento. Viveu em poucos meses mais acontecimentos extraordinários do que jamais pensaria viver durante toda a sua vida. Simon sabe reconhecer o lado romanesco quando o encontra. Repensa nos supranumerários de Umberto Eco. Dá uma tragada no baseado.

"*What's up, man?*"*

Simon faz o baseado circular. Desfila em sua cabeça, sem que ele consiga interrompê-lo, o filme dos últimos meses e, como é sua profissão, separa as estruturas narrativas, os adjuvantes, os oponentes, o alcance alegórico. Uma cena de sacanagem (ator), um atentado (bomba) em Bolonha. Um atentado (corta-papel), uma cena de sacanagem (espectador) em Cornell. (Quiasmo.) Uma perseguição de carro. Uma reescrita do duelo final de Hamlet. O motivo recorrente da biblioteca (mas por que ele pensa no Beaubourg?). As duplas de personagens: os dois búlgaros, os dois japoneses, Sollers e Kristeva, Searle e Derrida, Anastasia e Bianca... E, sobretudo, as inverossimilhanças: por que o terceiro búlgaro esperou que eles compreendessem que uma cópia do manuscrito ficara na casa de Barthes para ir remexer no apartamento? Como Anastasia, se for uma agente russa, conseguiu ser transferida, tão rapidamente, para uma ala do hospital onde estava Barthes? Por que razão Giscard não mandou prender Kristeva para entregá-la a uma de suas repartições que a teria torturado

---

* "O que você tem, cara?". (N. T.)

até que ela falasse, em vez de enviá-los para os Estados Unidos, Bayard e ele, para vigiá-la? Como é possível que o documento estivesse em francês e não em russo ou em inglês? Quem o traduziu?

Simon agarra a cabeça com as mãos, soltando um gemido.
"Acho que estou encurralado num romance filho da puta."
"What?"
"I think I'm trapped in a novel."
O estudante a quem se dirige cai para trás, sopra para o céu a fumaça do cigarro, olha as estrelas percorrerem o éter, dá um gole de cerveja no gargalo, apoia-se num cotovelo, deixa pairar um longo silêncio sobre a noite americana e diz: *"Sounds cool, man. Enjoy the trip".**

73.

"Assim, o paranoico participa dessa impotência do signo desterritorializado que o assalta de todos os lados na atmosfera escorregadia, porém, mais ainda, tem acesso ao sobrepoder do significante, no sentimento real da cólera, como dono da rede que se espalha na atmosfera."
(Guattari, declaração feita na conferência de Cornell, 1980.)

74.

"Ei, vai começar a conferência sobre Jakobson, mexa-se."
"Ah, não, chega, tive minha dose."
"Ah, mas pô, você é chato, tinha dito que topava ir. Vai ter

---

* "Parece legal, cara. Aproveite a viagem." (N. T.)

um monte de gente na sala. Vamos aprender uns troços... Largue esse cubo Rubik's!"

Clac clac. Bayard gira imperturbável as fileiras multicoloridas. Fez quase duas faces, das seis.

"Bem, o.k., mas daqui a pouco é Derrida, não podemos perdê-lo."

"Por quê? O que esse idiota tem de mais interessante que os outros?"

"É um dos pensadores vivos mais interessantes DO MUNDO. Mas a questão não é essa, seu débil mental. Ele se desentendeu severamente com Searle sobre a teoria de Austin."

Clac clac.

"A teoria de Austin é o performativo, lembra? O ilocutório e o perlocutório. Quando dizer é fazer. Como fazer coisas falando. Como se consegue, apenas falando com elas, que as pessoas façam coisas. Por exemplo, se eu dispusesse de uma força perlocutória mais consequente, ou se você fosse menos idiota, me bastaria lhe dizer 'conferência de Derrida' para que você pulasse e já tivéssemos ido reservar nossos lugares. É evidente que se a sétima função está passeando por aí, Derrida será atingido no primeiro grau."

"Que grau?"

"Pare de bancar o cretino."

"Por que todo mundo procura a sétima função de Jakobson se as funções de Austin estão disponíveis?"

"Os trabalhos de Austin são meramente descritivos. Explicam como a coisa funciona, mas não como fazer para que funcione. Austin descreve os mecanismos em ação quando você faz uma promessa ou quando profere uma ameaça ou quando se dirige ao interlocutor na intenção de fazê-lo agir de uma ou outra forma, mas não lhe diz como fazer para que o seu interlocutor acredite em você ou o leve a sério ou aja como você deseja. Apenas constata que um *speech act* pode dar certo ou errado, e enumera certas condições necessárias ao sucesso: por exemplo, é preciso ser juiz de paz ou juiz adjunto para que a frase "declaro-os marido e mulher" funcione. (Mas isso, é para os performativos puros.) Ele não diz como ter sucesso todas as vezes. Não é um modo de usar, é só análise, entende a nuance?"

Clac clac.

"E os trabalhos de Jakobson, não são só descritivos?"

"Ahn, sim, mas essa sétima função... É de crer que não."

Clac clac.

"Merda, não estou acertando."

Bayard não consegue terminar a segunda face do cubo.

Sente sobre ele o olhar acusador de Simon.

"Bem, é a que horas?"

"Não se atrase!"

Clac clac. Bayard muda de estratégia e, em vez de tentar fazer uma segunda face, tenta construir uma coroa em torno da primeira. Enquanto manipula o cubo com destreza crescente, pensa que não entendeu direito a diferença entre ilocutório e perlocutório.

Simon está a caminho da conferência sobre Jakobson, contente de ir assisti-la, com ou sem Bayard, mas ao cruzar o gramado do campus ouve uma gargalhada cuja sonoridade a um só tempo rouca e cristalina chama sua atenção, e quando se vira avista a moça morena da fotocopiadora. A princesa cartaginesa de botas de couro, mas vestida. Está conversando com uma asiática baixa e uma egípcia alta (ou libanesa, pensa Simon, que instintivamente notou o tipo árabe e a cruzinha no pescoço, uma maronita talvez, mas a seu ver mais parece uma copta). (A partir de que indício ele decide? Mistério.)

As três moças se dirigem alegres para a cidade alta.

Simon resolve segui-las.

Passam diante do prédio das ciências onde o cérebro de um serial killer supostamente genial, chamado Edward Rulloff, está conservado em formol.

Passam diante da escola de hotelaria, de onde escapa um cheiro gostoso de pão fresco.

Passam diante da escola veterinária. Concentrado na sua perseguição, Simon não vê Searle entrando no prédio com um saco grande de croquetes, ou então vê mas não julga conveniente decodificar essa informação.

Passam diante do prédio dos *Romance Studies*.

Atravessam a ponte, acima dos desfiladeiros, que separa o campus e a cidade.

Sentam à mesa de um pub que tem o nome do serial killer. Ele se senta discretamente no balcão.

Ouve a morena de botas dizer às amigas: "O ciúme não me interessa, a concorrência menos ainda... Estou cansada desses homens que têm medo do que eles querem...".

Simon acende um cigarro.

"Gosto de dizer que não gosto de Borges... Mas em que medida, a todo instante, eu me afundo..."

Ele pede uma cerveja, abrindo o *Ithaca Journal*.

"Não temo dizer que sou feita para o amor físico e poderoso."

As três moças caem na risada.

A conversa resvala para a leitura mitológica e sexista das constelações e para o perpétuo afastamento das heroínas gregas (Simon contabiliza mentalmente: Ariadne, Fedra, Penélope, Hera, Circe, Europa...).

Assim, ele também acaba perdendo a conferência sobre as estruturas vivas de Jakobson, porque preferiu ir espiar uma moça de cabelo preto que come um hambúrger com duas amigas.

75.

Há eletricidade no ar, todo mundo está ali, Kristeva, Zapp, Foucault, Slimane, Searle, a sala está lotada, gente saindo pelo ladrão, impossível sair do lugar sem pisar num estudante ou num professor, o público se agita como no teatro e o mestre chega: Derrida, *on stage*, é agora.

Ele sorri para Cixous, na primeira fila, faz um sinalzinho amistoso para sua tradutora Gayatri Spivak, avista amigos e inimigos. Localiza Searle.

Simon está lá, com Bayard. Estão instalados ao lado de Judith, a jovem lésbica feminista.

"A palavra da conciliação é o *speech act* pela qual com uma palavra, falando, se inicia, se oferece a reconciliação dirigindo-se ao outro, o que quer dizer, pelo menos, que antes dessa palavra havia guerra, sofrimento, traumatismo, ferimento..."

Simon localiza na sala a princesa cartaginesa da fotocópia, o que tem como efeito imediato perturbar suas faculdades de concentração, tanto assim que não consegue decodificar o subtexto das primeiras palavras de Derrida, que levam a crer que ele vai propor o apaziguamento.

E, de fato, Derrida volta calma e metodicamente à teoria de Austin, contra a qual se empenha em desenvolver certas objeções, no estrito respeito dos usos universitários, do modo aparentemente mais objetivo possível.

A teoria dos *speech acts*, que diz que a palavra é *também* um ato, isto é, que quem fala age ao mesmo tempo que fala, implica um pressuposto que Derrida contesta: a intencionalidade. A saber: que as intenções do locutor preexistam ao discurso e lhe sejam perfeitamente claras para ele mesmo, assim como para seu destinatário (admitindo que o destinatário seja claramente identificado.)

Se eu digo: "É tarde", é porque eu quero voltar para casa. Mas se, na verdade, eu desejasse ficar? Se eu desejasse que me retivessem? Que não me deixassem voltar para casa? Que me tranquilizassem dizendo: "Que nada, não é tarde"?.

Quando escrevo, será que sei realmente o que quero escrever? Será que o texto não se revela a si mesmo à medida que é formulado? (Algum dia se revela realmente?)

E embora eu saiba o que quero dizer, será que meu interlocutor o recebe exatamente como eu penso (como creio tê-lo pensado)? Será que o que ele compreende do que digo corresponde exatamente ao que creio querer lhe dizer?

Vê-se que essas primeiras observações dão um golpe sério nas teorias dos *speech acts*. À luz dessas modestas objeções, torna-se de fato perigoso avaliar a força ilocutória (e sobretudo perlocutória) em termos de sucesso ou insucesso, como faz Austin (em vez e no lugar de verdade ou falsidade, como a tradição filológica praticava até então).

Ouvindo-me dizer "é tarde", meus interlocutores pensaram que eu queria voltar para casa e se oferecem para me acompanhar. Sucesso? Mas se, na verdade, eu quisesse permanecer? Se alguém ou alguma coisa no fundo do meu ser desejasse ficar, sem que eu tivesse ao menos consciência disso?

"Na verdade, em que sentido Reagan pretende ser Reagan, presidente dos Estados Unidos? Quem saberá algum dia, em absoluto rigor? Ele?"

A sala ri. A atenção está no auge. Todo mundo esqueceu o *contexto*.

É o momento que Derrida escolhe para bater.

"Mas o que aconteceria se, prometendo a 'Sarl' criticá-lo, eu fosse ao encontro do que seu inconsciente deseja, por motivos a analisar, e fizesse tudo para provocar? Minha 'promessa' seria uma promessa ou uma ameaça?"

Bayard pergunta ao ouvido de Judith por que Derrida pronuncia "Sarl". Judith explica que, para caçoar de Searle, ele o chama assim: em francês, na medida em que ela entendeu, "Sarl" significa "Société à responsabilité limitée".* Bayard acha isso muito engraçado.

Derrida desenvolve:

"Qual é a unidade ou a identidade do locutor? Acaso ele é responsável pelos *speech acts* que seu inconsciente lhe dita? Pois eu também tenho o meu, que pode querer agradar a Sarl na medida em que ele quer ser criticado, que pode lhe fazer mal não o criticando, dar-lhe prazer não o criticando e lhe fazendo mal criticando-o, prometer-lhe uma ameaça ou ameaçá-lo com uma promessa, me oferecer também à crítica tendo prazer em dizer coisas '*obviously false*', desfrutar de minha fraqueza ou amar a exibição acima de tudo etc."

Evidentemente, toda a plateia se vira para Searle que, como se tivesse antecipado aquele momento, colocou-se exatamente no centro das arquibancadas. O homem sozinho no meio da multidão: pareceria um plano hitchcockiano. Seu rosto impassível não pisca sob o peso dos olhares. É muito simples, ele parece empalhado.

E, aliás, quando faço frases será realmente que falo? Como alguma pessoa poderia jamais dizer alguma coisa de original, de pessoal, de *próprio*, quando por definição a linguagem nos obriga a beber num tesouro de palavras preexistentes (o famoso tesouro da língua)? Quando somos atravessados por tantos agentes externos: nossa época, nossas leituras, nossos determinismos socioculturais, nossos "cacoetes" de linguagem tão preciosos para cuidarmos da identidade (como diríamos "cuidarmos da beleza"), os discursos de que somos constantemente bombardeados, sob todas as formas possíveis e imagináveis.

---

* Companhia limitada. (N. T.)

Quem nunca pegou em flagrante um amigo, um parente, um colega de trabalho ou um sogro repetindo quase palavra por palavra a argumentação que ele terá lido num jornal ou ouvido na tevê, como se fosse ele que falasse em seu nome próprio, como se tivesse se *apropriado* daquele discurso, como se fosse sua fonte e não estivesse atravessado por ele, retomando as mesmas fórmulas, a mesma retórica, os mesmos pressupostos, as mesmas inflexões indignadas, o mesmo ar entendido, como se não fosse um simples médium pelo qual a voz diferida de um jornal repete por sua vez as declarações de um homem político que, ele mesmo, lera num livro cujo autor, e assim por diante, a voz, dizia eu, nômade e sem origem de um locutor fantasma se expressava, comunicava, no sentido em que dois lugares se comunicam um com o outro por uma *passagem*.

Repetindo o que leu no jornal, em que medida a conversa do seu sogro não é uma *citação*?

Derrida retoma, como se nada fosse, o fio de sua fala. Aborda a outra questão central: a citacionalidade. Ou melhor, a iterabilidade. (Simon não garante ter compreendido a diferença.)

Para sermos *entendidos*, ao menos parcialmente, por nosso interlocutor, devemos empregar a mesma língua. Devemos *repetir* (*reiterar*) palavras que já foram usadas, sem o que nosso interlocutor não poderá entendê-las. Portanto, estamos sempre, fatalmente, numa forma de citação. Usamos as palavras dos outros. Ora, assim como para o disse me disse, é mais que provável, é inelutável, que ao longo das repetições empregaremos palavras dos outros, todos nós, tantos quantos somos, num sentido ligeiramente diferente uns dos outros.

A voz de Derrida, seu francês da África do Norte, torna-se mais solene e infla:

"Exatamente isso que garantirá, mais além deste momento, o funcionamento da marca (psíquica, oral, gráfica, pouco importa), a saber, a possibilidade de ser repetida outra vez, exatamente isso inicia, divide, expropria a plenitude e a presença em si 'ideais' da intenção, do querer-dizer e, *a fortiori*, da adequação entre *meaning* e *saying*."*

Judith, Simon, a jovem de cabelo preto, Cixous, Guattari, Slimane, toda a sala e até Bayard estão presos a seus lábios quando ele diz:

"Limitando exatamente isso que ela autoriza, transgredindo o código ou a lei que ela constitui, a iterabilidade inscreve, de modo irredutível, a alteração na repetição."

E acrescenta, imperial:

"O acidente nunca é um acidente."

76.

"A possibilidade da interferência já está lá, mesmo no que Sarl chama '*real life*', essa '*real life*' de que ele tem tanta certeza, com uma confiança (quase, *not quite*) inimitável, de saber o que ela é, onde começa e onde termina; como se o significado dessas palavras ('*real life*') pudesse imediatamente obter a unanimidade, sem o menor risco de interferência, como se a literatura, o teatro, a mentira, a infidelidade, a hipocrisia, a infelicidade (*infelicity*), a interferência, a simulação da *real life* não fizessem parte da *real life*!"

(Palavras ditas por Derrida durante a conferência de Cornell, 1980, ou sonhadas por Simon Herzog.)

---

* "Significado"; "dizer". (N. T.)

77.

Eles estão curvos como escravos antigos empurrando blocos de pedra, mas são estudantes que fazem rolar barris de cerveja, arfando. A noite será longa e precisam de reservas. A Seal and Serpent Society é uma velha "fraternidade" fundada em 1905, uma das mais prestigiosas e, portanto, segundo a terminologia americana, uma das mais "populares". Espera-se muita gente, pois esta noite se festeja o fim do colóquio. Todos os participantes estão convidados, e para o estudante comum é a última chance de ver as estrelas, até a próxima visita. Aliás, na entrada do solar vitoriano está escrito num lençol: "*Uncontrolled skid in the linguistic turn. Welcome*".* Se a entrada é teoricamente reservada aos estudantes de licenciatura (os *undergrads*), esta noite o solar recebe todas as idades. Isso, naturalmente, não significa que está aberto a todos: há sempre os que entram e os que ficam na porta, segundo critérios universais de peso social e/ou simbólico.

Slimane não corre o risco de esquecer isso, ele que na França é regularmente barrado, e tudo indica que ali vai ser a mesma história, já que dois estudantes fazendo-se de seguranças lhe barram a passagem, mas, sem que se saiba como nem em que língua, ele argumenta rapidamente e passa, com o walkman no pescoço, diante dos olhares invejosos dos rejeitados de cacharrel de malha acrílica.

A primeira pessoa em quem cai, lá dentro, está dizendo a um grupo de jovens: "*Heracleitus contains everything that is in Derrida and more*". É Cruella Redgrave, aliás Camille Paglia. Ela segura numa das mãos um mojito e na outra uma piteira, em cuja ponta se consome um cigarro preto que exala um perfume

---

* "Derrapagem descontrolada na curva da linguística. Bem-vindos". Mais abaixo: "Heráclito contém tudo o que está em Derrida e mais ainda". (N. T.)

adocicado. A seu lado, Chomsky conversa com um estudante salvadorenho que lhe explica que a Frente Democrática Revolucionária acaba de ser decapitada pelos paramilitares e as forças governamentais de seu país. Na verdade, não há mais oposição de esquerda em El Salvador, o que parece causar muita preocupação a Chomsky, que fuma nervosamente um baseado.

Por estar habituado com os *backrooms*, talvez, Slimane desce para ver o subsolo, de onde lhe chega "Die Young", de Black Sabbath. Lá encontra grupos de estudantes bem vestidos e já bêbados, que praticam desordenadamente o *lap dance*. Foucault está lá, de blusão de couro preto, sem os óculos (para saborear o nevoeiro da vida, pensa Slimane, que o conhece bem). Ele lhe dirige um aceno amical e lhe aponta uma estudante de saia que se enrosca em torno de um tubo de andaime como uma stripper. Slimane nota que ela está sem sutiã mas usa uma calcinha branca combinando com os Nike brancos e sua grande vírgula vermelha (como o carro de Starsky e Hutch, mas ao contrário).

Kristeva, que dança com Paul de Man, vê Slimane. De Man lhe pergunta em que ela está pensando. Ela responde: "Estamos nas catacumbas dos primeiros cristãos". Mas não tira o olho do gigolô.

Ele parece procurar alguém. Sobe a escada. Cruza com Morris Zapp na escada, que lhe dá um piscada. Do som vem "Misunderstanding", de Genesis. Ele pega um copinho de tequila. Atrás das portas dos quartos, ouve estudantes trepando ou já vomitando. Algumas portas estão abertas e ele vê gente fumando e bebendo cerveja, sentada de pernas cruzadas em camas de solteiro, falando de sexo, política ou literatura. Atrás de uma porta fechada, pensa reconhecer a voz de Searle, e uns gemidos estranhos. Torna a descer.

No grande hall de entrada, Simon e Bayard conversam com Judith, a jovem lésbica militante, que beberica um bloody mary com um canudinho. Bayard avista Slimane. Simon avista a morena de rosto de princesa cartaginesa, que chega com suas duas amigas, a asiática baixa e a egípcia alta. Um estudante grita: "Cordélia!". A princesa cartaginesa se vira. Beijos, efusões, o estudante logo vai lhe buscar um gim-tônica. Judith diz a Bayard e Simon, que não escuta: "O poder é entendido segundo o modelo de poder divino de nomear, de acordo com o qual emitir um enunciado equivale a criar o enunciado". Foucault sobe do subsolo com Hélène Cixous, apanha um Malibu Orange e desaparece nos andares. Judith aproveita para citar Foucault: "O discurso não é a vida, seu tempo não é o nosso". Bayard concorda. Rapazes se aglutinam ao redor de Cordélia e suas amigas, que parecem muito populares. Judith cita Lacan, que teria dito em algum lugar: "O nome é o tempo do objeto". Bayard se pergunta se igualmente não seria possível dizer que "o tempo é o nome do objeto", ou então "o tempo é o objeto do nome", até mesmo "o objeto é o nome do tempo", ou ainda "o objeto é o tempo do nome", ou simplesmente "o nome é o objeto do tempo", mas pega outra cerveja, dá um tapa no baseado que circula e solta esse grito sincero: "Mas já que vocês têm o direito de voto, o divórcio e o aborto!". Cixous quer falar com Derrida mas ele está cercado por uma massa compacta de jovens admiradores em transe. Slimane evita Kristeva. Bayard pergunta a Judith: "O que *você* quer?". Cixous ouve Bayard e se junta à conversa: "Um quarto para *nós*!". Sylvère Lotinger, o fundador da revista *Sémiotexte*, segura uma orquídea nos braços e fala com os tradutores de Derrida, Jeffrey Mehlman e Gayatri Spivak, que exclama: *Gramsci is my brother!*".* Slimane conversa com Jean-François Lyotard, sobre economia libidinal ou *transação* pós-moderna. Pink Floyd canta *"Hey! Teacher! Leave them kids alone!"*.

---

* "Gramsci é meu irmão"; "Ei, professor! Deixe as crianças em paz!". Mais adiante: "Fomos ensinados a dizer sim para o inimigo". (N. T.)

Cixous diz a Judith, Bayard e Simon que a nova história que está chegando ultrapassa a imaginação masculina, necessariamente, pois vai privá-los de sua ortopedia conceitual e começa por arruinar a máquina masculina de artimanhas, mas Simon já não escuta essa conversa. Olha para o grupo de Cordélia como quem contabiliza os efetivos do exército inimigo: seis pessoas, três rapazes e três moças. O que já seria extremamente difícil se ela estivesse sozinha, a saber, abordá-la, parece-lhe, nessa configuração, particularmente inconcebível.

No entanto, põe-se em marcha.

"Branca, física, com uma saia e joias baratas, eu represento todos os códigos de meu sexo e de minha idade", pensa ele, tentando entrar na cabeça da moça. Ao passar perto dela, ouve-a dizer num tom de mundanidade perfeitamente erótico: "Os casais são como os pássaros, inseparáveis, tagarelas, e batendo inutilmente as asas fora da gaiola". Não detecta nenhum sotaque. Um americano lhe faz uma observação em inglês que Simon não entende. Ela responde, primeiro em inglês (igualmente sem sotaque, pelo que ele pode julgar) mas, virando a cabeça para trás: "Eu nunca soube viver histórias de amor, vivi apenas romances". Simon vai buscar um copo, e até dois. (Ouve Gayatri Spivak dizer a Slimane: "*We were taught to say yes to the enemy*".)

Bayard aproveita sua ausência para pedir a Judith que lhe explique a diferença entre ilocutório e perlocutório. Judith diz que o ato de discurso ilocutório é *ele mesmo a coisa que ele efetua*, enquanto o ato perlocutório causa certos efeitos *que não se confundem* com o ato de discurso. "Por exemplo, se eu lhe pergunto: 'Acha que há quartos desocupados no primeiro andar?', a realidade ilocutória objetiva contida na pergunta é que o estou paquerando. *Ao fazer* essa pergunta, eu o paquero. Mas a implicação perlocutória se joga em outro nível: será que, sabendo que o paquero, minha proposição lhe interessa? O ato *ilocutório* terá sucesso ('*performed with success*') se você entender o meu convite. Mas o ato *perlocutório* só será realizado se você me seguir até um quarto. A nuance é sutil, não é? Aliás, nem sempre é estável."

Bayard resmunga alguma coisa incompreensível mas esse próprio resmungo indica que entendeu. Cixous sorri com seu sorriso de esfinge e diz: "Então, vamos *performar!*". Bayard segue as duas, que descobrem um engradado de cerveja e sobem a escada na qual Chomsky e Camille Paglia estão parados se dando beijos de língua. No corredor, cruzam com uma estudante latino-americana com uma blusa de seda da grife D&G, e de quem Judith compra uns comprimidos pequenininhos. Como Bayard não conhece essa marca, pergunta a Judith o que significam aquelas iniciais e Judith lhe diz que não se trata de uma marca mas das iniciais de "Deleuze&Guattari". Aliás, também figuram nos comprimidos.

Embaixo, um americano diz a Cordélia: *"You are the muse!"*.*

Cordélia faz um muxoxo de desdém que Simon pressente ser estudado, para valorizar os lábios carnudos: *"That is not enough"*.

É o momento que Simon escolhe para abordá-la, diante de todos os amigos dela, com a resolução de um mergulhador de Acapulco. Diz, como se estivesse apenas passando mas, tendo captado uma palavra no ar, não *pudesse* deixar de levar um susto, fingindo o melhor possível uma descontraída espontaneidade: "Claro, quem tem vontade de ser um objeto?". Silêncio. Ele pode ler nos olhos de Cordélia: "*O.k., now you have my attention*". Sabe que deve não só se mostrar urbano e culto como despertar sua curiosidade, provocá-la sem chocá-la demais, dar provas de espírito para excitar o dela, dosar a leveza e a profundidade, evitando o pedantismo e o preciosismo, jogar o jogo da comédia mundana,

---

* "Você é a musa". Mais abaixo: "Isso não basta"; "O.k., agora você tem minha atenção". (N. T.)

mas sugerindo que ninguém ali é bobo, e, naturalmente erotizar logo de cara a relação.

"Você é feita para o amor físico poderoso, e ama a iterabilidade das fotocopiadoras, não é? Um fantasma sublime nada mais é do que um fantasma realizado. Os que pretendem o contrário são mentirosos, são padres e exploradores do povo." Estende-lhe um dos dois copos que tem na mão. "Gosta de gim-tônica?"

O som toca "Sexy Eyes", do Dr. Hook. Cordélia pega o copo. Levanta-se como para fazer um brinde e diz: "Somos mentiras de confiança". Simon ergue o copo que guardou para si e bebe-o quase de uma talagada. Sabe que venceu o primeiro turno.

Por reflexo, dá uma olhada circular e avista Slimane, encostado no corrimão da escada, no patamar intermediário que leva ao primeiro andar, olhando do alto para a multidão amontoada no hall, fazendo com a mão livre o V de vitória, depois usando as duas mãos para desenhar uma espécie de cruz, com a mão formando a barra horizontal ligeiramente acima da mediana da mão vertical. Simon tenta localizar para quem dirige aquele sinal mas vê apenas estudantes e professores bebendo e dançando e flertando ao som de "Kids in America", de Kim Wilde, e sente que há algo estranho mas não sabe o quê. E o grupo cada vez mais compacto formado em torno de Derrida: é para ele que Slimane olha.

Não vê Kristeva nem o velho de cabelo de arbusto com a gravata de lã mas eles estão lá, e se conseguisse vê-los, se não estivessem, cada um, posicionados em lugares diferentes mas igualmente dissimulados na sombra dos convidados, veria que ambos estão com os olhos cravados em Slimane e saberia que ambos interceptaram o sinal que Slimane fez com as mãos, e adivinharia que ambos adivinharam que o sinal se dirigia a Derrida, também escondido atrás do círculo de fãs.

Também não vê mais o homem com pescoço de touro, que

trepou com Cordélia em cima da fotocopiadora, e que porém está lá e crava nela seus olhos de touro.

Procura Bayard na multidão mas não o encontra, *et pour cause*, pois Bayard está num quarto, no andar de cima, com uma cerveja na mão, uma substância química não identificada correndo nas veias, e conversando sobre pornografia e feminismo com suas novas amigas.

Ouve Cordélia dizer: "A Igreja, em sua grande mansuetude, ainda assim indagou no Concílio de Mâcon, em 585, se a mulher tinha alma…", e então ele acrescenta, para lhe agradar: "… E evitou encontrar a resposta".

A egípcia alta cita um verso de Wordsworth cuja procedência Simon não consegue encontrar. A asiática baixa explica a um italiano do Brooklyn que faz tese sobre o *queer* em Racine.

Alguém diz: "É bem sabido que o psicanalista já não fala, e que não interpreta mais que isso".

Camille Paglia berra: *"French go home! Lacan is a tyrant who must be driven from our shores".**

Morris Zapp ri e lhe grita no hall: *"You're damn'right, General Custer!".*

Gayatri Spivak pensa: *"You're not the granddaughter of Aristotle, you know?".*

No quarto, Judith pergunta a Bayard: "E onde você trabalha de verdade?". Bayard, tomado de surpresa, responde bobamente, esperando que Cixous não perceba: "Faço pesquisa… Em Vincennes". Mas, evidentemente, Cixous levanta uma sobrancelha,

---

* "Francês, vá embora! Lacan é um tirano que precisa ser levado de nossas margens"; "Você está mais que certo, general Custer!"; "Você não é a avó de Aristóteles, sabe?". Mais adiante: "Como vai a Greek life?"; "Ah, sim, é uma ótima ideia! Vamos ao cemitério!". (N. T.)

e então ele olha direto para ela e diz: "Em direito". Cixous levanta a outra sobrancelha. Não só nunca viu Bayard em Vincennes, como não existe Departamento de Direito. Para disfarçar, Bayard lhe passa a mão sob a blusa e aperta um seio por cima do sutiã. Cixous reprime uma expressão de surpresa mas resolve não reagir quando Judith põe a mão no outro seio.

Uma *undergrad* chamada Donna juntou-se ao grupo de Cordélia, que lhe pede notícias de sua sororidade: *"How is Greek life so far?"*. (A *Greek life* é o nome que se dá ao sistema de *fraternidades* e de *sororidades* porque a maioria delas é designada pelas letras do alfabeto grego.) Justamente, Donna e suas amigas pensam em organizar a reconstituição de uma bacanal. A ideia diverte loucamente Cordélia. Simon reflete: pensa que Slimane quis marcar encontro com Derrida. O sinal que fez não é o V de vitória mas a hora. Duas horas, mas onde? Se fosse numa igreja, Slimane teria feito um sinal da cruz padrão, e não aquele gesto esquisito. Ele pergunta: "Há um cemitério por aqui?". A jovem Donna bate palmas: *"Oh yeah! That's a great ideia! Let's go to the cemetary!"*. Simon quer dizer que não é o que queria dizer, mas Cordélia e amigas parecem tão seduzidas pela proposta que ele não diz nada.

Donna diz que vai buscar o *material*. O som toca "Call Me", de Blondie.

Já é quase uma da manhã.

Ele ouve alguém dizer: "O sacerdote interpretativo, o adivinho, é um dos burocratas do deus-déspota, sabe? Mais um aspecto da vigarice do sacerdote, porra: a interpretação vai ao infinito, e nunca encontra algo a interpretar que já não seja, por sua vez, uma interpretação!". É Guattari, visivelmente bastante alterado, que paquera uma inocente doutoranda do Illinois.

Seja como for, precisa avisar Bayard.

O som ricocheteia a voz de Debbie Harry, que canta: "*When you're ready, we can share the wine*".*

Donna volta com um nécessaire e diz que podem ir.

Simon se precipita para os andares a fim de dizer a Bayard que o encontre no cemitério às duas da madrugada. Abre todas as portas, encontra todo tipo de estudante piradão, mais ou menos ativo, encontra Foucault se masturbando defronte de um pôster de Mick Jagger, encontra Andy Warhol escrevendo poemas (na verdade, é Jonathan Culler que preenche uns recibos), encontra uma estufa com pés de marijuana até o teto, encontra até mesmo estudantes comportados que assistem ao beisebol num canal de esportes, fumando crack, e finalmente encontra Bayard.

"Oh, desculpe!"

Fecha de novo a porta mas tem tempo de ver Bayard encaixado entre as pernas de uma mulher, que ele não consegue identificar, enquanto Judith o enraba com um consolo preso à cintura, gritando: "*I am a man and I fuck you! Now you feel my performative, don't you?*".

Impressionado pela visão, não tem a presença de espírito de deixar um recado e se apressa em descer de novo para se juntar ao grupo de Cordélia.

Cruza com Kristeva na escada, sem prestar atenção nela.

Sente que não está seguindo o protocolo de urgência, mas a pele branca de Cordélia exerce uma atração forte demais. Afinal, ele estará no local do encontro, pensa tentando legitimar uma estratégia da qual sabe muito bem que não é ditada por outra lógica que não a de seu desejo.

Kristeva bate à porta de onde escapam grunhidos estranhos.

* "Quando você estiver pronto, podemos dividir o vinho." Mais adiante: "Eu sou um homem e te fodo! Agora você sente o meu performativo, não sente?". (N. T.)

Searle abre. Ela não entra mas lhe diz algo em voz baixa. Depois, se dirige para o quarto onde viu entrarem Bayard e suas duas amigas.

O cemitério de Ithaca fica na encosta da colina, é arborizado, os túmulos parecem espalhados de maneira anárquica, no meio das árvores. Não há outra luz além da lua e das que vêm da cidade. O grupo se reúne em torno da sepultura de uma mulher que morreu muito jovem. Donna explica que vai recitar as confidências da Sibila, mas que deve preparar a cerimônia chamada de "nascimento do homem novo" e que se precisa de um voluntário. Cordélia aponta Simon. Ele gostaria de pedir detalhes mas se deixa levar quando ela começa a despi-lo. Ao redor, umas dez pessoas foram assistir ao espetáculo, e para Simon parecem uma pequena multidão. Quando ele está completamente nu, ela o deita na grama, ao pé da sepultura e lhe cochicha: "*Relax. Vamos matar o homem antigo*".

Todos beberam bem, todos estão muito desinibidos, portanto, tudo aquilo *pode* se produzir *realmente*, pensa Simon.

Donna entrega o nécessaire a Cordélia, que tira dali uma navalha de barbeiro, abrindo-a solenemente. Como Simon ouve Donna evocar Valerie Solanas em seu preâmbulo, não está absolutamente tranquilo. Mas Cordélia também pega um spray de espuma de barbear e lhe espalha a espuma no púbis, que ela começa a raspar com precaução. Um ato de castração simbólica, compreende Simon, que acompanha atentamente a operação, tanto mais que sente os dedos de Cordélia mexerem delicadamente no seu pênis.

"*In the beginning, no matter what they say, there was only a goddess. One goddess and one only.*"*

---

* "No início, pouco importa o que eles dizem, havia só uma deusa. Uma deusa

Seja como for, preferiria que Bayard estivesse ali.

Mas Bayard fuma um cigarro no escuro, nu, deitado sobre o carpete do quarto de estudante, entre os corpos nus de suas duas amigas, sendo que uma pegou no sono, com os braços cruzados em seu peito, a mão fechada sobre a da outra.

"In the beginning, no matter what they think, women were all and one. The only power then was female, spontaneous, and plural."

Bayard pergunta a Judith por que se interessou por ele. Judith, aninhada em seu ombro, emite um miado e responde, com seu sotaque de judia do Midwest: "Porque você não parecia no seu lugar, aqui".

"The goddess said: 'I came, that is just and good'."

Batem à porta do quarto, alguém entra, Bayard se ajeita e reconhece Kristeva, que lhe diz: "O senhor deveria se vestir".

"The very first goddess, the very first female powers. Humanity by, on, in her. The ground, the atmosphere, water, fire. Language."

Ouvem-se duas badaladas numa igreja.

"Thus came the day when the little prankster appeared. He didn't look like much but was self-confident. He said: 'I am God, I

---

e mais nenhuma". Mais adiante: "No início, pouco importa o que pensam, as mulheres eram todas e uma. Então, o único poder era feminino, espontâneo e plural"; "Disse a deusa: 'Eu vim, o que é justo e bom'"; "A primeira deusa, a primeira potência do sexo feminino. Humanidade, por, sobre, nela. O solo, a atmosfera, água, fogo. Língua"; "Assim chegou o dia em que o pequeno brincalhão apareceu. Ele não parecia muito mas era autoconfiante. Disse ele: 'Eu sou Deus, eu sou o filho do homem, eles precisam de um pai para quem rezar. Eles saberão como ser fiel a mim: Eu sei como se comunicar"; "Assim o homem impôs a imagem, as regras e a veneração de todos os corpos humanos dotados de um pau"; "O verdadeiro está fora de controle. O verdadeiro fabrica histórias, lendas e criaturas"; "A cavalo em um túmulo, vamos alimentar nossos filhos com as entranhas de seus pais"; "Formamos com a boca a respiração e a força da Sororidade. Somos uma e muitas, somos uma legião feminina". (N. T.)

am the son of man, they need a father to pray to. They will know how to be faithful to me: I know how to communicate'."

O cemitério fica a uma centena de metros. Os ruídos da festa ressoam sobre os túmulos e conferem à cerimônia ritual um pano de fundo sonoro definitivamente anacrônico: o som toca *Gimme! Gimme! Gimme! (A Man after Midnight)*, de ABBA.

"Thus man imposed the image, the rules, and the veneration of all human bodies endowed with a dick."

Simon vira a cabeça para esconder o constrangimento e a excitação, e é então que distingue, a algumas dezenas de metros, duas silhuetas que se juntam sob uma árvore. Vê a silhueta mais esguia passar os fones do walkman pelo pescoço da silhueta mais atarracada, a qual segura uma mochila. Compreende que Derrida verifica a mercadoria, e que a mercadoria é uma fita cassete na qual está registrada a sétima função da linguagem.

"The real is out of control. The real fabricates stories, legends, and creatures."

Diante de seus olhos, Derrida, a uns poucos metros, ao pé de uma árvore, no meio dos túmulos do cemitério de Ithaca, está ouvindo a sétima função da linguagem.

"On horseback on a tomb, we will feed our sons with the entrails of their fathers."

Simon gostaria de intervir mas nenhum músculo de seu corpo consegue se mexer para que ele se levante, nem sequer o músculo de sua língua, que ele sabe, porém, ser o mais poderoso do corpo, para proferir alguma palavra, tanto mais que a etapa que se segue à castração simbólica é a do renascimento simbólico e que o advento do homem novo é aqui simbolizado por uma felação. Ora, quando Cordélia o pega na boca, e que ele sente o calor das mucosas da princesa cartaginesa se espalharem em cada parcela de seu ser, sabe que está perdido para essa missão.

"We form with our mouths the breath and the power of the Sorority. We are one and many, we are a female legion..."

O negócio vai se concretizar, e ele nada terá feito para impedi-lo.

No entanto, virando a cabeça para trás, avista, no alto da colina, iluminado pelas luzes do campus, visão irreal, e essa própria irrealidade o angustia mais que a realidade eventual da visão, um homem que segura na coleira dois cães de fila.

Está muito escuro mas ele sabe que é Searle. Os cães latem. Os espectadores da cerimônia ritual, surpresos, olham na direção dele. Donna interrompe a prece. Cordélia para de chupar Simon.

Searle faz um barulho com a boca e solta os dois cães, que disparam em direção de Slimane e Derrida. Simon se levanta e corre até eles para ajudá-los, mas se sente subitamente agarrado por um punho poderoso: é o homem do pescoço de touro, aquele que trepou com Cordélia em cima da fotocopiadora, que o agarra pelo braço e lhe tasca um baita murro na cara. Simon, no chão, nu e impotente, vê os dois cães pularem em cima do filósofo e do gigolô, ambos derrubados.

Gritos e grunhidos se misturam.

O homem de pescoço de touro, hermético ao drama que se passa às suas costas, quer visivelmente acabar com aquilo, Simon ouve insultos em inglês, entende que o indivíduo gostaria de certa exclusividade nas relações corporais com Cordélia, e enquanto isso os dois cães vão estraçalhar Slimane e Derrida.

Os gritos misturados de homens e animais petrificaram os aprendizes de bacantes e seus amigos. Derrida rola entre os túmulos, arrastado pela colina, com o cão furioso atrás dele. Slimane, mais jovem e mais forte, bloqueou o maxilar do animal com o antebraço, mas a pressão exercida sobre os músculos e o osso é tamanha que ele vai desmaiar em um segundo, e nada mais poderá impedir o animal de devorá-lo, mas de repente ele ouve um guincho e vê Bayard surgir de lugar nenhum, enfiando os dedos na cabeça do cão e lhe furando os olhos. O cão emite um ganido terrível e foge, batendo nas sepulturas.

Depois Bayard sai desabalado pela colina para ajudar Derrida, que continua a rolar.

Agarra a cabeça do segundo cão para lhe quebrar a nuca mas o cão se vira contra ele e o desequilibra; bloqueia as patas dianteiras mas a boca arreganhada está a dez centímetros de seu rosto, então Bayard enfia a mão no bolso do paletó e tira o cubo Rubik's, com as seis faces perfeitamente combinadas, e o enfia na goela do animal, até o esôfago. O cão solta um grunhido imundo, bate com a cabeça nas árvores, rola na grama, tem uma convulsão e morre sufocado pelo brinquedo.

Bayard arrasta a forma humana que jaz ali pertinho. Ouve um gluglu horrível. Derrida sangra abundantemente. O cão, literalmente, lhe pulou na garganta.

Enquanto Bayard está ocupado em matar os cães e Simon em parlamentar com o homem-touro, Searle se precipita para cima de Slimane, que continua no chão. Agora que ele entendeu onde estava escondida a sétima função, quer, evidentemente, recuperar o walkman. Vira Slimane para cima, e ele geme de dor, apanha o aparelho, aperta a tecla *eject*.

Mas o lugar da fita está vazio.

Searle dá um grito de bicho furioso.

Aparece um homem saindo de trás de uma árvore. Usa uma gravata de lã e um penteado que combina com o ambiente. Talvez estivesse escondido desde o início.

Em todo caso, segura uma cassete na mão.

Cuja fita magnética ele desenrola.

Com a outra mão, gira a rodinha de um isqueiro.

Searle, horrorizado, grita: "*Roman, don't do that!*".

O velho de gravata de lã põe a chama do Zippo em contato

com a fita magnética, que se incendeia instantaneamente. De longe, é apenas um pequeno clarão verde que perfura a noite.

Searle grita como se lhe arrancassem o coração.

Bayard se vira. O homem de pescoço de touro também. Simon consegue enfim se soltar. Dirige-se para o homem-arbusto como um sonâmbulo (está nu em pelo) e pergunta, com voz pálida: "Quem é o senhor?".

O velho ajusta a gravata e diz simplesmente: "Roman Jakobson, linguista."

O sangue de Simon gela.

Bayard, mais embaixo, não tem certeza de ter ouvido. "O quê? Ele disse o quê? Simon!"

As últimas chamas da fita magnética crepitam antes de virar cinza.

Cordélia correu para perto de Derrida. Rasga o vestido para lhe fazer uma atadura em volta do pescoço. Espera deter a hemorragia.

"Simon?"

Simon nada responde mas reconstitui mentalmente o diálogo mudo com Bayard: Por que não ter lhe dito que Jakobson estava vivo?

"Você nunca me perguntou."

A verdade é que Simon nunca pensou que o homem que estava na origem do Estruturalismo, aquele que pegou o barco com André Breton em 1941 para fugir da França ocupada, o formalista russo da Escola de Praga, um dos mais importantes fundadores da linguística depois de Saussure, ainda podia estar vivo. Para Simon, ele pertencia a outra época. A de Lévi-Strauss, não a de Barthes. Ri da besteira desse raciocínio: Barthes morreu mas Lévi-Strauss está vivo, então, por que não Jakobson?

Jakobson desce os poucos metros que o separam de Derrida, tomando cuidado para não tropeçar numa pedra ou num monte de terra.

O filósofo está deitado, com a cabeça no colo de Cordélia. Jakobson pega sua mão e lhe diz: "Obrigado, meu amigo". Derrida articula, fraco: "Eu teria escutado a fita, sabe. Mas teria guardado o segredo". Levanta os olhos para Cordélia, aos prantos: "Sorria-me como lhe terei sorrido até o fim, minha bela menina. Prefira sempre a vida e afirme incessantemente a sobrevida...".

E, com essas palavras, Derrida morre.

Searle e Slimane desapareceram. A mochila também.

78.

"Não é irrisório, ingênuo e propriamente pueril apresentar-se diante de um morto para lhe pedir perdão?"

Nunca o pequeno cemitério de Ris-Orangis vira tamanha afluência. Perdido no subúrbio parisiense, à beira da estrada Nationale 7, bordejado por pequenos conjuntos habitacionais dispostos em forma de espiga, o lugar é esmagado por um silêncio como só as multidões sabem produzir.

Diante do caixão, acima da fossa, Michel Foucault pronuncia a homenagem fúnebre.

"Por fervor amical ou agradecido, por aprovação também, contentar-se em citar, em acompanhar o que cabe ao outro, mais ou menos diretamente, deixar-lhe a palavra, apagar-se diante dela... Mas esse excesso de fidelidade acabaria por nada dizer, e nada intercambiar."

Derrida não será enterrado na quadra judaica mas junto com os católicos para que, chegando o momento, sua mulher possa juntar-se a ele.

Na primeira fila dos presentes, Sartre escuta Foucault, com ar grave, cabeça baixa, ao lado de Etienne Balibar. Não tosse. Parece um fantasma.

"Jacques Derrida é o nome de quem não pode mais ouvi-lo nem carregá-lo."

Bayard pergunta a Simon se ao lado de Sartre é Simone de Beauvoir.

Foucault fala como Foucault: "Como acreditar no contemporâneo? Assim como parecem pertencer à mesma época, delimitada em termos de datação histórica ou de horizonte social etc., seria fácil mostrar que seus tempos permanecem infinitamente heterogêneos e, a bem da verdade, sem relação".

Avital Ronell chora baixinho, Cixous se encosta em Jean-Luc Nancy e fixa a vala com um olhar sem expressão, Deleuze e Guatarri meditam sobre as singularidades seriais.

Os três pequenos conjuntos habitacionais, com a pintura descascada, varandas enferrujadas, olham do alto para o cemitério como sentinelas ou dentes fincados no mar.

Em junho de 1979, durante os "estados gerais da filosofia" organizados no Grande Anfiteatro da Sorbonne, Derrida e BHL literalmente se estapearam, mas BHL está presente no enterro daquele que, em breve, ou já, ele chamará de "meu velho mestre".

Foucault prossegue: "Contrariamente ao que costuma se pensar, os 'sujeitos' individuais que habitam as zonas mais incontornáveis não são 'superegos' autoritários, não dispõem de um poder, a supor que alguém disponha do poder".

Sollers e Kristeva também foram, é claro. Derrida participara do *Tel Quel*, no início. *La Dissémination* foi publicado na coleção "Tel Quel", mas eles romperam em 1972, sem que se saiba muito bem quais foram o elemento político e o elemento pessoal da ruptura. No entanto, em dezembro de 1977, quando Derrida foi preso em Praga, numa cilada montada pelo regime comunista que pusera droga em sua bagagem, ele recebera e aceitara o apoio de Sollers.

Bayard ainda não recebeu a ordem de prender Sollers nem

Kristeva. Não tem provas, a não ser a conexão búlgara, de sua implicação na morte de Barthes. Mas, sobretudo, não tem a prova, embora tenha a quase certeza, de que eles estão com a sétima função.

Foi Kristeva que preveniu Bayard do encontro no cemitério de Ithaca, e ele pensa que foi ela que preveniu Searle. A hipótese de Bayard é que ela desejava que a transação fracassasse, por isso reuniu todos os atores, multiplicando assim as potenciais interferências, porque ignorava ou não queria acreditar que Derrida, de comum acordo com Jakobson, trabalhava pela destruição da cópia. Jakobson sempre pensou que sua descoberta não devia ser levada ao conhecimento do mundo. Para isso, ajudara Derrida a juntar o dinheiro a fim de comprar de Slimane a fita cassete.

Enquanto Foucault prossegue sua oração, uma mulher se esgueira atrás de Simon e Bayard.

Simon reconhece o perfume de Anastasia.

Ela lhes cochicha algo ao ouvido e, instintivamente, os dois homens não se viram.

Foucault: "O que se chamava mais acima 'na morte', 'por ocasião da morte': toda uma série de soluções típicas. As piores ou a pior de cada uma delas, ignóbil ou irrisória, tão frequente porém: manobrar de novo, especular, subtrair um benefício, fosse ele sutil ou sublime, tirar do morto uma força suplementar dirigida contra os vivos, denunciar, injuriar mais ou menos diretamente os sobreviventes, se autorizar, se legitimar, se alçar à altura em que a morte, presume-se, eleva o outro ao abrigo de qualquer suspeita".

Anastasia: "Breve haverá um grande acontecimento organizado pelo Clube Logos. O grande Protágoras foi desafiado. Porá em jogo o seu título. Isso será motivo para uma grande sessão. Mas só as pessoas credenciadas poderão assistir".

Foucault: "Em seu tipo clássico, a oração fúnebre tinha

algo bom, sobretudo quando permitia interpelar diretamente a morte, às vezes tratá-la com intimidade. Ficção suplementar, sem dúvida, é sempre o morto em mim, sempre os outros em pé em torno do caixão que, assim, eu interpelo, mas por seu excesso caricatural a especulação dessa retórica marcava, pelo menos, que não mais devíamos ficar entre nós".

Bayard pergunta onde será a reunião. Anastasia responde que será em Veneza, num lugar mantido secreto que provavelmente ainda não foi escolhido pois o "organismo" para o qual ela trabalha não conseguiu localizá-lo.

Foucault: "É preciso interromper o comércio dos sobreviventes, rasgar o véu do outro, do outro morto dentro de nós, mas o outro, e as garantias religiosas de sobrevivência ainda podiam satisfazer a esse 'como se'".

Anastasia: "Quem vai desafiar o grande Protágoras é aquele que roubou a sétima função. Vocês terão o *motivo*".

Nem Searle nem Slimane foram encontrados. Mas não é para eles que se dirigem as suspeitas. Slimane queria vender. Searle queria comprar. Jakobson ajudou Derrida a dar um lance, Kristeva fez tudo para que a transação fracassasse e Derrida morreu. Os dois homens continuam a correr, e um deles tem o dinheiro, mas do ponto de vista do chefe de Bayard não é isso que importa.

Ele precisa mesmo, pensa Bayard, é de um flagrante delito.

Simon pergunta como conseguir a credencial. Anastasia responde que é preciso ser pelo menos nível seis (tribuno) e que haverá um grande torneio de qualificação especialmente organizado para a ocasião.

"O romance é um morto; ele faz da vida um destino, da lembrança, um ato útil, e da duração, um tempo dirigido e significativo."

Bayard pergunta a Simon por que Foucault fala de romance.

Simon responde que com certeza é uma citação, mas ele mesmo se faz essa pergunta, que, decididamente, considera angustiante.

79.

Searle, debruçado na ponte, mal distingue a água no fundo do desfiladeiro, mas ouve-a correr na penumbra. É noite em Ithaca e o vento serpenteia no corredor de vegetação formado pela Cascadilla Creek. O rio, encaixado em seu leito de pedras e musgo, segue sua corrente, indiferente aos dramas dos homens.

Um casal de estudantes de mãos dadas atravessa a ponte. A essa hora, não há muita gente passando. Ninguém presta atenção em Searle.

Se pelo menos tivesse sabido, se pelo menos tivesse conseguido...

É tarde para refazer a história.

Sem uma palavra, o filósofo da linguagem passa a perna pelo parapeito, mantêm-se em equilíbrio, dá uma olhada para o abismo, contempla uma última vez as estrelas, solta-se e cai.

Apenas um ramo: um respingo. Breve cintilação de espuma no breu.

O rio não é profundo o suficiente para amortecer o choque, mas as corredeiras levam o corpo para as quedas do lago Cayuga, onde antigamente pescavam índios que, provavelmente — mas quem sabe? — conheciam poucas coisas sobre o ilocutório e o perlocutório.

QUARTA PARTE

Veneza

80.

"Tenho quarenta e quatro anos. Isso significa que sobrevivi a Alexandre, morto aos trinta e dois anos, a Mozart, morto aos trinta e cinco, a Jarry, trinta e quatro, a Lautréamont, vinte e quatro, a Lord Byron, trinta e seis, a Rimbaud, trinta e sete, e ao longo de toda a vida que me resta ultrapassarei todos os grandes homens mortos, todos os gigantes que fizeram sua época, portanto, se Deus me der vida, verei passarem Napoleão, César, Georges Bataille, Raymond Roussel… Mas não!… Morrerei jovem… Sinto isso… Não me tornarei ossos velhos… Não terminarei como Roland… Sessenta e quatro anos… Patético… No fundo, nós lhe prestamos um tremendo favor… Não, não… Não me tornarei um velho bonito… Aliás, isso não existe… Prefiro me consumir… Um pavio curto, e pronto…"

81.

Sollers não gosta do Lido mas fugiu da multidão do Carnaval e encontrou refúgio, em lembrança de Thomas Mann e Visconti, no Grand Hôtel des Bains, onde se passa a ação do muito contemplativo *Morte em Veneza*. Pensou que ali poderia meditar à vontade, defronte do Adriático, mas por ora está no bar e paquera a garçonete bebericando um uísque. No fundo do salão deserto, um pianista toca Ravel sem convicção. É preciso dizer que estamos no meio de uma tarde de inverno e, se não há perigo de cólera, o tempo não está propício para banho de mar.

"Como é seu nome, minha querida menina? Não, não me diga nada! Vou *batizá-la* Margherita, como a amante de Lord Byron. Era filha de um padeiro, sabe? *La Fornarina*... Temperamento de fogo e coxas de mármore... Tinha os seus olhos, é claro. Andavam a cavalo pela praia, era loucamente romântico, não acha? Meio cafona, talvez, sim, tem razão... Quer que lhe ensine a montar, daqui a pouco?"

Sollers pensa neste trecho de *Chile Harold*: "A cidade viúva de seu doge...". O Doge não pode mais se casar com o mar, o Leão já não mete medo: trata-se mesmo de uma castração, ele pensa. "E o *Bucentauro* mofa, enfeite esquecido de sua viuvez!..." Mas logo enxota esse mau pensamento. Agita o copo vazio para pedir um segundo uísque. "*On the rocks.*" A garçonete sorri, cortês. "*Prego.*"

Sollers suspira alegre: "Ah, como gostaria de poder dizer, como Goethe: 'Talvez em Veneza eu seja conhecido de um só homem, e ele não me encontrará tão cedo'. Mas sou conhecido no meu país, minha querida menina, esta é a desgraça. Conhece a França? Vou levá-la até lá. Que bom escritor, esse Goethe. Mas o que há? Você está enrubescendo. Ah, Julia, você chegou! Margherita, apresento-lhe minha mulher".

Discretamente, como um gato, Kristeva entrou no bar vazio. "Você se esforça à toa, meu querido, essa moça não entende nem um quarto do que você diz. Não é, senhorita?"
A moça continua a sorrir. "*Prego?*"
Sollers se empavoa: "Mas, vejamos, que importância? Quando alguém se beneficia, como eu, do *sufrágio vitalício*, não precisa (graças a Deus!) ser *compreendido*".
Kristeva não lhe fala de Bourdieu, que ele detesta porque o sociólogo ameaça todo o seu sistema de representação, aquele com que ele sempre consegue ter o papel de destaque. Ela também não lhe diz para não beber muito antes do encontro desta semana. Há tempo preferiu tratá-lo simultaneamente como uma criança *e* como um adulto. Desiste de lhe explicar certas coisas, *mas* espera que ele se alce ao nível que ela considera ter o direito de exigir.
O pianista solta um acorde particularmente dissonante. Mau presságio? Mas Sollers acredita em sua boa estrela. Talvez vá tomar um banho de mar. Kristeva observa que ele já pôs as sandálias.

82.

Duzentas galés, duas dúzias de galeotas (essas semigalés) e seis gigantescas galeaças (os B-52 da época) navegam pelo Mediterrâneo perseguindo a frota turca.
Sebastiano Venier, o irrascível chefe da frota veneziana, se enfurece interiormente; pensa que é o único que deseja a batalha, entre seus aliados espanhóis, genoveses, saboianos, napolitanos e pontificais, mas se engana.
Se a coroa espanhola, na pessoa de Filipe II, tende a se desinteressar do Mediterrâneo, toda ocupada que está pela conquista do Novo Mundo, o jovem dom João da Áustria, fogoso coman-

dante da frota da Santa Liga, filho natural de Carlos v e por isso mesmo meio-irmão do rei, busca na guerra a honra que sua bastardia lhe proíbe obter em outro lugar.

Sebastiano Venier quer preservar os interesses vitais da Sereníssima mas dom João da Áustria, agindo para a própria glória, é seu melhor aliado, e ele não sabe disso.

83.

Sollers contempla o retrato de santo Antônio na igreja dos Gesuati e acha que se parece com ele. (Que Sollers se pareça com santo Antônio ou que santo Antônio se pareça com Sollers, não sei em que ordem ele pensa isso.) Acende uma vela que abençoe a si mesmo e sai para passear no bairro de Dorsoduro, de que tanto gosta.

Defronte da Accademia, cruza com Simon Herzog e o delegado Bayard, numa fila.

"Caro delegado, o senhor aqui, que surpresa! Que bons ventos o trazem? Ah, sim, ouvi falar das façanhas do seu jovem protegido. Estou louco para assistir ao próximo torneio. Sim, sim, veja, inútil manter segredinhos, não é? É a sua primeira vez em Veneza? E vai se cultivar no museu, naturalmente. Cumprimente por mim A *Tempestade* de Giorgione, é o único quadro pelo qual realmente vale a pena suportar todos esses turistas japoneses. Eles metralham sem olhar, já percebeu?"

Sollers aponta dois japoneses da fila e Simon faz um gesto de surpresa imperceptível. Reconhece os japoneses do Renault Fuego, que lhe salvaram a vida em Paris. De fato, estão munidos da mais nova Minolta e fotografam tudo o que se mexe, como se nada fosse.

"Esqueça a praça São Marcos. Esqueça o Harry's Bar. Aqui,

está no coração da cidade, isto é, no coração do mundo: o Dorsoduro... Veneza tem costas largas, não é mesmo, haha?... Aliás, deve de qualquer maneira passar pelo Campo Santo Stefano, basta cruzar o Grande Canal... Lá verá a estátua de Niccolo Tommaseo, um escritor político, portanto sem interesse, que os venezianos chamam o *Cagalibri*: o cagador de livros. Por causa da estátua. Realmente parece que ela caga livros. Haha. Mas, sobretudo, vá contemplar a Giudecca, na outra margem. Poderá admirar, alinhadas, as igrejas do grande Palladio. Não conhece Palladio? Um homem de desafios... Como o senhor, talvez? Esse homem tinha a incumbência de construir um edifício *defronte* da Piazza San Marco. Imagina? Tremendo *challenge*, como dizem nossos amigos americanos, que jamais entenderam nada de arte... Nem de mulheres, por sinal, mas isto é outra história... Pois é, aí está: erguida sobre as ondas, San Giorgio Maggiore. E, sobretudo, o Redentore, obra-prima neoclássica: de um lado, Bizâncio e o gótico flamejante do passado; de outro, a Grécia antiga ressuscitada para sempre, por intermédio do Renascimento e da Contrarreforma. Vá ver, fica a cem metros! Se correr, pegará o pôr do sol..."

Nesse instante, um grito ressoa na fila. "Pega ladrão! Pega ladrão!" Um turista corre atrás de um batedor de carteira. Instintivamente, Sollers leva a mão ao bolso de dentro do casaco.

Mas logo se reapruma: "Haha, viu? Um francês, evidentemente... Os franceses sempre são passados para trás. De qualquer maneira, fique atento. Os italianos são um grande povo, mas bandido, como todos os grandes povos... Devo ir embora, senão perco a missa...".

E Sollers se afasta, fazendo suas sandálias macias estalarem sobre o calçamento veneziano.

Simon pergunta a Bayard:
"Viu?"

"Sim, vi."
"Ele a leva consigo."
"É."
"Por que então não pegar dele, agora?"
"Primeiro, temos que verificar se funciona. Lembro que você está aqui para isso."
No rosto de Simon se esboça um indetectável sorriso de orgulho. Mais um round. Esqueceu os japoneses atrás de si.

84.

Duzentas galés cruzam o estreito de Corfu e vogam para o golfo de Corinto, e entre elas *La Marchesa*, comandada pelo genovês Francesco San-Freda, tendo a bordo o capitão Diego de Urbino e seus homens que jogam dados, e entre eles, filho de um dentista endividado, que também foi em busca da glória, e da fortuna, um hidalgo castelhano, aventureiro, nobreza de espada empobrecida, o jovem Miguel de Cervantes.

85.

À margem do Carnaval, festas particulares proliferam nos palácios venezianos, e aquela que atualmente acontece na Ca' Rezzonico não é a menos concorrida nem a menos particular.
Atraídos pelo vozerio que escapa do edifício, os passantes invejosos e os passageiros dos vaporettos levantam os olhos para o salão de baile onde podem avistar ou adivinhar os trompe-l'oeil, os enormes lustres de vidro multicolorido e os esplêndidos afrescos do século XVIII que decoram o teto, mas os convites são estritamente pessoais.

As festas do Clube Logos não são propriamente anunciadas no jornal.

Hoje, diríamos que o clube não comunica esse tipo de acontecimento.

No entanto, a festa aconteceu, no coração da Cidade dos Doges. Cem pessoas se amontoam ali, de rosto descoberto. (Traje a rigor exigido, mas o baile não é de fantasia.)

À primeira vista, nada diferencia essa festa de outra festa chique normal. Mas é preciso ouvir as conversas. Fala-se de exórdio, peroração, proposição, altercação, refutação. (Como dizia Barthes, "a paixão pela classificação sempre parece bizantina para quem dela não participa".) Anacoluto, catacrese, entimema e metábole. (Como diria Sollers: "Mas como assim?".) "Não penso que se deva traduzir Res e Verba simplesmente por as Coisas e as Palavras. Res, diz Quintiliano, são *quae significantur*, e Verba, *quae significant*; em suma, no nível do discurso, os significados e os significantes." É claro.

Também se narram as contendas passadas e as próximas, inúmeros convidados são veteranos de dedos cortados ou jovens lobos da arte da advocacia, a maioria tem lembranças de campanhas gloriosas e dramáticas que se divertem em repisar, diante dos quadros de Tiepolo.

"Eu nem conhecia o autor da citação!..."

"E nisso, ele me vem com uma frase de Guy Mollet! Isso me matou, haha."

"Eu estava ali para o encontro mítico entre Jean-Jacques Servan-Schreiber e Mendès France. Já nem me lembro do tema."

"E eu, entre Lecanuet e Emmanuel Berl. Surrealista."

"You French people are so dialectical…"

"Eu tiro um tema… De botânica! Pensei: estou ferrado, e depois repensei no meu avô em sua horta. Salvei meu dedo graças ao vovô."

"E aí ele diz: 'Tem de parar de ver ateus em todo lugar. Spinoza era um grande mistério'. Que idiota!"

"Picasso contra Dalí. Categoria historia del arte, un clásico. Me gusta más Picasso pero escogí a Dalí."

"O cara começa a falar de futebol, eu não entendo nada disso, ele não para de falar dos Verdes e de um caldeirão...*"

"Ah, não, faz dois anos que não travo uma contenda, baixei para retórico, já não tenho tempo nem energia, com as crianças, o trabalho..."

"Eu estava pronta para abandonar quando de repente, milagre: ele diz a maior besteira que não tinha de dizer..."

"C'è un solo dio et il suo nome è Cicerone."**

"I went to the Harry's Bar (in memory of Hemingway, like everyone else.) Fifteen thousand liras for a Bellini, seriously?"

"Heidegger, Heidegger... Sehe ich aus wie Heidegger?"

De repente, uma onda de efervescência se propaga, vindo da escada. A plateia se afasta para acolher um recém-chegado. Simon entra, acompanhado de Bayard. Os convidados se acotovelam, e ao mesmo tempo ficam como que intimidados. Eis, pois, o jovem prodígio de quem todo mundo fala, aquele que, vindo de lugar nenhum, se alçou ao nível de peripatético num lapso de tempo inacreditavelmente curto: quatro níveis em três sessões consecutivas, em Paris, quando na verdade em geral se precisa de anos para realizar uma progressão dessas. E, breve, talvez cinco. Ele usa um terno Armani cinza chumbo, uma camisa rosa chá e uma gravata preta de listrinhas finas violeta. Bayard, de seu lado, não achou conveniente mudar seu terno surrado.

---

* Os Verdes são os jogadores do clube de futebol de Saint-Étienne, cujo estádio é chamado de Chaudron (caldeirão). (N. T.)

** "Há só um deus e seu nome é Cícero"; "Eu fui ao Harry's Bar (em memória a Hemingway, como todo mundo. Quinze mil liras por um Bellini, sério?"; "Pareço com o Heidegger?". (N. T.)

As pessoas se entusiasmam em torno do jovem prodígio e, muito depressa, insistem para que rememore suas façanhas parisienses: com que facilidade ele primeiro esmagou, à guisa de aquecimento, um retórico sobre um tema de política interna ("No final, uma eleição sempre se ganha ao centro?") citando *Que fazer?*, de Lênin.

Como afastou um orador sobre uma questão de filosofia do direito bastante técnica ("A violência legal é uma violência?"), recorrendo a Saint-Just ("Ninguém pode reinar inocentemente", e sobretudo: "Um rei deve reinar ou morrer").

Como batalhou contra uma moça dialética pugnaz sobre uma citação de Shelley ("Ele despertou do sonho da vida") manejando com delicadeza Calderón e Shakespeare, mas também, requinte extremo, *Frankenstein*.

Com que elegância debochou de um peripatético sobre uma frase de Leibniz ("A educação pode tudo: ela faz os ursos dançarem"), dando-se ao luxo de adotar uma demonstração quase unicamente baseada em citações de Sade.

Bayard acende um cigarro olhando pela janela as gôndolas do Grande Canal.

Simon responde de bom grado às solicitações. Um velho veneziano de terno e colete lhe entrega uma taça de champanhe:

"*Maestro*, conhece Casanova, *naturalmente*? No relato de seu famoso duelo contra o conde polonês, ele escreve: 'O primeiro conselho que se dá aos que enfrentam um duelo é pôr o mais cedo possível o adversário na impossibilidade de lhe prejudicar'. *Cosa ne pensa?*"

(Simon toma um gole de champanhe e sorri para uma velha senhora que bate os cílios.)

"Era um duelo de espada?"

"*No, alla pistola.*"

"Então, no caso de duelo de pistola, penso que o conselho

é válido. (Simon ri.) Para uma contenda oratória, os princípios são um pouco diferentes."

"*Come mai?* Ousaria eu, *maestro*, lhe perguntar por quê?"

"Bem... Eu, por exemplo, ataco com o código. Isso implica deixar o adversário avançar. Deixo-o se descobrir, *capisce?* Uma contenda oratória se aproxima mais de um duelo de espada. A gente se descobre, fecha a guarda, se esquiva, finge, corta, afasta, desvia, replica..."

"*Uno spadaccino, si. Ma* a pistola não é *migliore?*"

Bayard dá uma cotovelada no jovem prodígio. Simon não ignora que não é muito sensato fornecer obsequiosamente indicações estratégicas a quem lhes pede, na véspera de um encontro daquele nível, mas seu reflexo de pedagogo é mais forte. Não pode deixar de *ensinar*:

"A meu ver, há duas grandes abordagens. A semiológica e a retórica, sabe?"

"*Si, si... Credo di si, ma...* Pode explicar *un poco, maestro?*"

"Pois bem, é muito simples. A semiologia permite compreender, analisar, decodificar, é defensiva. É Borg. A retórica é feita para persuadir, para convencer, para vencer, é ofensiva. É McEnroe."

"Ah *si. Ma* Borg ganha, *no?*"

"Claro! É possível ganhar com uma ou outra, são apenas estilos de jogo diferentes. Com a semiologia decodificamos a retórica do adversário, captamos seus truques, e metemos o nariz na cara dele. A semiologia é como Borg: basta devolver a bola uma vez mais que o adversário. A retórica são aces, voleios, acelerações ao longo da linha, mas a semiologia são ricochetes, passadas, lobs."

"E é *migliore?*"

"Ahn, não necessariamente. Mas é o meu filão, é o que sei fazer, é assim que eu jogo. Não sou um ás da advocacia ou um pregador ou um tribuno político ou um messias ou um vendedor de aspiradores. Sou um universitário e minha profissão é analisar, decodificar, criticar e interpretar. É o meu jogo. Sou Borg. Sou Vilas. Sou José-Luis Cler. Hum."

"*Ma*, e do lado oposto, quem está?"

"Bem... McEnroe, Roscoe Tanner, Gerulaitis..."

"E Connors?"

"Ah, sim, Connors, merda."

"*Perchè* merda? O que ele tem, Connors?"

"Ele é superjogador."

É difícil, nesse instante, avaliar a parte de ironia da última réplica de Simon pois, em fevereiro de 1981, faz oito encontros que Connors não derrotou Borg, sua última vitória no Grande Slam datava de quase três anos (US Open 1978, contra Borg justamente) e todos começam a pensar que ele está acabado. (Ignora-se que ganhará Wimbledon e o US Open no ano seguinte.)

Seja como for, Simon retoma a seriedade e pergunta:

"Suponho que ele ganhou o duelo?"

"Casanova? *Si*, feriu o polonês no ventre e *quasi* o matou, mas recebeu uma bala no polegar e ele mesmo quase foi *amputato* da mão esquerda."

"Ah... É mesmo?"

"*Si*, o cirurgião disse a Casanova que a gangrena ia aparecer. Então Casanova perguntou se ela estava lá? E o cirurgião disse não, então Casanova disse '*va bene*, veremos quando ela aparecer'. E o cirurgião disse que *allora* é o braço inteiro que será preciso cortar. Sabe o que foi que Casanova disse? '*Ma*, o que farei com um braço sem minha mão?' Haha!"

"Haha. Ahn... *Bene*."

Simon se despede educadamente e vai buscar um Bellini. Bayard faz uma provisão de *petits fours* e observa os convidados que olham para seu parceiro com curiosidade, admiração, e talvez até temor. Uma mulher de vestido de lamê oferece um cigarro a Simon. A festa lhe confirma a informação que ele fora buscar: a reputação que adquiriu em algumas sessões parisienses chegou mesmo a Veneza.

Ele foi cuidar do seu éthos mas não quer voltar muito tarde. *Húbris?* Em nenhum momento tentou saber se seu adversário estava na sala, ao passo que este, talvez, o tenha observado longa e atentamente, encostado no mobiliário de madeira de lei, esmagando nervosamente os cigarros nas estatuetas de Brustolon.

Como Bayard é paquerado pela mulher de vestido de lamê (que quer saber qual o papel que ele representou na ascensão do jovem prodígio), Simon resolve voltar sozinho para casa. E Bayard, muito absorto talvez pelo decote do vestido, atordoado talvez pela beleza do local e pelo turismo cultural intensivo que Simon lhe infligiu desde a chegada, não presta atenção, ou, em todo caso, não vê objeção a fazer.

Simon está meio alto e não é tão tarde, a festa se prolonga pelas ruas de Veneza mas tem algo estranho. Sentir uma presença, o que isso quer dizer? A intuição é um conceito cômodo, tal qual Deus, para dispensar explicações. Não se "sente" coisa nenhuma. Vê-se, escuta-se, calcula-se e decodifica-se. Inteligência-reflexo. Simon cruza e recruza com um mascarado, depois outro, depois outro. (Mas há tantas máscaras, e tantos desvios pelas ruas.) Ouve passos atrás dele nas ruelas desertas. "Instintivamente" desvia do caminho e, é claro, se perde. Tem a impressão de que os passos se aproximam. (Sem se dar conta de um mecanismo psíquico complexo e de extrema exatidão, a *impressão* já é um conceito mais sólido do que a *intuição*.) Sua divagação de cão veneziano o leva ao Campo San Bartolomeo, ao pé do Rialto, onde músicos de rua fazem uma concorrência desbragada entre si, e ele sabe que já não está muito longe do hotel, algumas centenas de metros no máximo, a voo de pássaro, mas os meandros das ruelas venezianas debocham dos pássaros e, toda vez que ele tenta avançar, topa com a água escura de um canal secundário. Rio della Fava, rio del Piombo, rio di San Lio...

Aqueles jovens encostados no poço de pedra, que bebem cerveja beliscando uns *cicchetti*... Será que ele já não passou defronte dessa *osteria*?

A ruela fica estreita, mas isso não significa que no fundo não haja uma passagem depois da curva que ela deve formar, inevitavelmente. Ou depois da curva seguinte.

Marulho, reflexo da água, *rio*.

Merda, nenhuma ponte.

Quando Simon se vira, três máscaras venezianas lhe barram a passagem. Não dão uma palavra mas suas intenções são claras pois cada um deles está armado de um objeto contundente que Simon inventoria mecanicamente: uma estatueta barata de Leão alado, dessas que se encontram nas lojinhas do Rialto, uma garrafa de limoncello vazia, agarrada pelo gargalo, e uma longa e pesada pinça de soprador de vidro (quanto a esta, não tem absoluta certeza de que deva classificá-la na categoria "contundente").

Reconhece as máscaras porque examinou na Ca' Rezzonico os quadros de Longhi sobre o Carnaval: o *capitano* de grande nariz aquilino, o longo bico branco do médico da peste, e a *larva*, que serve para a fantasia chamada de *bauta*, com o tricórnio e a capa preta. Mas o homem que a usa está de jeans e tênis, como os dois outros. Simon deduz que se trata de pequenos bandidos pagos para lhe quebrar a cara. A vontade dos três de não serem identificados leva-o a pensar que não querem matá-lo, o que já é alguma coisa. A não ser que as máscaras sejam previstas para evitar eventuais testemunhas.

O médico da peste se aproxima sem dizer uma palavra, com a garrafa na mão, e Simon, mais uma vez, como em Ithaca quando o cão atacava Derrida, fica fascinado por essa pantomina insólita, *irreal*. Ouve vozes altas dos clientes da *osteria* bem pertinho, sabe que ela fica a uns poucos metros, mas o eco desencontrado dos músicos de rua e a agitação difusa que anima a noite veneziana o convencem de imediato de que, se gritar por socorro (tenta se lembrar como se diz "ajudem-me" em italiano), ninguém prestará atenção.

Simon reflete enquanto recua: na hipótese de que fosse realmente um personagem de romance (hipótese reforçada pela situação, pelas máscaras, pelos objetos pesadamente pitorescos: um romance que não tivesse medo de manejar os clichês, ele pensa), que risco realmente correria? Um romance não é um sonho: pode-se morrer num romance. Dito isso, *normalmente* não se mata o personagem principal, a não ser, porventura, no fim da história.

Mas se acaso fosse o fim da história, como saberia? Como saber em que página de nossa vida estamos? Como saber quando nossa última página chegou?

E se acaso não fosse o personagem principal? Todo indivíduo não se imagina o herói da própria existência?

Simon não garante que esteja armado o suficiente, de um ponto de vista conceitual, para apreender corretamente o problema da vida e da morte do ângulo da ontologia romanesca, então resolve voltar, enquanto ainda é tempo, isto é, antes que o homem mascarado que avança para ele quebre sua cabeça com a garrafa vazia, a uma abordagem mais pragmática.

A priori, sua única escapatória é o rio às suas costas, mas estamos em fevereiro, a água deve estar gelada, e ele teme que, depois, seja muito fácil agarrar um remo de gôndola, pois há gôndolas estacionadas a cada dez metros, e, enquanto ele estiver boiando no canal, alguém matá-lo como um atum, como em *Os persas* de Ésquilo, como os gregos na batalha de Salamina.

O pensamento é mais rápido que a ação e ele tem tempo de

pensar em tudo isso quando o bico branco afinal levanta a garrafa, mas na hora de descê-la sobre Simon a garrafa lhe escapa. Ou melhor, alguém a arranca de suas mãos. O bico branco se vira e, no lugar dos dois acólitos, vê dois japoneses de terno preto. A *bauta* e o *capitano* estão estirados no chão. O bico branco fica estarrecido, com os braços balançando, diante de uma imagem que ele não entende. Por sua vez, é abatido com a própria garrafa, por uma sucessão de gestos secos e exatos. A perícia do atacante é tamanha que a garrafa não se quebra, e seu terno apenas se amarrota.

Os três homens no chão gemem baixinho. Os três homens em pé não emitem nenhum som.

Simon se pergunta por que, se um romancista preside a seu destino, este escolheu aqueles dois misteriosos anjos da guarda para tomarem conta dele. O segundo japonês se aproxima, o cumprimenta com uma discreta inclinação de busto e responde à sua pergunta muda: "Os amigos de Roland Barthes são nossos amigos". Depois, ambos voltam para a noite, como ninjas.

Simon considera que a explicação que acabam de lhe fornecer é bastante sumária, mas entende que deverá se contentar com ela, então retoma o caminho do hotel para enfim ir dormir.

86.

Em Roma, Madri, Constantinopla, e até talvez em Veneza, todos se interrogam. Qual é o objetivo dessa formidável armada? Que territórios os cristãos querem recuperar ou conquistar? Querem retomar Chipre? Querem iniciar uma décima terceira cruzada? Mas ainda se ignora que Famagusta caiu, e o rumor do suplício de Bragadin ainda não chegou. Só dom João da Áustria e Sebastiano Venier têm a intuição de que a batalha pode representar um fim em si, e de que o que está em jogo é o aniquilamento do exército adverso.

87.

À espera do encontro, Bayard continua a passear com Simon para que ele espaireça, e suas perambulações os levaram ao pé da estátua equestre do *Colleone*, e enquanto Bayard admira a estátua, fascinado pela força do bronze, pela flexibilidade do buril de Verrochio e pelo que imagina da vida do *condottiere*, guerreiro severo, poderoso, autoritário, Simon penetra na basílica de San Zanipolo, onde avista Sollers rezando diante de um afresco.

Simon, desconfiado, se espanta com a coincidência. Mas, afinal de contas, Veneza é uma cidade pequena, e cruzar duas vezes com a mesma pessoa num sítio turístico quando a gente faz turismo não tem nada de propriamente extravagante.

Todavia, como não faz questão especial de lhe falar, Simon se enfia discretamente na nave, contempla os túmulos dos doges (e entre eles, o de Sebastiano Venier, o herói de Lepanto), admira os quadros de Bellini e, na capela do Rosário, telas de Veronese.

Quando tem certeza de que Sollers foi embora, aproxima-se do afresco.

Há uma espécie de urna cercada por dois pequenos leões alados e, acima, uma gravura representando o suplício de um homem, idoso, careca, com uma barba comprida, os músculos secos e salientes, sendo esquartejado.

Embaixo, uma placa que Simon decifra a duras penas: Marcantonio Bragadin, governador de Chipre, foi terrivelmente martirizado pelos turcos por ter armado um cerco heroico de setembro de 1570 a julho de 1571 na fortaleza de Famagusta. (E também por ter faltado ao respeito com seu vencedor durante a capitulação, mas a placa de mármore não diz isso. Dizem que se negou com arrogância a soltar um refém, como era costume, em troca da libertação dos comandantes cristãos, e que se desinteressou pelo destino de prisioneiros turcos que o paxá o acusava de ter deixado ser massacrados pelos seus homens.)

Em suma, cortam-lhe as orelhas e o nariz, deixam-no apodrecer e se infectar durante oito dias, depois, diante de sua recusa de se converter (ainda tem força de cuspir injúrias para seus carrascos), põem em seus ombros uma cesta cheia de terra e de pedras e o levam de bateria em bateria, zombado e molestado pelos soldados turcos.

E seu suplício não parou aí: içam-no ao mastro de uma galé a fim de que todos os escravos cristãos possam ter a visão de sua derrota e da cólera turca. E por uma hora os turcos lhe gritam: "Olha se vês tua esquadra, olha o grande Cristo, olha se vês chegar socorro!".

E, por fim, amarram-no, nu, a uma coluna e o esfolam vivo.

Depois empalham seu cadáver para passear com ele, em cima de uma vaca, pelas ruas da idade, antes de enviá-lo para Constantinopla.

Mas é sua pele que está na urna, pobre relíquia. Como chegou ali? A parede em latim não diz.

Por que Sollers se recolhia diante dela? Simon ignora.

88.

"Não tenho ordens a receber de bodes de foder venezianos."

Evidentemente, o capitão toscano que disse isso ao general do mar Sebastiano Venier se expõe a graves dissabores; então, consciente de ter ido longe demais e conhecendo a severidade proverbial do velho veneziano, nega-se a ser preso, e tudo isso termina num motim e o capitão é gravemente ferido e enforcado, como exemplo.

Mas ele estava sob tutela espanhola, o que implicava que Venier não tinha direito de decidir o castigo e, muito menos, de executá-lo por iniciativa própria. Quando Juan é informado, considera seriamente a possibilidade de enforcar, por sua vez, Venier, para ensiná-lo a respeitar a hierarquia, mas o *provveditore* Barbarigo, imediato da frota veneziana, consegue convencê-lo de nada fazer para não comprometer toda a operação.

A frota continua seu caminho para o golfo de Lepanto.

89.

Tatko,
Chegamos bem a Veneza e Philippe vai competir.
A cidade está muito animada porque eles tentam relançar o Carnaval. Há pessoas mascaradas e muitos espetáculos nas ruas. Contrariamente ao que tinham nos dito, Veneza não fede. Em compensação, há exércitos de turistas japoneses, mas isso é como em Paris.
Philippe não parece muito preocupado. Você o conhece, ele sempre exibe esse otimismo inabalável que às vezes beira a irresponsabilidade mas, um pelo outro, é uma força.
Sei que você não entende por que a sua filha cedeu o lugar a ele, mas você deve admitir que em situação semelhante, isto é, diante de um júri exclusivamente composto de homens, com competência igual um homem sempre terá mais chances que uma mulher.
Bem pequena, você me ensinou que a mulher era não só igual ao homem mas lhe era até superior, e acreditei em você. Sempre acredito em você mas não podemos ignorar essa realidade socioló-

gica que se chama (ainda por um bom momento, temo) a dominação masculina.

Dizem que em toda a história do Clube Logos só quatro mulheres atingiram o nível de sofistas: Catarina de Médicis, Emilie du Châtelet, Marilyn Monroe e Indira Gandhi (dela, ainda se pode esperar que tornará a sê-lo). É bem pouco. E nenhuma, naturalmente, jamais foi grande Protágoras.

Mas se Philippe conseguir o título, as coisas mudarão para todo mundo: para ele, que terá se tornado um dos homens mais influentes do planeta. Para você, que se beneficiará de sua força oculta, e não precisará mais temer Andropov nem os russos, e estará assim em condições de mudar o semblante do seu país. (Eu gostaria de poder dizer "o nosso" mas você me quis francesa e nisso ao menos, meu papaizinho, eu lhe terei obedecido além de suas esperanças.) E para a sua filha única, que ganhará uma outra forma de poder e reinará sem partilha sobre a vida intelectual francesa.

Não julgue Philippe com muita severidade: a inconsciência é uma forma de coragem e você sabe o que ele aceita arriscar. Você sempre me ensinou a respeitar a passagem ao ato, mesmo se esta é vivida como um jogo. Sem uma disposição para a melancolia, não há psiquismo, e sei que Philippe é desprovido disso, o que talvez faça dele um pobre ator que, chegando sua hora, se pavoneia e se agita, como diz Shakespeare, mas talvez seja isso que aprecio nele.

Te beijo, papaizinho,
Sua filha que te ama,
Julenka

P.S.: Recebeu o disco de Jean Ferrat?

90.

"*Ma si*, é um pouco aproximativo, *vero*."

Simon e Bayard acabam de cruzar com Umberto Eco na Piazza San Marco. Decididamente, parece que todo mundo marcou encontro em Veneza. A paranoia de Simon, que agora interpreta tudo o que parece coincidência como o sinal de que a sua vida inteira poderia muito bem ser apenas uma ficção romanesca, perturba suas faculdades de análise e o impede de se interrogar sobre as razões possíveis e prováveis da presença de Eco, aqui e agora.

Sobre a lagoa, diversas embarcações desparelhadas manobram numa alegre desordem, feita de cascos que se entrechocam, tiros de canhão e clamores de figurantes.

"É uma reconstituição da batalha de Lepanto." Eco deve gritar para abafar o barulho do canhoneio e os vivas da multidão.

Para sua segunda edição desde seu renascimento, no ano passado, o Carnaval quis, entre outros espetáculos engalanados, oferecer uma reconstituição histórica: a Santa Liga, levada pela frota veneziana a ficar ao lado da Invencível Armada e dos exércitos do papa, enfrenta os turcos de Selim II, dito o Ébrio, filho de Suleiman, o Magnífico.

"*Ma*, está vendo aquele barco grande? É uma réplica do *Bucintoro*, o navio a bordo do qual o doge, todo ano, no dia de Ascensão, celebrava o *sposalizio del mare*, o casamento com o mar, jogando um anel de ouro no Adriático. Era um barco de aparato não totalmente feito para a guerra. Tiravam-no para as cerimônias oficiais, mas nunca saiu da lagoa e não tem nada que fazer aqui, pois supostamente estamos no golfo de Lepanto, naquele 7 de outubro de 1571."

Simon não escuta propriamente. Avança para o cais, fascinado pela dança de galés falsas e de barcos maquiados. Mas quando vai passar entre duas colunas que são como os montantes de uma porta invisível, Eco o detém: "*Aspetta!*".

Os venezianos nunca passam entre as *colonne di San Mar-*

co, dizem que dá azar pois era ali que a República executava seus condenados à morte, e depois pendurava os cadáveres pelos pés.

No alto das colunas, Simon vê o leão alado de Veneza e são Teodoro matando um crocodilo. Resmunga: "Não sou veneziano", cruza a soleira invisível e avança até a beira d'água.

E vê. Não o "som e luz" meio kitsch e os barcos disfarçados de navios de guerra com seus figurantes endomingados. Mas o choque dos exércitos: as seis galeaças plantadas no mar, fortalezas flutuantes destruindo tudo ao redor; as duzentas galés divididas entre a ala esquerda, bandeira amarela, comandada pelo almirante general veneziano Agostino Barbarigo, que recebe uma flechada no olho e morre no início da batalha; e a ala direita, bandeira verde, mantida pelo timorato genovês Gian Andrea Doria, subjugado pelas manobras ágeis do inatingível Euldj Ali (Ali, o converso, Ali, o caolho, Ali, o renegado, calabrês de nascimento e bei de Argel); no meio, bandeira azul, o alto comando, dom João da Áustria, pela Espanha, com Colonna, comandante das galés do papa, e Sebastiano Venier, setenta e cinco anos, barba branca severa, futuro doge de Veneza, a quem João já não dirige a palavra, nem mais um olhar, desde o incidente do capitão espanhol. Na retaguarda, caso as coisas andem mal, o marquês de Santa Cruz, bandeira branca. Diante deles, a frota turca, comandada por Ali Moezzin, *kapudan pacha*, com seus janízaros e seus corsários.

E a bordo da galé *La Marchesa*, doente e febril, o oficial de marinha Miguel de Cervantes, a quem pedem para ficar deitado no porão mas que quer lutar e suplica ao seu capitão para lutar, pois o que dirão dele se acaso não participar da maior batalha naval de todos os tempos?

Então, consentem, e quando as galés se esporeiam e se entrechocam, quando os homens se fuzilam à queima-roupa com arcabuz e partem para a abordagem, ele luta como um cão e, na fúria das ondas e na tempestade da guerra, tritura turcos como se fossem atuns, mas recebe tiros de arcabuzes no peito e na mão esquerda, embora ainda combata, e breve já não há nenhuma dúvida sobre a vitória dos cristãos, a cabeça do *kapudan pacha* é fincada no alto do mastro da nau capitânia, mas ele, Miguel de Cervantes, valoroso oficial de marinha às ordens de seu capitão Diego de Urbino, perdeu o uso da mão esquerda na batalha, ou talvez os cirurgiões tenham feito mal o trabalho.

O fato é que, a partir daí, vão chamá-lo "o maneta de Lepanto", e alguns zombarão de sua deficiência mas ele, ofendido, ferido no corpo e na alma, fará esse esclarecimento no prefácio do segundo tomo de *Dom Quixote*: "Como se eu tivesse saído manco de alguma rixa de taberna, e não da mais nobre façanha que viram os séculos passados e presentes, e esperam ver os vindouros".

Em meio à massa de turistas e máscaras, Simon também se sente febril, e quando lhe batem no ombro ele espera ver surgir o doge Alvise Mocenigo e o Conselho dos Dez sem faltar ninguém, e os três inquisidores de Estado para celebrar essa deslumbrante vitória do leão veneziano e da cristandade, mas é simplesmente Umberto Eco que lhe diz, com um bom sorriso: "Há gente que partiu em busca de licornes, para só encontrar rinocerontes".

91.

Bayard faz fila em frente ao La Fenice, a ópera de Veneza, e quando chega sua vez e verifica-se que seu nome está na lista, ele sente esse alívio universal que se tem ao passar por um controle (coisa a que sua profissão o desabituara), mas o controlador lhe pergunta em qualidade de que ele é convidado, e Bayard explica que acompanha Simon Herzog, um dos competidores, mas o controlador insiste: "*In qualità di che?*". E Bayard não sabe o que responder, então diz: "Ahn, treinador?".

O controlador o deixa passar e ele vai se sentar num camarote dourado atapetado e com poltronas carmesins.

No palco, uma jovem enfrenta um velho em torno de uma citação de *Macbeth*: "*Let every man be master of his time*". Os dois adversários se expressam em inglês e Bayard não usa os fones postos à disposição dos espectadores para a tradução simultânea, mas tem a impressão de que a moça está levando a melhor. ("*Time is on my side*", ela diz graciosa. E, de fato, será declarada vencedora.)

A sala está lotada, de toda a Europa veio gente para assistir ao grande torneio classificatório: tribunos são desafiados por contendores de nível inferior, peripatéticos em sua grande maioria mas também dialéticos, e até alguns oradores que estão prontos para arriscar três dedos de uma só vez para terem o direito de assistir a esse que é o encontro.

Todos sabem que o grande Protágoras foi desafiado e que só os tribunos, acompanhados de uma pessoa de sua escolha, serão convidados para o jogo (com os sofistas, naturalmente, que constituem o júri). O embate ocorrerá amanhã num lugar secreto que só será comunicado às pessoas autorizadas, à saída do torneio desta noite. Ignora-se oficialmente a identidade do desafiador, embora vários rumores circulem.

Bayard folheia seu guia Michelin e descobre que La Fenice é um teatro que, desde a criação, não para de incendiar e ser reconstruído, donde, talvez, esse nome: *Fênix* (e Bayard acha a palavra mais bonita no feminino).

No palco, um russo brilhante perde bestamente um dedo por um erro de citação: uma frase de Mark Twain atribuída a Malraux, que permite a seu adversário, um espanhol matreiro, virar o jogo. A sala faz "ooohh" na hora do *tchac*.

A porta se abre atrás de Bayard, que leva um susto. "Pois é, caro delegado, parece que o senhor acaba de ver Stendhal em pessoa!" É Sollers, com sua piteira, que vai visitar o camarote. "Interessante acontecimento, não acha? Aqui está nada menos do que a nata veneziana, e, juro, tudo o que conta em matéria de gente culta na Europa. Há até alguns americanos. Pergunto-me se Hemingway fez algum dia parte do Clube Logos. Escreveu um livro que se passa em Veneza, sabe? A história de um velho coronel que masturba uma moça numa gôndola com sua mão ferida. Bastante bom. Sabe que foi aqui que Verdi criou *La Traviata*? Mas também *Ernani*, baseado na peça de Victor Hugo…" O olhar de Sollers se perde no palco onde um italiano baixinho de ombros largos batalha com um inglês que fuma cachimbo, e ele acrescenta, pensativo: "*Hernani* amputado de seu *H*". Depois se retira, batendo os calcanhares como um oficial austro-húngaro, com uma leve inclinação do busto, e volta para seu lugar num camarote que Bayard tenta localizar para ver se Kristeva está lá.

No palco, o apresentador de smoking anuncia o combate seguinte, "*Signore, signori…*", e Bayard põe os fones de ouvido: "Contendores de todos os países… Ele nos chega de Paris… Sua lista de vitórias é eloquente… Zero jogo amistoso… Quatro contendas digitais… Quatro vitórias por unanimidade do júri… Que lhe bastaram para impor um nome… Peço-lhes para acolher… O Decodificador de Vincennes".

Simon faz sua entrada, apertado dentro de um terno Cerruti bem cintado.

Bayard aplaude nervosamente, com o resto da sala.

Simon sorri cumprimentando o auditório, com todos os sentidos em alerta, enquanto tiram o tema.

"*Classico e Barocco*". Clássico e Barroco, um tema de história da arte? Por que não, já que estamos em Veneza?

Instantaneamente, as ideias afluem na cabeça de Simon mas

é muito cedo para selecioná-las. Primeiro deve se concentrar em outra coisa. Na hora do aperto de mão com o adversário, deixa a mão alguns segundos dentro da dele, enquanto lê o seguinte sobre o homem que está na sua frente:
— um italiano do Sul, a julgar pela tez bronzeada;
— baixa estatura, portanto pulsão de dominação;
— barrigudo: come muitos pratos com molho;
— olha para o público e não para seu adversário: reflexo de político;
— não muito bem vestido para um italiano, um terno meio batido, ligeiramente descombinado, bainha da calça meio curta, sapatos pretos de verniz, porém: pão-duro ou demagogo;
— um relógio de luxo no pulso, modelo recente, portanto não herdado, visivelmente caro demais para seu padrão: forte probabilidade de corrupção passiva (confirma a hipótese do *Mezzogiorno*);
— uma aliança, mais um anel de brasão: uma mulher, e uma amante que lhe ofereceu o anel de brasão, que provavelmente ele usava antes do casamento (senão, deveria ter justificado sua aparição junto à mulher, ao passo que ali pôde inventar uma herança familiar), uma amante antiga, portanto, com quem não quis casar mas que não conseguiu se decidir a abandonar.

Naturalmente, todas essas deduções são apenas suposições e Simon não garante que toda vez acerte em cheio. Simon pensa: "Não estamos em Sherlock Holmes". Mas quando indícios formam um feixe de presunções, Simon decide confiar.

Sua conclusão é de que tem diante de si um político, provavelmente democrata cristão, torcedor do Napoli ou de Cagliari, homem de síntese, arrivista, hábil, mas que tem horror a decidir.

Então resolve tentar algo logo de saída, para desestabilizá-lo: renuncia enfaticamente ao privilégio de começar, no entanto concedido por direito ao menos bem classificado dos contendores, e oferece, generoso, deixar a iniciativa para seu honorável adversário, o que implica, concretamente, deixá-lo escolher, entre os dois termos do tema, aquele que vai defender. Afinal de contas, no tênis a gente pode preferir receber.

Seu adversário não tem obrigação de aceitar. Mas a aposta de Simon é a seguinte: o italiano não quererá que sua recusa seja mal interpretada, nem que se detecte nela uma espécie de desprezo, de mau humor, de rigidez ou, pior, de medo.

O italiano tem de ser bom jogador, e não desmancha-prazeres. Não pode começar negando-se a estar à altura da circunstância, embora a circunstância que lhe ofereçam mais pareça uma isca. Aceita.

A partir daí, Simon não tem a menor dúvida sobre a posição que ele vai defender. Em Veneza, qualquer político fará o elogio do Barroco.

Tanto assim que, quando o italiano começa a lembrar a origem da palavra *Barocco* (que, na forma *barroco*, designa uma pérola irregular, em português), Simon considera ter ao menos um ponto de vantagem.

No início, o italiano é meio escolar, um pouco ofegante, porque Simon o desarmou abandonando-lhe a iniciativa e também, talvez, porque não é especialista em história da arte. Mas não atingiu o nível de tribuno por acaso. Progressivamente, refaz-se e passa à velocidade superior.

O Barroco é essa corrente estética que pensa o mundo como um teatro e a vida como um sonho, uma ilusão, um espelho de cores vivas e linhas partidas. *Circe e o Pavão*: metamorfoses, ostentação. O Barroco prefere as curvas aos ângulos retos. O Barroco ama a assimetria, o trompe-l'oeil, a extravagância.

Simon pôs os fones mas ouve o italiano citar Montaigne em francês: "Não pinto o ser, pinto a passagem".

Inatingível, o Barroco se desloca de um país a outro, de um

século a outro, XVI na Itália, Concílio de Trento, Contrarreforma, primeiro XVII na França, Scarron, Saint-Amant, segundo XVII, retorno à Itália, Baviera, XVIII, Praga, São Petersburgo, América do Sul, Rococó... O Barroco não conhece unidade, não conhece a essência das coisas fixas, não conhece a permanência. O Barroco é movimento. Bernini, Borromini. Tiepolo, Monteverdi.

O italiano desfia generalidades de bom nível.

Depois, de repente, não se sabe por qual mecânica, qual caminho, qual *desvio* do pensamento humano, ele encontra seu eixo diretor, aquele sobre o qual poderá se deixar levar como sobre uma prancha de surfe retórica e paradoxal: *"Il Barocco è la peste"*.

O Barroco é a peste.

A quintessência dessa corrente sem essência, é ali que a encontramos, em Veneza. Nos bulbos da basílica de São Marcos, nos arabescos das fachadas, nos grotescos dos palácios que avançam sobre a lagoa e, claro, no Carnaval.

E por quê? O italiano estudou bem a história local. De 1348 a 1632, a peste passa e repassa, entregando sua mensagem sem jamais se cansar: *Vanitas vanitatum*. 1462, 1485, a peste ataca e destrói a República. 1506, *omnia vanita*, ela volta. 1575, leva Ticiano. A vida é um carnaval. Os médicos usam máscaras com bico branco comprido.

A história de Veneza não passa de um longo diálogo com a peste.

Ora, a resposta da Sereníssima foi Veronese (*Cristo parando a peste*), Tintoretto (*São Roque curando os pestiferados*), e, na ponta da Dogana, a igreja sem fachada de Baldassare Longhena: a Salute, de que o crítico de arte alemão Wittkower dirá: "Triunfo absoluto na esculturalidade, na monumentalidade barroca e na riqueza dos jogos de luz".

No público, Sollers anota.

Octogonal, sem fachada e cheia de vazio.

As estranhas rodas de pedra da Salute são como rolos de espuma petrificados pela medusa. O movimento perpétuo como resposta à vanidade do mundo.

O Barroco é a peste, portanto Veneza.

Sequência bastante boa, pensa Simon.

Levado por seu ímpeto, o italiano encadeia: o que é o *Clássico*? Onde algum dia se viu "Clássico"? Será Versailles clássica? Será Schönbrunn clássico? O Clássico é sempre diferido. Decreta-se o Clássico sempre a posteriori. Fala-se dele mas nunca ninguém o viu.

Quis se transpor o absolutismo político de Luís XIV para uma corrente estética baseada na ordem, unidade, harmonia, por oposição ao período de instabilidade da Fronda, que o precedera.

Simon pensa que o caipira do *Mezzogiorno*, com a barra da calça curta demais, conhece muito bem história, arte e história da arte.

Ouve a tradução simultânea nos fones de ouvido: "Mas não há autores clássicos... No presente... O rótulo clássico... É apenas um bastão de marechal... Outorgado pelos manuais escolares".

O italiano conclui: o Barroco é aqui. O Clássico não existe.

Aplausos calorosos do público.

Bayard acende, nervoso, um cigarro.

Simon se apoia em sua tribuna.

Tinha a escolha entre preparar seu discurso enquanto o outro falava ou escutá-lo atentamente para rebater suas palavras, e preferiu a segunda opção, mais ofensiva.

"Dizer que o classicismo não existe é dizer que Veneza não existe."

Portanto, guerra de aniquilamento, como em Lepanto.

Ao empregar a palavra "classicismo" ele sabe que comete

um anacronismo mas está pouco ligando porque, de qualquer maneira, "Barroco" e "Clássico" são noções forjadas a posteriori, anacrônicas em si, convocadas para sustentar realidades lábeis e discutíveis.

"E é mais curioso ainda porque essas palavras são proferidas *aqui*, no La Fenice, essa pérola neoclássica."

Simon emprega a palavra "pérola" de propósito. Já tem seu plano de ação.

"É também riscar um pouco depressa demais do mapa a Giudecca e San Giorgio." Vira-se para o adversário. "Será que Palladio nunca existiu? Suas igrejas neoclássicas são sonhos barrocos? Meu honorável contraditor vê barroco em todo lugar, é seu direito, mas..."

Sem se concertarem, os dois adversários se puseram de acordo, pois, sobre a problemática do tema, o que está em jogo é Veneza. Veneza é barroca ou clássica? É Veneza que validará a tese ou a antítese.

Simon se vira para o público e declama: "Ordem e beleza, luxo, calma e volúpia: há um verso mais apropriado para descrever Veneza? Ora, há melhor definição do classicismo?". E Barthes, depois de Baudelaire: "Clássicos. Cultura (quanto mais cultura houver, maior e mais diverso será o prazer). Inteligência. Ironia. Delicadeza. Euforia. Domínio. Segurança: arte de viver". Simon: "Veneza!".

O Clássico existe e em Veneza ele está em casa. No alvo, um. No alvo, dois: mostrar que o adversário não entendeu o tema.

"Meu honorável adversário terá ouvido mal: não é Barroco *ou* Clássico mas Barroco *e* Clássico. Por que opô-los? Eles são o Yin e o Yang que compõem Veneza e o universo, como o apolíneo e o dionisíaco, o sublime e o grotesco, a razão e a paixão, Racine e Shakespeare." (Simon não se demora neste último exemplo porque Stendhal preferia ostensivamente Shakespeare — como ele, aliás.)

"Não se trata de jogar Palladio contra os bulbos da basílica San Marco. Vejam. O Redentore de Palladio?" Simon olha ao longe na sala como se vizualizasse a orla da Giudecca. "De um lado, Bizâncio e o gótico flamejante do passado (se posso dizer assim); de outro, a Grécia antiga ressuscitada para sempre por intermédio do Renascimento e da Contrarreforma." Para o contendor, nada se perde. Sollers sorri olhando Kristeva, que reconhece suas palavras e faz círculos de fumaça de contentamento, batendo na madeira dourada do camarote.

"Peguem *Le Cid*, de Corneille. Tragicomédia barroca quase picaresca na sua criação, depois reclassificada como tragédia clássica (a fórceps) quando as fantasias genéricas passaram de moda. A regra, as unidades, o quadro? Não seja por isso. Duas peças numa, a mesma peça porém, barroca um dia, clássica no dia seguinte."

Simon teria muitos outros casos interessantes, Lautréamont por exemplo, o apologista do romantismo mais negro e que se transforma em Isidore Ducasse, defensor perverso de um classicismo mutante nas suas inacreditáveis *Poesias*, mas ele não quer se perder: "Duas grandes tradições retóricas: aticismo, asianismo. De um lado, a clareza rigorosa do Ocidente, o 'o que bem se concebe se enuncia claramente' de Boileau; de outro, os arroubos líricos e os ornamentos, a abundância de tropos do Oriente sensual e misturado".

Simon sabe perfeitamente que o aticismo e o asianismo são conceitos sem fundamentos geográficos concretos, no máximo metáforas trans-históricas, mas nesse estágio sabe que os jurados sabem que ele sabe, portanto não precisa esclarecer.

"E na confluência dos dois? Veneza, encruzilhada do universo! Veneza, amálgama do Mar e da Terra, a terra sobre o mar, as retas e as curvas, o Paraíso e o Inferno, o leão e o crocodilo, San Marco e Casanova, sol e bruma, movimento *e* eternidade!"

Simon faz uma última pausa antes de encerrar sua peroração com um definitivo: "Barroco e clássico? A prova: Veneza". Aplausos calorosos.

O italiano quer replicar de imediato mas Simon o privou de sua síntese, portanto é obrigado a jogar indo contra a própria natureza. Diz, direto em francês, o que Simon admira mas interpreta como sinal de irritação: "*Ma Venezia* é o mar! A pobre tentativa dialética de meu adversário não leva a nada. O elemento líquido é *barocco*. O sólido, o fixo, o rígido é *classico*. Veneza *è il mare!*". Então Simon lembra o que aprendeu durante sua estada na cidade, o *Bucentauro*, o anel jogado no mar e as histórias de Eco:

"Não, Veneza é a esposa do mar, não é a mesma coisa."

"A cidade das máscaras! Do vidro resplandecente! Dos mosaicos cintilantes! A cidade se enfia na lagoa! Veneza é água, areia e lama!"

"E pedra. Muito mármore."

"O mármore é barroco! É estriado de veios, tem muitas camadas no interior e quebra o tempo todo."

"Nada disso, o mármore é clássico. Na França, diz-se 'gravado no mármore'."

"O Carnaval! Casanova! Cagliostro!"

"Sim, Casanova, no inconsciente coletivo, é o rei barroco por excelência. Mas é o último. Enterra-se numa apoteose um mundo que se foi."

"*Ma* é isso a identidade de Veneza: uma agonia eterna. O século XVIII é Veneza."

Simon sente que cede terreno, que não conseguirá sustentar muito tempo esse paradoxo da Veneza sólida e reta, mas se obstina: "Não, Veneza, a forte, a gloriosa, a Dominante, é a do século XVI, antes de seu desaparecimento, sua decomposição. O Barroco que o senhor defende é que a faz morrer".

O italiano não se faz de rogado:

"Mas a decomposição é Veneza! Sua identidade é justamente essa corrida inelutável para a morte."

"Mas Veneza precisa ter um futuro! O Barroco que o senhor descreve é a corda que sustenta o enforcado."

"Mais uma imagem barroca. Primeiro o senhor tenta contestar, depois condena, mas tudo o leva ao Barroco. Tudo prova que é o espírito do Barroco que faz a grandeza da cidade."

Simon sente que, em termos de demonstração lógica pura, entrou numa sequência em que está por baixo mas, felizmente, a retórica não é feita apenas de lógica, então joga a carta do sentimentalismo: Veneza deve viver.

"Talvez o Barroco seja esse veneno que a mata e a torna cada vez mais bela, matando-a. (Evitar as concessões, pensa Simon.) Mas pegue O *mercador de Veneza*: de onde vem a salvação? Das mulheres que vivem numa ilha: na terra!"

O italiano exclama, triunfante: "Pórcia? Que se disfarça de homem? *Ma è totalmente barocco!* É até o triunfo do Barroco sobre a racionalidade obtusa de Shylock, sobre o direito, atrás do qual se abriga Shylock para exigir sua libra de carne. Essa interpretação psicorrígida do espírito do mercador judeu, isso é a expressão de uma *neurose protoclássica* (se ouso dizer)".

Simon sente que o público apreciou a audácia da fórmula, mas ao mesmo tempo também vê que seu adversário divaga um pouco sobre Shylock e que isso é bom porque ele mesmo começa a ficar seriamente perturbado pelo tema imposto: suas dúvidas e sua paranoia sobre a solidez ontológica da própria existência voltam a interferir no seu espírito num momento em que precisa de toda a concentração. Apressa-se em mexer seus piões sobre Shakespeare ("a vida é um pobre ator que gesticula em cena uma hora ou dias", por que essa frase de *Macbeth* lhe vem justamente agora? *De onde* vem? Simon luta a fim de jogar a pergunta para mais tarde): "Pórcia é justamente essa mistura de loucura barroca e de gênio clássico que lhe permite derrotar Shylock, não como os outros personagens, recorrendo aos sentimentos, mas com argumentos jurídicos, firmes, inatacáveis, de uma racionalidade exemplar, baseados na própria demonstração de Shylock que ela vira pelo avesso como uma luva: 'Uma libra de carne, sem dúvida, o direito vos confere, *mas nem um grama a mais*'. Nesse instante, Antonio é salvo por um passe de mágica jurídico: um gesto *barroco*, sem dúvida, mas um barroco *clássico*".

Simon sente a aprovação do público. O italiano sabe que tornou a perder a iniciativa, então se aferra em demonstrar o que chama de "circunvoluções especiosas e patéticas" de Simon e comete, por sua vez, um pequeno erro. Para denunciar os saltos lógicos duvidosos de Simon, ele pergunta: "*Ma* quem decidiu que o direito era um valor clássico?", quando na verdade foi o que ele mesmo pressupôs em seu argumento anterior. Simon, muito cansado, muito distraído ou muito concentrado em outra coisa, perde a ocasião de sublinhar a contradição e o italiano pode prosseguir: "Será que não se toca aqui nos limites do sistema de meu adversário?".

E prepara o chute: "O que faz meu honorável interlocutor é muito simples: ele força as analogias".

Agora Simon é atacado ali onde normalmente brilha, no metadiscurso, e sente que se deixa levar, arrisca-se a ser derrotado por seu próprio jogo, então se agarra à sua linha: "A sua defesa de Veneza é uma cilada. Seria preciso reinventá-la por uma aliança, e Pórcia é essa aliança: esse coquetel de astúcia e pragmatismo. Quando Veneza se arrisca a se perder atrás de suas máscaras, Pórcia traz de sua ilha a loucura barroca E o bom senso clássico".

Simon tem cada vez mais dificuldade de se concentrar, pensa nos "prestígios" do século XVII, em Cervantes combatendo em Lepanto, em suas aulas sobre James Bond em Vincennes, na mesa de dissecção do Teatro Anatômico de Bolonha, no cemitério de Ithaca e em mil coisas ao mesmo tempo, e entende que só poderá triunfar se ele mesmo superar, num abismo que acharia saboroso em outras circunstâncias, essa vertigem barroca que o invade.

Resolve encerrar a sequência sobre Shakespeare, que considera ter negociado corretamente, e condensa toda a sua energia mental em mudar de assunto, para desviar o adversário da pista metadiscursiva que este começou a trilhar e na qual, pela primeira vez, Simon não se sente em segurança.

"Uma palavra, ainda: Sereníssima."

Ao dizer isso, obriga o adversário a reagir, e, interrompido pela sequência retórica que ele se preparava a construir, de novo sem iniciativa o italiano retruca: "'Repubblica' è barocco!".

Nesse estágio do improviso, Simon joga pensando no relógio e diz tudo o que lhe passa pela cabeça: "Isso depende. Mil anos de doges, mesmo assim. Instituições estáveis. Um poder firme. Igrejas por todo lado: Deus não é barroco, como dizia Einstein. Napoleão, ao contrário (e Simon evoca de propósito aquele que foi o coveiro da República veneziana): monarca absoluto, mas que se mexia o tempo todo. Muito barroco mas também muito clássico, no seu gênero".

O italiano quer responder, mas Simon lhe corta a palavra: "Ah, é verdade, estava esquecendo: o Clássico não existe! Nesse caso, de que estamos falando há meia hora?". O público prende a respiração. O adversário sente o *uppercut*.

Ébrios pelo esforço e pela tensão nervosa, os dois homens travam agora o debate de modo francamente anárquico, e atrás deles os três jurados sentem que deram o melhor de si, então anunciam o fim da contenda.

Simon reprime um suspiro de alívio e se vira para eles. Percebe que aqueles três jurados que arbitraram a noite são necessariamente sofistas (já que normalmente o júri deve ser formado por membros mais graduados que os contendores que eles devem desempatar). Os três usam máscaras venezianas, como seus agressores, e Simon entende a vantagem de organizar os encontros durante o Carnaval: assim é possível preservar o anonimato em absoluta discrição.

Os jurados procedem ao voto em um silêncio esmagador.

O primeiro vota em Simon.

O segundo, em seu adversário.

O veredicto do encontro repousa, pois, nas mãos do último jurado. Simon olha fixamente para a espécie de tábua de pão avermelhada pelo sangue dos dedos dos competidores anteriores. Ouve um murmúrio na sala, que acolhe o terceiro voto, e não ousa levantar a cabeça. Pelo menos uma vez na vida não consegue *interpretar* aquele murmúrio.

Ninguém pegou o machadinho colocado sobre a mesa.

O terceiro jurado vota nele.

Seu adversário se decompõe. Não perderá o dedo, já que segundo as regras do Clube Logos só o challenger põe em jogo seu capital digital, mas ele se apegava ao seu nível e, visivelmente, suporta muito mal ser rebaixado na escala.

Assim, Simon é promovido ao nível de tribuno, sob os aplausos do público. Mas, sobretudo, entregam-lhe solenemente o convite para duas pessoas, para o encontro de cúpula do dia seguinte. Simon verifica hora e lugar, cumprimenta o público uma última vez e vai encontrar Bayard no camarote, enquanto a sala começa a se esvaziar (pois seu encontro, ponto alto da noite, fora programado por último).

No camarote, Bayard toma conhecimento das informações mencionadas no convite e acende um cigarro, pelo menos o décimo segundo da noite. Um inglês passa a cabeça pela porta para congratular o vencedor: "*Good game. The guy was tough*".*

Simon olha suas mãos que tremem um pouco e diz: "Pergunto-me se os sofistas são muito melhores".

92.

Atrás de Sollers, há o *Paraíso*: uma tela gigantesca de Tintoretto que, em seu tempo, também ganhou um concurso, para decorar a sala do Grande Conselho do palácio dos Doges.

Ao pé da tela, um vasto estrado sobre o qual estão sentados não três mas dez membros do júri: o total do efetivo dos sofistas.

Na frente deles, virados de três quartos para o público, o grande Protágoras em pessoa, e Sollers, apoiado numa tribuna.

Os dez jurados e os dois contendores estão usando máscaras venezianas, mas Simon e Bayard reconheceram facilmente Sollers. Aliás, localizaram Kristeva na plateia.

À diferença do La Fenice, o público está em pé, amontoado na imensa sala concebida no século XIV para receber mais de mil patrícios: cinquenta e três metros de comprimento esmagados por um teto a respeito do qual a gente se pergunta como se sustenta sozinho, sem nenhuma coluna, incrustado por uma miríade de telas de mestres.

A sala causa tamanho impacto no público que paira uma espécie de murmúrio temeroso. Todos cochicham respeitosamente sob o olhar de Tintoretto ou Veronese.

Um dos jurados se levanta, anuncia solene, em italiano, o início do encontro, e tira o tema de uma das duas urnas colocadas à sua frente.

* "Bom jogo. O cara era forte." (N. T.)

"*On forcène doucement.*"

O tema parece estar em francês, mas Bayard se vira para Simon, que lhe faz sinal de que não entendeu direito.

Uma onda de perplexidade cruza os cinquenta e três metros da sala. Os espectadores não francófonos verificam que o aparelho de tradução simultânea está bem regulado no canal certo.

Se Sollers marcou um tempo de hesitação atrás de sua máscara, não deixou transparecer. Em todo caso, na sala Kristeva não se mexeu.

Sollers dispõe de cinco minutos para entender o tema, problematizá-lo, deduzir uma tese e sustentá-la com argumentos coerentes e, se possível, espetaculares.

Enquanto isso, Bayard se informa com os vizinhos: o que é esse tema incompreensível?

Um belo velhote bem vestido com um lencinho de seda no bolso combinando com a echarpe explica: "*Ma* o francês desafia *il grande Protagoras*. Ele não deve esperar um '*a favor ou contra a pena de morte*', *vero?*".

Bayard quer concordar, mas pergunta por que o tema está em francês.

O velho responde:

"Cortesia do *grande Protágoras*. Dizem que fala todas as línguas."

"Ele não é francês?"

"*Ma no, è italiano, eh!*"

Bayard olha para o grande Protágoras, que fuma tranquilamente seu cachimbo atrás da máscara, rabiscando umas notas. Sua silhueta, seu jeito, a forma do maxilar (pois a máscara só cobre os olhos) lhe dizem alguma coisa.

Quando os cinco minutos se passaram, Sollers se endireita na tribuna, olha de cima abaixo a assembleia, faz um passinho de dança pontuado por uma rotação completa, como se quisesse ter certeza da presença dos Dez às suas costas, inclina-se mais ou menos sobriamente em direção do adversário, e ataca seu discurso, discurso que ele já sabe que ficará nos anais como O discurso de Sollers diante do grande Protágoras.

"*Forcène... Forcène... Fort... Scène... Fors... Seine... Faure (Félix)... Cène.* O presidente Félix Faure morreu em consequência de uma felação, e de parada cardíaca, o que o fez entrar para a História mas sair de cena. À guisa de prolegômeno... De aperitivo... De introdução (haha!)..."

Simon pensa que Sollers tenta uma aproximação lacaniana ousada.

Bayard observa de canto de olho Kristeva. A expressão de seu rosto continua a não trair nada, senão uma atenção extrema.

"A força. E a cena. A força em cena. Rodrigue, ora essa. Forêt sur Seine. (Val-de-Marne. Dizem que ainda pregam corvos nas portas.) Apertar ou não apertar a goela do Comendador? *That is the question.*"

Bayard interroga Simon com um olhar, e ele lhe explica baixinho que aparentemente Sollers escolheu uma tática audaciosa, que consiste em substituir os laços lógicos por laços analógicos, ou melhor, justaposições de ideias, e até mesmo de sequências de imagens, mais do que raciocínio puro.

Bayard tenta entender: "É barroco?".

Simon se espanta: "Ahn, sim, se quiser".

Sollers continua: "*Fors scène*: fora da cena. Obscena. Tudo está aí. O resto não tem o menor interesse, naturalmente. O artigo tonitruante sobre 'Sollers, o obsceno', de Marcelin Pleynet? Sem sombra de dúvida. Pois bem, é isso. Oh lá, oh! *Doucement... D'où... semence...* Donde vem o sêmen? Lá do alto, é claro! (Aponta para o teto e para os quadros de Veronese.) A arte é o sêmen de Deus. (Aponta para a parede às suas costas.) Tintoretto é seu profeta... Aliás, é tinto e reto... Bendita a época em que a linha e a tinta voltarão a substituir a foice e o martelo... Afinal, são dois instrumentos do pintor!".

Bayard acredita captar uma leve ruga de inquietação no rosto eslavo de Kristeva?

"Se os peixes pudessem pôr a cabeça fora d'água, perceberiam que o mundo deles não é o único mundo..."

Simon acha que a estratégia de Sollers é *realmente* muito audaciosa.

Bayard lhe pergunta, ao ouvido: "Um pouco teatral demais, não?".

O velhote do lencinho lhes cochicha: "Ele tem *coglioni*, esse *francese*. Ao mesmo tempo, é agora ou nunca o momento de se servir deles".

Bayard lhe pede para esclarecer a análise.

O velhote responde: "Visivelmente, não entendeu o tema. Nós tampouco, *vero*? Então, tenta *bancar o caga-regra* — se diz isso em francês? É notável".

Sollers encosta um cotovelo na tribuna, o que o obriga a se inclinar torcendo ligeiramente o busto mas, curioso, essa posição pouco natural lhe dá um ar relativamente descontraído.

"Vim vi vomitei."

O fraseado de Sollers se acelera, torna-se mais fluido, quase musical: "Deus está de fato pertinho sem mistério docemente lubrificado docemente mente de *misfério* gente de hemisfério...". Depois, diz essa coisa que Simon e até Bayard acham espantoso: "A crença nas coceguinhas, no guili-guili sobre o órgão, permite manter o cadáver como único valor fundamental". Ao dizer isso, Sollers passa lascivamente a língua nos lábios. Bayard pode agora observar uma nítida crispação em Kristeva.

A certa altura, Sollers diz (e Simon pensa que de certa forma revela aí seu segredo): "Passando de gato pra literato...".

Bayard se deixa ninar pelo ritmo, como um rio que corre

encontrando de vez em quando pequenos toros de madeira que vão bater numa embarcação frágil.

"... A alma inteira de Cristo gozava em sua paixão da beatitude parece que não por várias razões não é impossível sofrer e gozar ao mesmo tempo já que a dor e a alegria são contrárias Aristóteles nota isso a tristeza profunda não impede o deleite no entanto é o contrário..."

Sollers saliva cada vez mais, porém prossegue, como uma máquina de Alfred Jarry: "Mudo de forma de nome de revelação de apelido sou o mesmo me transformo ora palácio ora cabana faraó colomba ou carneiro transfiguração transsubstanciação ascensão...".

Depois chega à peroração, e o público sente, já que não consegue acompanhá-lo: "Serei o que serei isso quer dizer ocupem-se do que eu sou enquanto eu estou no eu sou não esqueçam que sou o que se segue se eu for amanhã serei o que sou no ponto em que estarei...".

Bayard se espanta com Simon: "É isso a sétima função da linguagem?".

Simon sente a paranoia reaparecer e pensa que um personagem como Sollers não pode existir de verdade.

Sollers conclui, peremptório: "Sou o contrário do germano-soviético".

Estupefação na sala.

Até o grande Protágoras está boquiaberto. Ele faz "hum hum" um pouco constrangido. Depois toma a palavra, já que é sua vez.

Simon e Bayard reconhecem a voz de Umberto Eco.

"Não sei por onde começar, de tal forma meu honorável adversário mostrou, hum, com quantos paus se faz uma canoa, *si*?"

Eco se vira para Sollers e se inclina polidamente, reajustando o nariz de sua máscara.

"Talvez eu poderia fazer primeiro uma pequena observação de etimologia? Os senhores provavelmente notaram, caro público, honoráveis membros do júri, que o verbo '*forcener*' não existe mais em francês moderno, e seu único vestígio sobrevive no substantivo '*forcené*', que designa um ser louco que tem um comportamento violento.

"Ora, essa definição do '*forcené*' pode nos induzir em erro. Na origem — permito-me uma pequena observação de ortografia — *forcener* se escrevia com 's', não com 'c', pois a palavra vinha do latim '*sensus*', o 'sentido' ('*animal quod sensu caret*'): *forsener* é literalmente estar fora de sentido, portanto ser louco, mas no início não havia a conotação da força.

"Dito isso, essa conotação deve ter aparecido progressivamente, com a reformulação ortográfica que sugeriu uma falsa etimologia e, assim, eu diria que desde o século XVI essa ortografia era atestada em meios franceses.

"*Allora*, a questão que eu teria discutido, se meu honorável adversário a tivesse levantado, teria sido a seguinte: será que '*forcener doucement*' é um oxímoro? Há ou não associação de dois termos contraditórios?

"Não, se considerarmos a verdadeira etimologia de *forcener*.

"*Si*, caso se admita a conotação da força na falsa etimologia.

"*Si, ma...* Será que *suave* e *forte* se opõem necessariamente? Uma força pode ser exercida suavemente, por exemplo, quando vocês são levados pela correnteza de um rio, ou quando apertam suavemente a mão amada..."

O sotaque cantante ressoa no salão, mas todos perceberam a violência do ataque: sob sua aparência bondosa, Eco acaba de sublinhar, tranquilo, as insuficiências do discurso de Sollers, recriando sozinho uma discussão cujas bases seu adversário não soube colocar.

"*Ma* nada disso nos explica o que isso significa, *no*?

"Eu seria mais modesto que meu adversário, que tentou para

essa expressão interpretações muito audaciosas, e creio, desculpem-me, um pouco fantasistas. Vou apenas tentar explicar-lhes, se permitem: aquele que *'forcène doucement'* é o poeta, *ecco*. É o *furor poeticus*. Não tenho certeza de quem disse essa frase *ma* eu diria que é um poeta francês do século XVI, um discípulo de Jean Dorat, um membro da Pléiade, porque se sente muito bem, aqui, a influência neoplatônica.

"Para Platão, como sabem, a poesia não é uma arte, não é uma técnica, é uma inspiração divina. O poeta é habitado pelo deus, num estado segundo: é isso que Sócrates explica a Íon em seu famoso diálogo. Portanto, o poeta é louco, mas é uma loucura suave, uma loucura criativa, e não uma loucura destrutiva.

"Não conheço o autor dessa citação mas penso que talvez seja Ronsard ou Du Bellay, ambos discípulos de uma escola em que, *giustamente*, *'on forcène doucement'*.

"*Allora*, pode-se discutir a questão da inspiração divina, se quiserem? Não sei, porque não entendi direito sobre o que meu honorável adversário queria discutir."

Silêncio na sala. Sollers entende que lhe dão de novo a palavra e marca um tempinho de hesitação.

Simon analisou mecanicamente a estratégia de Eco, que pode se resumir num só ponto: fazer o contrário de Sollers. Isso implica adotar um éthos ultramodesto e um nível de desenvolvimento muito sóbrio e minimalista. Recusar toda interpretação fantasista e explicação muito literal. Recorrendo à sua erudição proverbial, Eco se contentou em explicar sem argumentar, como para sublinhar a impossibilidade da discussão diante da logorreia delirante do adversário. Rigor e humildade para iluminar a desordem mental de seu interlocutor megalomaníaco.

Sollers retoma a palavra, um pouco menos seguro: "Falo de filosofia porque o gesto da literatura é agora mostrar que o discurso filosófico é integrável à posição do sujeito literário por menos que sua experiência seja levada até o fim do horizonte transcendental".

Mas Eco nada responde.

Então, Sollers, tomado de pânico, exclama: "Aragon escreveu um artigo tonitruante sobre mim! Sobre meu gênio! E Elsa Triolet! Tenho as dedicatórias!".

Silêncio constrangedor.

Um dos dez sofistas faz um gesto e dois guardas, postados à entrada da sala, vão pegar Sollers, perplexo, que revira os olhos gritando: "Guili-guili! Hohoho! Não, não, não!".

Bayard pergunta por que não há voto. O velhote do lencinho responde que em certos casos a unanimidade é evidente.

Os dois guardas deitam o perdedor no chão de mármore diante do estrado e um dos sofistas avança, com uma grande tesoura de podar na mão.

Os guardas tiram a calça de Sollers, que se debate berrando debaixo do *Paraíso* de Tintoretto. Outros sofistas saem da poltrona para ajudarem a controlá-lo. Na confusão, sua máscara cai.

Só as primeiras filas do público podem ver o que acontece ao pé do estrado, mas até o fundo da sala todos sabem.

O sofista com bico de médico acomoda os colhões de Sollers entre as duas lâminas da tesoura, agarra firmemente as alças, com as duas mãos, aciona o movimento de corte. E corta.

Kristeva estremece.

Sollers faz um barulho desconhecido, um estalo de garganta seguido por um longo miado que ricocheteia nas telas dos mestres e repercute em toda a sala.

O sofista de bico de médico apanha os dois colhões e coloca-os na segunda urna e Simon e Bayard entendem então para o que tinha sido prevista.

Simon, lívido, pergunta ao vizinho: "Normalmente o preço não é um dedo?".

O homem lhe responde que é um dedo quando se desafia um contendor de um nível logo acima, mas Sollers quis queimar as etapas, nunca tinha participado de nenhuma contenda e desafiou diretamente o grande Protágoras. "Então, aí, é mais caro."

Enquanto tentam ministrar os primeiros socorros a Sollers, que se retorce soltando gemidos horríveis, Kristeva recupera a urna com os colhões e sai da sala.

Bayard e Simon a seguem.

A passos rápidos, ela cruza a praça São Marcos com a urna nos braços. A noite ainda está começando e a praça está repleta de curiosos, barqueiros aboletados em estacas, cuspidores de fogo, artistas com roupas do século XVIII que imitam duelos de espada. Simon e Bayard abrem passagem para não perdê-la. Ela se enfia pelas ruelas estreitas, atravessa pontes, não se vira nem uma vez. Um homem vestido de Arlequim a agarra pela cintura para beijá-la mas ela dá um grito estridente, se solta como um animalzinho e foge com a urna. Cruza o Rialto. Bayard e Simon não têm certeza de que saiba aonde vai. Ao longe, no céu, ouvem-se deflagrações de um fogo de artifício. Kristeva tropeça num degrau e por um triz não deixa a urna cair. Sai fumaça de sua boca pois faz frio e ela deixou o mantô no palácio dos Doges.

Mas consegue chegar a algum lugar: ao pé da basílica Santa Maria Gloriosa dei Frari, onde reside, segundo as próprias palavras de seu marido, "o coração glorioso da Sereníssima", com o túmulo de Ticiano e sua *Assunção vermelha*. Nessa hora, a basílica está fechada mas, seja como for, ela não quer entrar.

Foi o acaso que a levou lá.

Ela avança sobre a pontezinha que passa pelo rio dei Frari e para no meio. Coloca a urna no parapeito de pedra. Simon e Bayard estão bem atrás, mas não se atrevem a pegar a ponte e subir os poucos degraus para irem encontrá-la.

Kristeva ouve o rumor da cidade, fixa os olhos pretos nas

ondinhas formadas pelo vento suave noturno. Uma chuva fina vai molhar seus cabelos curtos.

Tira da blusa um papel dobrado em quatro.

Bayard tem o impulso de se jogar em cima dela e lhe arrancar o documento, mas Simon o agarra pelo braço. Ela vira a cabeça para eles, franze os olhos, como se só então percebesse a presença deles, como se descobrisse sua existência, e dá-lhes um olhar de ódio, um olhar frio que petrifica Bayard, enquanto ela desdobra a folha.

Está muito escuro para ver o que há escrito, mas Simon tem a impressão de distinguir pequenos caracteres apertados. A página está mesmo escrita no verso e reverso.

E Kristeva, calmamente, lentamente, começa a rasgá-la.

À medida que se desenrola a operação, os pedaços de papel, cada vez menores, voam sobre o canal.

No fim, nada mais resta além do vento negro e do barulho delicado da chuva.

93.

"Mas a seu ver, Kristeva sabia ou não?"

Bayard tenta entender.

Simon está perplexo.

Que Sollers não tenha se dado conta de que a sétima função não funcionava, isso parece plausível. Mas Kristeva?

"Difícil dizer. Eu precisaria ter lido o documento."

Por que ela teria traído o marido? E, por outro lado, por que ela mesma não usou a função pra concorrer?

Bayard diz a Simon: "Talvez ela fosse como nós. Talvez tenha desejado ver antes se a coisa funcionava".

Simon olha para a massa de turistas que se deslocam como

que em câmera lenta por Veneza, que se esvazia. Bayard e ele esperam o vaporetto com suas malinhas e, como o Carnaval chegara ao fim, a fila é longa, levas de turistas pegam o caminho da estação ou do aeroporto. Chega um vaporetto mas não é o que serve, precisam esperar mais.

Pensativo, Simon pergunta a Bayard: "Para você, o que é o real?".

Como Bayard, evidentemente, não entende aonde ele quer chegar, Simon esclarece: "Como você sabe que não está num romance? Como sabe que não vive no interior de uma ficção? Como sabe que é *real*?".

Bayard observa Simon com uma curiosidade sincera e responde em tom de indulgência: "Você é idiota ou o quê? O real é o que se vive, só isso".

O vaporetto chega e, enquanto faz a manobra de atracação, Bayard bate no ombro de Simon: "Não se faça tantas perguntas, ora".

O embarque se realiza numa confusão desordenada, a tripulação do vaporetto trata mal aqueles turistas idiotas que sobem a bordo, desajeitados, com suas bagagens e crianças.

Quando chega a vez de Simon pular para o barco, o funcionário que faz a contagem desliza a barreira metálica bem atrás dele. No cais, Bayard quer reclamar, mas o italiano lhe responde com indiferença: "*Tutto esaurito*".

Bayard diz a Simon para esperá-lo na próxima parada, vai pegar o seguinte. Simon faz adeus com a mão, para relaxar.

O vaporetto se afasta. Bayard acende um cigarro. Atrás dele ouve vozes altas. Vira-se e vê os dois japoneses que brigam. Intrigado, aproxima-se. Um dos dois japoneses lhe diz, em francês: "Seu amigo acaba de ser sequestrado".

Bayard precisa de alguns segundos para examinar a informação.

Alguns segundos, não mais, pois entra no modo policial e faz a única pergunta que um tira deve fazer: "Por quê?".

O segundo japonês lhe diz: "Porque ele ganhou anteontem".

O italiano que o derrotou é um político napolitano muito poderoso, e não digeriu a derrota. Bayard está informado da agressão posterior ao encontro, na Ca' Rezzonico. Os japoneses lhe explicam: o napolitano enviara seus esbirros para deixar Simon sem condições de concorrer, pois tinha medo dele, e agora que perdeu a parada, quer se vingar.

Bayard olha o vaporetto se afastando. Analisa rapidamente a situação, observa ao redor, vê a estátua de bronze de uma espécie de general de bigodes grossos, vê a fachada do Danieli, vê barcos estacionados no cais. Vê um gondoleiro na sua gôndola, esperando os turistas.

Pula na gôndola, junto com os japoneses. O gondoleiro não se espanta e os recebe cantarolando em italiano, mas Bayard lhe diz: "Siga aquele vaporetto!".

O gondoleiro finge não entender, então Bayard pega um maço de liras e o gondoleiro começa a remar com a ginga.

O vaporetto tem uns bons trezentos metros de vantagem e, em 1981, não existe celular.

O gondoleiro se espanta: é estranho, aquele vaporetto não está pegando a direção certa, dirige-se para Murano.

O vaporetto foi desviado.

A bordo, Simon não se dá conta de nada porque os passageiros, quase todos, são turistas que não conhecem a rota e, portanto, fora dois ou três italianos que reclamam com o condutor, ninguém percebe que o trajeto está errado. Um italiano que reclama é algo que não choca ninguém, os passageiros pensam que isso faz parte do folclore, e o vaporetto atraca na ilha de Murano.

Ao longe, atrás, a gôndola de Bayard tenta recuperar o atraso, Bayard e os japoneses exortam o gondoleiro a remar mais depressa e gritam o nome de Simon para avisá-lo, mas estão longe demais e Simon não tem a menor obrigação de estar atento.

Em compensação, sente de súbito a ponta de uma faca no lombo e ouve uma voz atrás dele dizendo: "*Prego*". Compreende que deve descer. Obtempera. Os turistas, com pressa de pegar o avião, não veem a faca, e o vaporetto retoma seu caminho.

Simon está no cais, tem certeza de que os homens atrás dele são os três agressores mascarados da outra noite.

Fazem-no entrar numa das oficinas dos sopradores de vidro que dão diretamente para o cais. Dentro, um artesão mexe num pedaço de pasta de vidro recém-saído do forno e Simon contempla, fascinado, a bola pastosa soprada, esticada, modelada, tomando a forma, em alguns gestos com os punções, de um cavalinho empinado.

Ao lado do forno está um homem de terno descombinado, barrigudo, calvo; Simon o reconhece, é seu adversário do La Fenice.

"*Benvenuto!*"

Simon está na frente do napolitano, emoldurado pelos três esbirros. O soprador de vidro continua a modelar seus cavalinhos como se nada houvesse.

"*Bravo! Bravo!* Eu queria felicitá-lo pessoalmente antes que você fosse embora. Palladio foi bem jogado. Fácil mas bem jogado. E Pórcia. A mim, não convenceu, mas ao júri, sim, *vero*? Ah, Shakespeare... Eu deveria ter falado de Visconti... Viu *Senso*? A história de um estrangeiro em Veneza que termina muito mal."

O napolitano se aproxima do soprador de vidro concentrado em fazer as patas de um segundo cavalinho. Puxa um charuto, que acende aproximando-o do vidro incandescente, depois se vira para Simon com um sorriso mau.

"*Ma* não quero que você vá embora sem te deixar uma lembrancinha minha. Como vocês dizem mesmo? 'Cada um com seu quinhão', *si*?"

Um dos esbirros imobiliza Simon bloqueando-lhe a nuca. Simon tenta se soltar mas o segundo esbirro lhe dá um soco no peito que lhe corta o fôlego e o terceiro agarra seu braço direito.

Os três homens o empurram e o fazem cair para a frente, e esticam seu braço sobre a bancada do artesão. Os cavalinhos de vidro caem e se quebram no chão. O soprador de vidro faz um gesto de recuo mas não parece surpreso. Simon cruza com seu olhar e vê nos olhos daquele homem que ele sabe perfeitamente o que esperam dele e que não está em condições de recusar, então Simon entra em pânico, debate-se gritando mas seus gritos são mero reflexo, pois tem certeza de que não há nenhum auxílio a esperar, já que ignora que o reforço está a caminho, que Bayard e os japoneses chegam de gôndola e que prometeram ao gondoleiro triplicar a corrida se batesse todos os seus recordes de tempo de viagem.

O soprador pergunta: *"Che dito?"*.

Bayard e os japoneses usam as valises como remos para ir mais depressa e o próprio gondoleiro se esfalfa, pois, sem conhecer o que exatamente está em jogo, entendeu que a hora era grave.

O napolitano pergunta a Simon: "Que dedo? Tem uma preferência?".

Simon dá coices como um cavalo, mas os três homens mantêm firmemente seu braço em cima do balcão. Nesse instante ele já não se faz a pergunta de saber se é um personagem de romance ou não, é o instinto de sobrevivência que motiva suas reações e ele tenta desesperadamente se soltar mas não consegue.

A gôndola atraca enfim e Bayard joga todos os maços de liras para o gondoleiro e pula para o cais com os japoneses, mas as fábricas de vidro são enfileiradas e eles não sabem aonde Simon foi levado, portanto se metem em cada uma, aleatoriamente, e interpelam os operários e os vendedores e os turistas, mas ninguém viu Simon passar.

O napolitano dá uma tragada no charuto e ordena: "*Tutta la mano*".

O soprador de vidro muda a pinça por uma mais grossa e agarra o punho de Simon com uma tenaz de ferro fundido.

Bayard e os japoneses irrompem numa primeira fábrica e devem descrever o jovem francês a italianos que não os entendem porque eles falam muito depressa, então Bayard sai da fábrica e se precipita para a que fica ao lado, mas lá também ninguém viu passar nenhum francês e Bayard sabe muito bem que não é assim, nessa pressa, que se faz uma investigação, mas tem a intuição de tira, que capta a urgência de uma situação mesmo sem ter todos os seus elementos e corre de uma fábrica a outra e de uma loja a outra.

Mas é tarde demais: o soprador de vidro fecha a tenaz em cima do punho de Simon e esmigalha a carne, os ligamentos e o osso, até que este se quebre num estalo sinistro e sua mão direita se solte do braço, num imenso jorro de sangue.

O napolitano contempla seu adversário mutilado, que desaba no chão, e parece hesitar um instante.

Será que, sim ou não, obteve uma reparação suficiente?

Dá uma tragada no charuto, solta uns círculos de fumaça, e diz: "*Andiamo*".

O grito dado por Simon alertou Bayard e os japoneses, que enfim encontram a oficina do soprador de vidro e o descobrem sem sentidos, esvaindo-se em seu sangue no meio de cavalinhos quebrados.

Bayard sabe que não há um segundo a perder. Procura a mão que falta mas não a encontra, olha por todo lado no chão mas só vê caquinhos de vidro dos cavalinhos que estalam sob a sola do seu sapato. Compreende que, se nada for feito nos minutos seguintes, Simon vai morrer, exangue.

Então um dos japoneses tira uma espécie de espátula do

forno, ainda escaldante, e a aplica sobre o ferimento. A operação de cauterização produz um assobio pavoroso. A dor desperta Simon, que uiva sem entender. O cheiro de carne queimada se espalha até a loja ao lado e intriga os clientes, ignorantes do drama que se passa na oficina do soprador de vidro.

Bayard pensa que cauterizar o ferimento em carne viva significa que nenhum enxerto será mais possível e que Simon ficará irremediavelmente maneta, mas o japonês que agarrou o tição, como se tivesse lido seu pensamento, mostra-lhe o forno, para que ele não tenha mais remorso: dentro, semelhantes a uma escultura de Rodin, crepitam os dedos encolhidos da mão calcinada.

QUINTA PARTE

Paris

94.

"Não acredito! Essa filha da mãe da Thatcher deixou Bobby Sands morrer!"

Simon bate o pé na frente de Patrick Poivre D'Arvor, que anuncia, no telejornal do Antenne 2, a morte do ativista irlandês ao fim de sessenta e seis dias de greve de fome.

Bayard sai da cozinha e dá uma espiada na reportagem. Comenta: "Ao mesmo tempo, não se pode impedir ninguém de se suicidar, né?".

Simon dá bronca em Bayard: "Está ouvindo, seu tira imundo! Ele tinha vinte e sete anos!".

Bayard tenta argumentar: "Ele fazia parte de uma organização terrorista. O IRA mata gente, não mata?".

Simon se estrangula: "Era exatamente o que dizia Laval a respeito da Resistência! Eu não gostaria de ser controlado por um tira igual a você em 1940!".

Bayard sente que é melhor não responder, então serve mais

um porto a seu convidado, põe na mesa de centro uma tigelinha de salsichas de coquetel e volta para cuidar da cozinha.

PPDA encadeia com o assassinato de um general espanhol e uma reportagem sobre os nostálgicos do franquismo, apenas três meses depois da tentativa de golpe de Estado no Parlamento de Madri.

Simon torna a mergulhar na revista que comprou antes de vir e que começou a ler no metrô. Foi a chamada que o deixou curioso: "Referendo: os quarenta e dois primeiros intelectuais". A revista pediu a quinhentas personalidades "culturais" (Simon faz careta) que designassem, a seu ver, os três intelectuais franceses vivos mais importantes. Primeiro: Lévi-Strauss; segundo: Sartre; terceiro: Foucault. Em seguida, vêm Lacan, Beauvoir, Yourcenar, Braudel...

Simon procura Derrida na classificação, esquecendo que ele morreu. (Supõe que estaria no pódio, mas jamais se saberá.)

BHL é o décimo.

Michaux, Beckett, Aragon, Cioran, Ionesco, Duras...

Sollers, vigésimo quarto. Como os votos são detalhados e Sollers também faz parte dos votantes, Simon verifica que ele votou em Kristeva, enquanto Kristeva votou nele. (Mesma troca de delicadezas com BHL.)

Simon espeta uma salsichinha e grita para Bayard: "Falando nisso, teve notícias de Sollers?".

Bayard sai da cozinha, com um pano de prato na mão: "Ele saiu do hospital. Kristeva ficou à sua cabeceira durante toda a convalescença. Retomou uma vida normal, pelo que me dizem. Segundo minhas informações, enterrou seus colhões numa ilha-cemitério, em Veneza. Diz que em homenagem a eles retornará até morrer duas vezes por ano — uma vez para cada colhão".

Bayard hesita um pouco antes de acrescentar, baixinho, sem olhar para Simon: "Ele parece se recuperar bastante bem".

Althusser, vigésimo quinto: o assassinato da mulher não parece ter prejudicado muito sua credibilidade, pensa Simon.

"Está cheirando bem, hein, o que é que você está fazendo?"

Bayard volta para a cozinha: "Tome, coma azeitonas enquanto espera".

Deleuze, vigésimo sexto, *ex aequo* com Claire Bretécher.

Dumézil, Godard, Albert Cohen...

Bourdieu, somente trigésimo sexto. Simon se espanta.

O coletivo de *Libération*, mesmo assim, votou em Derrida, embora morto.

Gaston Defferre e Edmonde Charles-Roux votaram, ambos, em Beauvoir.

Anne Sinclair votou em Aron, Foucault e Jean Daniel. Simon pensa que bem que treparia com ela.

Alguns não votaram em ninguém, argumentando que não haveria mais nenhum intelectual de peso.

Michel Tournier respondeu: "Fora eu, realmente não vejo quem poderia citar". Em outros tempos, Simon talvez tivesse rido. Gabriel Matzneff escreveu: "Meu primeiro nome é o meu: Matzneff". Simon se pergunta se esse tipo de narcisismo regressivo — o desejo de nomear a si mesmo — está repertoriado na taxinomia psicanalítica.

PPDA (que votou Aron, Gracq e D'Ormesson) diz: "Washington tem razões de sobra para se alegrar com a alta do dólar: cinco francos e quarenta...".

Simon percorre a lista dos votantes e já não contém sua indignação: "Puta merda, esse corrupto do Jacques Médecin... Esse insignificante do Jean Dutourd... E publicitários, é claro, essa nova raça... Francis Huster??... Ah, aquele nojento do Elkabbach, ele votou em quem?... Esse velho reaça do Pawels!... E esse grande fascista do Chirac, é o fim da picada!... Todos uns filhos da puta!".

Bayard indaga mostrando a cabeça: "Falou comigo?".

Simon resmunga umas insanidades inaudíveis; Bayard retorna às panelas.

O jornal de PPDA termina com a meteorologia de Alain Gillot-Pétré, que anuncia sol, enfim, neste mês de maio frigorífico (doze graus em Paris, nove em Besançon).

Depois da publicidade, aparece uma tela azul, em que se inscreve, tendo ao fundo uma música pretensiosa com címbalos e cobres, a mensagem que anuncia o grande debate "em torno da eleição do presidente da República".

Os dois jornalistas que vão arbitrar o debate, nesse 6 de maio de 1981, se sucedem à tela azul.

Simon grita: "Jacques, ande logo! Vai começar".

Bayard vai para o salão, com cervejas e cubinhos de queijos de aperitivo. Abre duas cervejas enquanto o jornalista escolhido por Giscard, Jean Boissonnat, comentarista da rádio Europe 1, terno cinza, gravata listrada, jeito de fugir para a Suíça em caso de vitória socialista, diz como vai se passar o debate.

A seu lado, Michèle Cotta, jornalista na RTL, capacete de cabelos pretos, batom fluorescente, camisa fúcsia e colete malva, parece tomar notas, sorrindo nervosa.

Simon, que não ouve a RTL, pergunta quem é a boneca russa de fúcsia. Bayard ri bobamente.

Giscard explica que deseja que o debate seja útil.

Simon tenta puxar com os dentes a fitinha do papel da embalagem do cubinho de queijo ao presunto mas não consegue, então se irrita, enquanto Mitterrand diz a Giscard: "Sem dúvida o senhor considera que o sr. Chirac faz parte do coro das chorosas…".

Bayard pega o cubinho de queijo da mão de Simon e tira o papel-alumínio da embalagem.

Giscard e Mitterrand jogam-se na cara seus aliados que são

um estorvo: Chirac que, na época, é considerado o representante da direita dura, ultraliberal, no limite da fascistoide (dezoito por cento), e Marchais, candidato comunista na época brejneviana do estalinismo em decomposição (quinze por cento). Os dois finalistas precisam dos votos respectivos deles para ser eleitos no segundo turno.

Giscard insiste no fato de que não precisa dissolver a Assembleia Nacional em caso de reeleição, enquanto seu adversário deverá governar com os comunistas ou ser um presidente sem maioria parlamentar: "Não se pode conduzir um povo com os olhos vendados. É um povo maior, que deve saber aonde vai". Simon nota que Giscard tem problemas para conjugar o verbo *dissolver* e diz a Bayard que os ex-alunos da Escola Politécnica são realmente uns iletrados. Por reflexo, Bayard lhe responde: "Os comunas em Moscou". Giscard diz a Mitterrand: "O senhor não pode dizer aos franceses: 'Quero conduzir uma grande mudança, com qualquer um... Até mesmo com a Assembleia atual', porque nesse caso não a dissolverá".

Como Giscard insiste na instabilidade parlamentar, pois não pode imaginar que os socialistas obtenham maioria na Assembleia, Mitterrand responde, um tanto solene: "Desejo ganhar a eleição presidencial, penso ganhá-la e quando a tiver ganhado farei tudo o que convém fazer no quadro da lei para ganhar as eleições legislativas. E se o senhor não imagina o que será, a partir da próxima segunda-feira, o estado de espírito da França, sua formidável vontade de mudança, então é porque não entende nada do que está acontecendo neste país". E enquanto Bayard prageja contra os canalhas bolcheviques, Simon observa mecanicamente a dupla enunciação: Mitterrand, é claro, não se dirige a Giscard mas a todos os que execram Giscard.

Mas eis que já faz meia hora que se discute a maioria parlamentar, pois o subtexto de Giscard consiste em agitar sem parar o espantalho dos ministros comunistas, e está um pouco chato, pensa Simon, quando de repente Mitterrand, até então na berlinda, resolve enfim contra-atacar: "Quanto a seu distanciamento... Digamos, anticomunista, permita-me dizer que ele mereceria algumas correções. Pois, afinal, é meio fácil demais. (Pausa.) Os trabalhadores comunistas são numerosos, sabe. (Pausa.) Acabaríamos pensando, pelo seu raciocínio: para que eles servem? Servem para produzir, para trabalhar, para pagar impostos, servem para morrer nas guerras, servem para tudo. Mas nunca podem servir para formar uma maioria na França?".

Simon, que se preparava para comer outra salsicha de coquetel, suspende seu gesto. E enquanto os jornalistas pulam em cima de uma pergunta sem interesse, ele compreende, assim como Giscard, que talvez o combate esteja mudando de alma, porque Giscard, por sua vez, se vê na defensiva e muda de tom, perfeitamente consciente do que agora está em jogo, numa época em que não se discute a equação *operário = comunista*: "Mas... Eu não ataco de jeito nenhum o eleitorado comunista. Em sete anos, sr. Mitterrand, nunca tive uma palavra desabonadora para a classe operária francesa. Nunca! Respeito-a em seu trabalho, em sua atividade, e mesmo em sua expressão política".

Simon dá uma gargalhada ruim: "Você tem razão, aliás todo ano você vai comer linguiça na festa do *L'Humanité*. Entre um e outro safári com o Bokassa, você vai brindar com os metalúrgicos da CGT, todo mundo sabe disso, haha".

Bayard olha o relógio e volta para a cozinha a fim de vigiar o forno, enquanto os jornalistas interrogam Giscard sobre o balanço de seu governo. Segundo ele, é muito bom. Mitterrand põe novamente os óculos de armação grossa para lhe demonstrar que, muito ao contrário, esse balanço não vale nada. Giscard lhe responde citando Rivarol: "É uma terrível vantagem não ter feito nada. Mas não se deve abusar disso". E aperta ali onde dói: "De fato, o senhor administra o ministério da palavra, e isso desde 1965. Desde 1974, eu administrei a França". Simon se irrita: "Vimos de que forma!", mas ele sabe que o argumento é difícil de atacar. Da cozinha Bayard retruca: "É verdade que a economia soviética é muito mais florescente!".

Mitterrand escolhe esse instante para dar sua estocada: "O senhor tem uma certa tendência a retomar o refrão de sete anos atrás: 'O homem do passado'. Pensando bem, é desagradável que, no intervalo, o senhor tenha se tornado o homem do passivo".

Bayard ri: "Ele não digeriu isso, o golpe do homem do passado, hein. Sete anos que ele ruminava essa expressão aí. Haha."

Simon nada responde porque está de acordo: a fórmula é boa mas parece ter sido um pouco preparada demais, antecipadamente. Pelo menos tem o mérito de relaxar Mitterrand, um pouco como um patinador que fosse fazer um triplo axel.

Segue-se uma boa batalha sobre a economia na França e no mundo, sente-se que os dois sujeitos estudaram bem, e Bayard traz enfim o prato fumegante: um tagine de cordeiro. Simon se espanta: "Mas quem te ensinou a cozinhar?". Giscard pinta um quadro horroroso da futura França socialista. Bayard diz a Simon: "Encontrei minha primeira mulher na Argélia. Você pode bancar o sabichão com a sua semiologia mas não sabe tudo da minha vida". Mitterrand lembra que foi De Gaulle quem iniciou maciçamente as nacionalizações, em 1945. Bayard abre uma garrafa de vinho tinto, um côte-de-beaune 1976. Simon prova o tagine: "Está delicioso!". Mitterrand não para de tirar e pôr os óculos grossos. Bayard explica: "1976 é um excelente ano para os bourgognes". Mitterrand declara: "Um país como Portugal nacionalizou os bancos e não é socialista". Simon e Bayard saboreiam o tagine e o côte-de-beaune. Bayard preparou de propósito um prato que não precisa de garfo e faca, pois a carne cozida está suficientemente macia no molho para se desfazer com uma simples pressão do garfo. Simon sabe que Bayard sabe que ele sabe, mas os dois homens fazem como se nada fosse. Ninguém deseja evocar Murano.

Enquanto isso, Mitterrand mostra os dentes: "A burocracia, foi o senhor que a criou. Aliás, é o senhor que governa. Se hoje se queixa, nas suas homilias, de todos os danos da administração, de onde é que isso vem? É o senhor que governa, portanto é o responsável! O senhor bate no peito, a três dias de uma eleição, naturalmente eu compreendo porque faz isso, mas o que me levaria a pensar que faria nos próximos sete anos de outra maneira o que fez nos últimos sete anos?".

Simon nota o emprego astucioso do condicional, mas absorto pelo tagine suculento e pelas lembranças mais amargas, está menos concentrado.

Giscard, surpreso com a súbita agressividade, tenta lhe opor a arrogância que lhe é peculiar: "Mantenhamos, por favor, o tom que convém". Mas agora Mitterrand está a ponto de chegar às vias de fato: "Pretendo me expressar absolutamente como quero".

E assesta: "Um milhão e meio de desempregados."

Giscard quer corrigi-lo: "Pessoas em busca de emprego".

Mas Mitterrand já não deixa passar nada: "Sei muito bem a distinção semântica que permite evitar as palavras que queimam a boca".

Encadeia: "O senhor teve tanto a inflação como o desemprego, mas além disso — é o vício, é a doença que se arrisca a ser mortal para nossa sociedade: sessenta por cento dos desempregados são mulheres... A maioria são jovens... É um desrespeito dramático à dignidade do homem e da mulher...".

No início, Simon não presta atenção. Mitterrand fala cada vez mais rápido, está cada vez mais ofensivo, cada vez mais exato, cada vez mais eloquente.

Giscard está na corda bamba, mas venderá caro sua pele; reduz seu chiado de fidalgote de província e interpela o adversário socialista: "O aumento do salário mínimo, quanto?". As pequenas empresas, de qualquer maneira, não sobreviverão. Tanto mais que, em sua irresponsabilidade, o Partido Socialista deseja diminuir as obrigações das empresas em função do número de empregados e estender os direitos desses assalariados às empresas de menos de dez empregados.

O burguês de Chamalières não tem intenção de capitular.

Os dois homens se atacam, golpe a golpe.

Mas Giscard comete um erro, quando pede a Mitterrand que lhe diga a cotação do marco: "A de hoje".

Mitterrand responde: "Não sou seu aluno e aqui o senhor não é o presidente da República".

Simon esvazia, pensativo, o copo de vinho tinto: há algo de autorrealizante, e por conseguinte, de performativo nessa frase...

Bayard vai buscar o queijo.

Giscard diz: "Sou contra a supressão do quociente familiar... Sou favorável à volta de um sistema de taxação pré-fixada dependendo dos tipos de mais-valias...". Ele solta toda uma série de medidas com a exatidão do bom aluno da Politécnica que foi, mas é tarde demais: perdeu.

O debate, porém, continua, áspero e técnico, sobre a energia nuclear, a bomba de nêutrons, o Mercado Comum, as relações Leste-Oeste, o orçamento da Defesa...

Mitterrand: "Será que o sr. Giscard d'Estaing gostaria de dizer que os socialistas seriam maus franceses que não gostariam de defender seu país?".

Giscard, fora do campo: "De jeito nenhum".

Mitterrand, sem olhar para ele: "Como não quer dizer isso, trata-se, portanto, de uma frase inútil".

Simon está perturbado, agarra uma cerveja em cima da mesinha, encaixa-a sob o braço e quer abri-la mas a cerveja escorrega e cai no chão. Bayard espera que Simon exploda de raiva pois sabe a que ponto seu amigo não suporta que a vida diária lhe lembre que agora é um deficiente, então enxuga a cerveja que molhou o soalho e trata de dizer: "Não faz mal!".

Mas Simon exibe uma perplexidade estranha. Aponta Mitterrand para Bayard e diz:

"Olhe para ele. Não nota nada?"

"O quê?"

"Escutou-o desde o início? Não o achou bom?"

"Sim, bem, está melhor do que há sete anos, com certeza."

"Não, tem outra coisa. Está *anormalmente* bom."

"Como assim?"

"É sutil, mas desde o fim da primeira meia hora ele manobra Giscard, e não consigo analisar como faz. É como uma estratégia invisível: posso senti-la mas não a entendo."

"Você quer dizer…"

"Olhe."

Bayard vê Giscard se esforçando para demonstrar que os socialistas são irresponsáveis, gente a quem não se deve, acima de tudo, confiar o aparelho militar e a força de dissuasão atômica: "Quando se trata da Defesa, vocês têm ao contrário… Nunca votaram com a linha de defesa, e votaram contra todas as leis programáticas relativas à defesa. Essas leis programáticas eram apresentadas fora da discussão orçamentária e, portanto, podia-se muito bem imaginar que, seja o seu partido, seja o seu… O senhor mesmo, consciente da imensa importância da segurança da França, emitisse um voto não partidário sobre as leis de programa militar. Noto que não votou nenhuma das três leis de programa militar… Em especial no dia 24 de fevereiro de 1963…".

Mitterrand nem sequer se dá ao trabalho de responder, e Michèle Cotta passa a outro assunto, então Giscard, humilhado, insiste: "É muito importante!". Michèle Cotta protesta de maneira gentil: "Perfeitamente! Claro, senhor presidente!". E engata na política africana. Boissonnat pensa, visivelmente, em outra coisa. Todos estão pouco ligando. Mais ninguém o escuta. Parece que Mitterrand o desmantelou.

Bayard começa a entender.

Giscard continua a se atolar.

Simon formula sua conclusão: "Mitterrand recuperou a sétima função da linguagem".

Bayard tenta reunir as peças do quebra-cabeça enquanto Mitterrand e Giscard debatem a intervenção militar francesa no Zaire.

"Simon, vimos em Veneza que a função não funcionava."

Mitterrand arrasa Giscard sobre o caso Kolwezi: "Em suma, poderíamos ter repatriado mais cedo... Se tivéssemos pensado nisso".*

Simon aponta o dedo para o televisor alugado da Locatel: "Essa aí funciona."

95.

Chove em Paris, começam os preparativos para a festa na Bastille, mas os responsáveis socialistas ainda estão na sede do partido, na Rue de Solférino, onde uma alegria elétrica percorre as fileiras dos militantes. Em política, a vitória é sempre uma

---

* Em março de 1978, um grupo de rebeldes do Katanga, região que se considerava independente do Zaire (atual Congo) desde 1960, sequestrou centenas de africanos e franceses na cidade mineira de Kolwezi, onde viviam três mil europeus. Dois meses depois, a França organizou uma operação aérea para libertar os reféns, mas a intervenção resultou num massacre, pelos rebeldes, de setecentos africanos e cerca de cento e cinquenta europeus. (N. T.)

conclusão, mas ao mesmo tempo um começo, e é por isso que a excitação resultante é um misto de euforia e vertigem. Por outro lado, o álcool circula a rodo, e já os salgadinhos se amontoam. "Que história!", teria dito Mitterrand.

Jack Lang aperta mãos, beija faces, cai nos braços de todos os que cruzam seu caminho. Sorri para Fabius, que chorou como uma criança quando anunciaram os resultados. Na rua, canta-se e dança-se sob a chuva. É um sonho acordado e é um momento histórico. A título pessoal, ele sabe que vai ser ministro da Cultura. Moati se agita como um maestro. Badinter e Debray dançam uma espécie de minueto. Jospin e Quilès brindam à saúde de Jean Jaurès. Jovens sobem as grades do prédio da Rue de Solférino. Os flashes dos fotógrafos crepitam como milhares de pequenos raios na grande tempestade da História. Lang não sabe mais para onde se virar. Interpelam-no: "Sr. Lang!".

Ele se vira e topa com Bayard e Simon.

Lang, surpreso, vê imediatamente que aqueles dois não foram lá para festejar.

É Bayard que fala:

"Poderia fazer o obséquio de nos dedicar uns instantes?" Ele puxou sua carteira profissional. Lang distingue a faixinha tricolor.

"A respeito de quê?"

"A respeito de Roland Barthes."

Lang recebe o nome do crítico morto como um tapa invisível.

"Escutem, ahn... Não, realmente, não creio que seja um bom momento. Mais tarde, durante a semana, concordam? Basta passarem no secretariado, que irá propor um encontro. Queiram me desculpar..."

Mas Bayard o segura pelo braço: "Insisto".

Pierre Joxe, que passa por ali, pergunta: "Algum problema, Jack?".

Lang olha em direção aos policiais que vigiam as entradas no portão. Hesita. Até essa noite, a polícia estava a serviço de seus adversários, mas agora ele pode muito bem pedir que levem para fora aquelas duas pessoas.

Na rua, ressoa a *Internacional*, ritmada por um concerto de buzinas.

Simon arregaça a manga direita do paletó e diz: "Por favor. Não demorará muito".

Lang fixa o cotoco. Joxe lhe diz:

"Jack?"

"Está tudo bem, Pierre. Volto já."

Encontra uma sala desocupada, no térreo, que dá para o pátio de entrada. O interruptor não funciona mas a sala é suficientemente iluminada pelas luzes de fora, então os três ficam na semiescuridão. Nenhum deles deseja sentar.

Simon toma a palavra: "Sr. Lang, como a sétima função caiu em suas mãos?".

Lang suspira. Simon e Bayard esperam. Mitterrand é presidente, Lang pode contar. E, sem dúvida, pensa Simon, ele *quer* contar.

Organizou um almoço com Barthes porque sabia que Barthes tinha recuperado o manuscrito de Jakobson.

"Como?", questiona Simon.

"Como o quê?", pergunta Lang. "Como Barthes recuperou o manuscrito ou como eu soube que estava com ele?"

Simon está calmo, mas sabe que Bayard costuma controlar a impaciência a duras penas. Como não deseja que seu amigo policial ameace arrancar o olho de Jack Lang com uma colherzinha, diz suavemente:

"Os dois."

Jack Lang ignora como Barthes se viu em posse do manuscrito, mas o fato é que sua excepcional rede de contatos nos meios culturais lhe permitiu ser avisado. Foi Debray, depois de ter falado com Derrida, que o convenceu do interesse pelo documento. Portanto, decidiram organizar o almoço com Barthes para poder pegá-lo. Durante a refeição, Lang surrupiou discretamente a folha que estava no paletó de Barthes e a entregou a Debray, que esperava, escondido, no vestíbulo. Debray correu para entregar o documento a Derrida que, a partir do texto original, criou, inteiramente inventada, uma falsa função, que Debray devolveu a Lang, que recolocou o documento no paletó de Barthes enquanto o almoço ainda não tinha acabado. Os minutos previstos para a operação eram muito reduzidos, Derrida precisava redigir a falsa função num tempo recorde, a partir da verdadeira, para que ela tivesse uma aparência crível, mas para que não funcionasse.

Simon se espanta: "Mas para fazer o quê? Barthes conhecia o texto. Ele ia automaticamente se dar conta".

Lang lhe explica: "Apostamos no fato de que, se estávamos informados sobre a existência daquele documento, não éramos os únicos, e que ele iria necessariamente excitar as cobiças".

Bayard o interrompe: "Previram que Sollers e Kristeva iam lhe roubar a função?".

Simon responde no lugar de Lang: "Não, eles pensavam que Giscard tentaria pôr a mão no documento. E de fato, não estavam errados, já que foi exatamente a missão de que você foi encarregado. Salvo que, ao contrário do que tinham suposto, no momento em que Barthes é atropelado pela caminhonete, Giscard ainda não estava informado da existência da sétima função. (Ele se vira para Lang.) É de crer que a rede de informantes dele nos meios culturais não era tão eficaz quanto a sua...".

Lang não contém um leve sorriso de vaidade: "Toda a operação repousava, na verdade, numa aposta, devo dizer, bastante audaciosa: que roubassem o falso documento de Barthes antes que ele se desse conta da substituição, para que o ladrão acreditasse estar com a verdadeira sétima função e, acessoriamente, para que nós permanecêssemos na posição de insuspeitos".

Bayard completa: "E foi exatamente o que aconteceu. Salvo que não foi Giscard, mas Sollers e Kristeva que encomendaram o roubo".

Lang esclarece: "Para nós, afinal, isso não mudava muita coisa. Desejaríamos enganar Giscard, fazê-lo crer que tinha posto a mão numa arma secreta. Mas tínhamos a sétima função, a verdadeira, e isso era o mais importante".

Bayard pergunta: "Mas por que mataram Barthes?".

Lang não previra que as coisas fossem tão longe. Não tinham a menor intenção de matar ninguém. Era-lhes indiferente que outros possuíssem e até dominassem a sétima função, contanto que não fosse Giscard.

Simon compreende. O objetivo de Mitterrand era um objetivo a curto prazo: derrotar Giscard no debate. Mas Sollers, de certa maneira, visava mais alto, ou, pelo menos, mais longe. Queria despossuir Eco de seu título de grande Protágoras no Clube Logos, e para isso precisava da sétima função que lhe teria conferido uma vantagem retórica decisiva. Mas, uma vez obtido o título, era preciso ter certeza, para conservá-lo, de que mais ninguém pudesse tomar conhecimento dele para, por sua vez, desafiá-lo. Donde os assassinos búlgaros contratados por Kristeva para encontrar as cópias: era imperativo que a sétima função permanecesse exclusividade de Sollers e só dele. Barthes, portanto, devia morrer, mas também todos os que tinham estado com o documento e que fossem capazes, ou de usá-lo, ou de divulgá-lo.

Simon pergunta se Mitterrand dera seu aval para a "Operação Sétima Função".

Lang não responde diretamente, mas a resposta é evidente, e assim ele não tenta negar: "Até o último momento Mitterrand não estava convencido de que aquilo funcionaria. Precisou de um pouco de tempo para dominar a função. Mas, no final, esmagou Giscard". O futuro ministro da Cultura sorri, orgulhoso.

"E Derrida?"

"Derrida desejava a derrota de Giscard. De acordo com Jakobson, teria preferido que ninguém possuísse a sétima função mas, de qualquer maneira, não estava em condições de impedir Mitterrand de apossar-se dela, e a ideia do documento falso lhe agradava. Ele me pedira para que o presidente prometesse manter a sétima função para seu uso exclusivo, e sem partilhá-la com ninguém (Lang sorri de novo). Uma promessa que o presidente, garanto, não terá a menor dificuldade em cumprir."

"E o senhor a leu?", pergunta Bayard.

"Não, Mitterrand tinha nos pedido, a Debray e a mim, para não abri-la. Eu, de qualquer maneira, não teria tempo, pois mal a tirei do bolso de Barthes a entreguei a Debray."

Jack Lang se lembra da cena: devia vigiar o cozimento do peixe, alimentar a conversa e roubar a função em absoluta discrição.

"Quanto a Debray, não sei se obedeceu à injunção presidencial mas também devia agir depressa. Conhecendo sua lealdade, eu diria que respeitou a recomendação."

"Portanto, a priori", diz Bayard, dubitativo, "Mitterrand é a última pessoa ainda em vida que teve conhecimento da função?"

"Com o próprio Jakobson, evidentemente."

Simon não diz nada.

Fora, gritam: "Para a Bastille, para a Bastille!".

A porta se abre e aparece a cabeça de Moati:

"Vem? Os concertos começaram, parece que a Bastille está lotada!"

"Já vou, já vou."

Lang queria encontrar seus amigos, mas Simon tem mais

uma pergunta: "O documento falso forjado por Derrida era concebido para desregular aquele que o utilizasse?".

Lang reflete: "Não tenho certeza... Era necessário, sobretudo, que o documento tivesse uma aparência plausível. Já era uma façanha da parte de Derrida escrever em tão pouco tempo uma imitação da sétima função que fosse crível".

Bayard repensa no desempenho de Sollers em Veneza e diz a Simon: "De qualquer maneira, Sollers já era, ahn, um pouco desregulado na base, não?".

Lang, com toda a cortesia de que é capaz, pede licença para se despedir, agora que satisfez a curiosidade deles.

Os três saem da sala escura e juntam-se à festa. Diante da velha estação de Orsay, um homem titubeante grita sem parar, encorajado pelos passantes: "Giscard para a forca! Dancemos a carmanhola!". Lang propõe a Simon e Bayard que o acompanhem até a Bastille. No caminho, cruzam com Gaston Defferre, futuro ministro do Interior: "Preciso de homens como vocês. Vamos nos ver esta semana".

Chove a cântaros mas a Bastille congrega uma multidão eufórica. As pessoas gritam, embora já seja noite: "Mitterrand, o sol! Mitterrand, o sol!".

Bayard pergunta a Lang se, a seu ver, Kristeva e Sollers serão incomodados pela justiça. Lang faz um muxoxo: "Com toda a franqueza, duvido. Agora a sétima função é um segredo de Estado. O presidente não tem o menor interesse em mexer nesse negócio. Além disso, Sollers já pagou um pesado tributo à sua ambição descabelada, não é? Encontrei-o várias vezes, sabe? Um homem encantador. Tinha a insolência da cortesania".

Lang dá um bom sorriso. Bayard lhe aperta a mão, e o iminente ministro da Cultura pode enfim ir se juntar a seus amigos para festejar a vitória.

Simon contempla a maré humana que invade a praça.

Diz: "Que desperdício".
Bayard se espanta:
"Como assim, desperdício? Você vai ter a sua aposentadoria aos sessenta anos, não é o que queria? As suas trinta e cinco horas de trabalho semanal. A sua quinta semana de férias. As suas nacionalizações. A sua abolição da pena de morte. Não está contente?"

"Barthes, Hamed, Saïd, o amigo dele, o búlgaro da Pont-Neuf, o búlgaro do Citroën DS, Derrida, Searle... Morrreram por nada. Morreram para que Sollers pudesse ter os colhões cortados em Veneza, porque não estava com o documento certo. Desde o início nós perseguimos uma quimera."

"Não totalmente. Na casa de Barthes era mesmo a cópia do original que estava dentro do livro de Jakobson. Se a gente não tivesse interceptado o búlgaro, ele a teria entregado a Kristeva, que teria se dado conta comparando os dois textos em sua possessão. E a fita cassete de Slimane também tinha sido gravada a partir do texto original. Não podia cair em mãos erradas. (Merda, pensa Bayard, pare de falar em mãos!)"

"Mas Derrida queria destruí-la."

"Mas, e se Searle tivesse posto a mão nele (céus, mas que idiota!) não se sabe o que teria acontecido."

"Mas em Murano se sabe."

Pesado silêncio no meio da multidão que canta. Bayard não sabe o que responder. Lembra-se de um filme que viu quando era moço, *Vikings, os conquistadores*, em que Tony Curtis é um maneta que mata Kirk Douglas com uma só mão, mas não garante que Simon seja sensível a essa referência.

A investigação, pouco importa o que se pensa, foi bem conduzida. Seguiram o rastro dos assassinos de Barthes. Como poderiam ter adivinhado que eles não estavam com o documento correto? Simon tem razão: era uma pista falsa, e a seguiram desde o início.

Bayard diz:

"Sem essa investigação, você não teria se tornado o que é."

"Um maneta?", Simon ri.

"Quando o encontrei, você era um ratinho de biblioteca, tinha jeito de donzela hippie, e olhe agora para você: usa um terno bem cortado, encontra moças, é a estrela ascendente do Clube Logos..."

"E perdi minha mão direita."

Os concertos se sucedem no vasto palco da Bastille. As pessoas dançam e se beijam, e entre um grupo de jovens, de cabelos louros ao vento (é a primeira vez que ele os vê soltos), Simon reconhece Anastasia.

Quais eram as chances de que esbarrasse de novo nela, nessa noite, no meio daquela multidão? Nesse instante Simon pensa que ou está nas mãos de um péssimo romancista, ou Anastasia é uma superespiã.

No palco, o grupo Téléphone canta "Ça (c'est vraiment toi)".

Ele cruza com seu olhar e a moça, enquanto dança com um jovem cabeludo, lhe faz um sinalzinho de amizade.

Bayard também a viu; diz a Simon que, para ele, é hora de voltar para casa.

"Você não vai ficar?"

"Não é a minha vitória: você sabe que votei no outro careca. E nada disso é para a minha idade." (Mostra os grupos de jovens que pulam no ritmo da música, se embriagam, fumam baseados ou se beijam na boca.)

"Pare, vovô, você não dizia isso em Cornell, quando estava bêbado como um gambá, e metendo em alguém que eu não sei quem era, com sua amiga Judith no seu rabo."

Bayard finge não ter entendido:

"Sem contar que tenho armários de pastas para passar no triturador antes que os seus amigos ponham a mão... caiam nelas."

"E se Defferre lhe propõe um cargo?"
"Sou funcionário. Sou pago para servir ao governo."
"Estou vendo. O seu sentido do Estado o honra."
"Vá à merda, idiota!"
Os dois riem. Simon pergunta a Bayard se não está curioso ao menos de ouvir a versão de Anastasia sobre o caso. Bayard lhe estende a mão (esquerda) e lhe diz, olhando para a jovem russa que dança: "Você me contará".
E, por sua vez, o delegado Bayard desaparece na multidão.
Quando Simon se vira, Anastasia está na frente dele, suando, sob a chuva. Há um instante de constrangimento. Simon vê que ela observa a mão que falta. Para mudar de foco, pergunta: "Então, o que se pensa em Moscou da vitória de Mitterrand?". Ela sorri: "Brejnev, sabe…". Ele lhe entrega uma latinha de cerveja pelo meio. "O novo homem forte é Andropov."
"E o que pensa o homem forte de seu colega búlgaro?"
"Do pai de Kristeva? Sabíamos que ele trabalhava para a filha. Mas não conseguíamos entender por que queriam a função. Foi você que me permitiu descobrir a existência do Clube Logos."
"O que vai acontecer, agora, com o papai Kristeva?"
"A época mudou, já não estamos em 1968. Não recebi ordens. Nem para o pai, nem para a filha. Quanto ao agente que tentou te matar, foi visto pela última vez em Istambul, mas perdemos o rastro dele."
A chuva aperta. No palco, Jacques Higelin canta "Champagne".
Simon pergunta num tom doloroso: "Por que você não estava em Veneza?".
Anastasia prende os cabelos e tira do maço um cigarro, que ela não consegue acender. Simon leva-a para se abrigar, sob uma árvore, acima da Pont de l'Arsenal. "Eu seguia uma outra

pista." Ela tinha descoberto que Sollers entregara uma cópia a Althusser. Ignorava que se tratava de um documento falso, então o procurou por todo lado no apartamento de Althusser, enquanto ele estava internado — e isso exigia muito trabalho porque havia toneladas de livros e papéis, o documento podia estar escondido em qualquer lugar, ela precisou revistar muito metodicamente. Mas não encontrou nada.

Simon diz: "É uma pena".

Atrás deles, no palco, avistam Rocard e Juquin, de mãos dadas, cantando a "Internacional", retomada por toda a multidão. Anastasia cantarola a letra em russo. Simon se pergunta se na verdadeira vida a esquerda pode realmente estar no poder. Ou, mais exatamente, se na verdadeira vida se pode mudar de vida. Mas antes de se deixar de novo arrastar pelos meandros assassinos de suas considerações ontológicas, ouve Anastasia lhe cochichar: "Parto para Moscou amanhã; esta noite não trabalho". E, como por magia, a moça tira da bolsa uma garrafa de champagne, que Simon não sabe nem como nem onde ela encontrou. Os jovens partilham grandes goles no gargalo, Simon beija Anastasia perguntando-se se ela não vai lhe cortar a carótida com um grampo de cabelo ou se ele não vai cair fulminado por um batom envenenado, mas a moça se deixa levar e não usa batom. A cena parece uma cena de cinema por causa da chuva e da festa como pano de fundo, mas ele resolve não pensar nisso.

A multidão grita: "Mitterrand! Mitterrand!". (Mas o novo presidente não está lá.)

Simon se aproxima de um vendedor ambulante que oferece bebidas num isopor de gelo, e hoje, excepcionalmente, champagne, de quem ele compra outra garrafa, que abre com uma só mão, na frente de Anastasia, que lhe sorri, com os olhos brilhantes pelo álcool, e que novamente solta o cabelo.

Brindam, as duas garrafas se entrechocam e Anastasia grita a plenos pulmões, sob o temporal:

"Ao socialismo!…"

Aclamações dos jovens ao redor.

E Simon lhe responde, enquanto um raio risca o céu de Paris: "… Real!"

96.

Final de Roland-Garros, 1981. Borg, mais uma vez, partiu para esmagar o adversário; está 6-1 contra o jovem jogador tchecoslovaco Ivan Lendl. Como num filme de Hitchcock, todo mundo vira a cabeça para acompanhar a bola, a não ser Simon, que pensa em outra coisa.

Bayard talvez esteja pouco ligando, mas Simon quer saber, quer a prova de que não é um personagem de romance e de que vive no mundo real. (O que é o real? "É quando a gente se machuca", disse Lacan. E Simon olha seu cotoco.)

O segundo set é mais disputado. Os escorregões dos tenistas levantam nuvens de poeira.

Simon está sozinho no camarote até que um rapaz de tipo magrebino vem ao seu encontro. O rapaz se senta na poltrona bem ao lado dele. É Slimane.

Cumprimentam-se. Lendl ganha o segundo set.

É o primeiro set perdido por Borg em todo o torneio.

"Legal, o camarote."

"É uma agência de publicidade que o aluga, a que fez a campanha de Mitterrand. Queriam me contratar."

"E isso interessa ao senhor?"

"Acho que a gente pode se tratar de você."

"Sinto muito pela sua mão."

"Se Borg ganhar, será seu sexto Roland-Garros. Parece inacreditável, não é?"

"Pelo visto, começou bem."

De fato, muito depressa Borg se destaca, no terceiro set.

"Obrigado por ter vindo."

"Eu estava de passagem por Paris. Foi o seu amigo tira que lhe avisou?"

"Então, agora você vive nos Estados Unidos?"

"Vivo, consegui um green card."

"Em seis meses?"

"A gente sempre consegue dar um jeito."

"Com a administração americana?"

"É, mesmo com ela."

"O que você fez, depois de Cornell?"

"Fugi com o dinheiro."

"Não, isso eu sei."

"Fui para Nova York. Primeiro, me matriculei na faculdade de Columbia para ter umas aulas."

"Durante o ano letivo, era possível?"

"Era, bem, sabe, basta convencer uma secretária."

Borg quebra o serviço de Lendl pela segunda vez no set.

"Soube das suas vitórias no Clube Logos. Parabéns."

"Aliás, não existe uma filial americana?"

"Existem, mas ainda são embrionárias. Nem tenho certeza de que eles tenham um só tribuno em todo o país. Há um peripatético na Filadélfia, acho, um ou dois em Boston, talvez, e alguns dialéticos espalhados na Costa Oeste."

Simon não pergunta se ele vai se inscrever.

Borg ganha o terceiro set 6-2.

"Você tem planos?"

"Tenho vontade de fazer política."

"Nos Estados Unidos? Mas pretende obter a nacionalidade americana?"

"Por que não?"

"Mas quer, ahn, concorrer nas eleições?"

"Hum, primeiro teria de melhorar meu inglês e me naturalizar. E depois, não basta ganhar nos debates para ser candidato, é preciso, como se diz, abrir seu caminho. Eu poderia talvez pensar nas primárias democratas de 2020, por que não, mas não antes, haha."

Justamente porque Slimane adota o tom da brincadeira, Simon se pergunta se ele não está falando sério...

"Não, mas sabe, encontrei um estudante em Columbia, sinto que ele vai longe, se eu o ajudar."

"Longe, aonde?"

"Acho que posso fazer dele um senador."

"Mas com que objetivo?"

"Não sei. É um negro que vem do Havaí."

"Hum, sei. Um desafio na medida dos seus novos poderes."

"Não é exatamente um poder."

"Eu sei."

Lendl dá um saque com a direita que põe Borg a três metros da bola.

Simon comenta: "Isso aí não costuma acontecer com Borg. Esse tcheco é dos bons".

Ele protela o momento de abordar o verdadeiro assunto sobre o qual foi conversar com Slimane, quando na verdade este sabe perfeitamente o que ele tem na cabeça.

"Eu a escutei sem parar no meu walkman mas isso não bastava para aprendê-la de cor, sabe."

"É um método? Um golpe no adversário?"

"É mais uma chave, ou uma pista, do que um método. Jakobson de fato a designou com o termo de 'função performativa', mas 'performativo' é uma imagem."

Slimane olha Borg fazer o revés com duas mãos.

"É uma técnica, digamos."

"No sentido grego?"
Slimane sorri.
"Uma *technè*, sim, se preferir. *Praxis*, *poïésis*... Aprendi tudo isso, sabe."
"E se sente imbatível?"
"Sinto, mas isso não quer dizer que sou. Acho que podem me derrotar."
"Sem a função?"
Slimane sorri:
"Veremos. Mas ainda tenho coisas a aprender. E devo treinar. Convencer um guarda alfandegário ou uma secretária é uma coisa, mas ganhar eleições é mais duro. Ainda tenho uma grande margem de progresso."
Simon se pergunta qual é o grau de domínio de Mitterrand e se o presidente socialista pode perder eleições ou se está fadado a ser reeleito até morrer.
Enquanto isso, Lendl luta contra a máquina sueca e arranca o quarto set. O público se arrepia: é a primeira vez há muito tempo que Borg é levado ao quinto set num jogo em Roland-Garros. A bem da verdade, ele nunca mais perdera nenhum set desde 1979 e desde sua final contra Victor Pecci. Quanto à última derrota, ali, data de 1976, contra Panatta.
Borg comete uma dupla falta, que dá a chance de quebra a Lendl.
"Não sei o que é mais improvável, diz Simon, uma sexta vitória de Borg... Ou sua derrota."
Borg responde com um ace. Lendl grita algo em tcheco.
Simon se dá conta de que deseja a vitória de Borg e nesse desejo há um pouco de superstição, de conservadorismo, de medo da mudança, mas também seria uma vitória do verossímil: Borg, número um inconteste, na frente de Connors e McEnroe, destruiu todos os adversários para alcançar a final, enquanto Lendl,

quinto mundial, quase perdeu para José-Luis Cler na semifinal e para Andres Gomez no segundo turno. A ordem das coisas...

"Falando nisso, tem notícias de Foucault?"

"Tenho, a gente se escreve regularmente. É ele que me hospeda em Paris. Continua a trabalhar na sua história da sexualidade."

"E, ahn, a sétima função não é algo que lhe interesse? Pelo menos como objeto de estudo?"

"Faz tempo que ele abandonou o terreno da linguística, sabe. Talvez volte a isso. Mas, de qualquer maneira, tem muito tato para ser o primeiro a me falar do assunto."

"Hum, sei, sei."

"Ah, não, eu não dizia isso por você, sabe."

Borg quebra Lendl.

Simon e Slimane param de conversar para acompanhar o jogo.

Slimane pensa em Hamed.

"E aquela puta da Kristeva?"

"Vai bem. Sabe o que aconteceu com Sollers?"

Um trejeito esquisito ilumina o rosto de Slimane.

Os dois homens pressentem confusamente que um belo dia se verão frente a frente disputando o lugar de grande Protágoras na cúpula do Clube Logos, mas hoje não admitirão isso. Simon evitou cuidadosamente mencionar Umberto Eco.

Lendl quebra Borg.

O resultado é cada vez mais incerto.

"E você, seus planos?"

Simon dá uma risada, mostrando o cotoco.

"Bem, para ganhar Roland-Garros vai ser complicado."

"Mas para pegar o Transsiberiano, em compensação, é perfeitamente indicado."

Simon ri da alusão a Cendrars, outro escritor maneta, e se pergunta quando Slimane adquiriu essa cultura literária.

Lendl não quer perder, mas Borg é tão bom!
No entanto.
O impensável acontece.
Lendl quebra Borg.
Saca para o game.
O jovem tcheco treme sob o peso do que está em jogo.
Mas ganha.
Borg, o invencível, é derrotado. Lendl levanta as mãos para o alto.
Slimane aplaude com o público.
Quando Simon vê Lendl erguer a taça, já não sabe muito o que pensar.

EPÍLOGO

Nápoles

97.

Simon está diante da entrada da Galleria Umberto I, e dali observa o casamento feliz e altivo do vidro e do mármore, mas permanece na soleira. A galeria é um ponto de referência e não um objetivo. Abriu um mapa à sua frente, não entende por que não encontra a Via Roma, e tem a impressão de que seu mapa é falso.

No entanto, deveria estar na Via Roma. Em vez disso, está na Via Toleda.

Atrás dele, na calçada em frente, um velho engraxate o observa com curiosidade.

Simon sabe muito bem que o outro espera ver como ele vai se virar para tornar a dobrar o mapa com uma só mão.

O velho possui uma caixa de madeira sobre a qual improvisou uma espécie de degrau para encaixar os sapatos. Simon nota a declividade prevista para o salto.

Os dois homens trocam um olhar.

Reina perplexidade dos dois lados dessa rua de Nápoles.

Simon não sabe onde está *exatamente*. Começa a dobrar o mapa, devagar, com habilidade, sem tirar os olhos do velho engraxate.

Mas de repente o engraxate fixa um ponto na vertical de Simon, que sente que se passa algo anormal porque a expressão sombria do velho se transforma em estupefação.

Simon levanta a cabeça e tem justo o tempo de perceber o frontão que está no alto da entrada da galeria, um baixo-relevo representando dois querubins enquadrando armas, ou algo do gênero, destacando-se da fachada.

O engraxate gostaria de gritar alguma coisa, um aviso ("*Statte accuorto!*", cuidado!) para impedir a tragédia, ou pelo menos para participar de alguma forma, mas nenhum som sai de sua boca desdentada.

No entanto, Simon mudou muito. Não é mais um rato de biblioteca que está quase sendo esmagado por meia tonelada de pedra branca, mas um maneta, de um nível bastante alto na hierarquia do Clube Logos, que escapou pelo menos três vezes da morte. Em vez de recuar, como nosso instinto nos mandaria fazer, ele tem o reflexo contraintuitivo de se grudar na parede do edifício, tanto assim que o enorme bloco se espatifa a seus pés, sem feri-lo.

O engraxate está pasmo. Simon olha para os escombros, olha para o engraxate, olha ao redor para os passantes petrificados.

Aponta para o pobre engraxate, mas não é a ele que se dirige, naturalmente, quando declara, agressivo: "Se você quer me matar no final, vai ter de dar duro!". Ou então o romancista deseja lhe entregar uma mensagem, "mas aí vai ter de se expressar um pouco mais claramente", pensa ele, furioso.

98.

"É o terremoto do ano passado; fragilizou todas as casas; elas podem desabar a qualquer momento."

Simon escuta Bianca lhe explicar por que ele quase pegou uns cinquenta quilos de mármore na cabeça.

"*San Gennaro* — são Januário — deteve a lava durante uma erupção do Vesúvio. Desde então, tornou-se protetor de Nápoles. E todo ano o bispo pega um pouco de seu sangue seco, numa ampola de vidro, e agita a ampola até que o sangue se torne líquido. Se o sange se dissolve, então quer dizer que as desgraças pouparão Nápoles. E o que aconteceu ano passado, a seu ver?"

"O sangue não se dissolveu."

"E depois, a Camorra desviou milhões que a Comunidade Econômica Europeia deu, pois são eles que controlam os contratos de reconstrução. Evidentemente, não fizeram nada, ou fizeram um trabalho porco que é tão perigoso como antes. Há acidentes o tempo todo. Os napolitanos estão acostumados."

Simon e Bianca bebericam cafés italianos na varanda do Gambrinus, um café literário muito turístico que também é confeitaria, e que Simon escolheu pessoalmente para aquele encontro. Aliás, está degustando um baba ao rum.

Bianca lhe explica que a expressão "Ver Nápoles e morrer" (*vedi Napoli e poi muori*; em latim, *videre Neapolim et Mori*) é na verdade um jogo de palavras: Mori é uma cidadezinha dos arredores de Nápoles.

Também lhe conta a história da pizza: um dia, a rainha Margarita, casada com o rei da Itália Umberto I, descobriu esse prato popular e o tornou famoso em toda a Itália. Em memória dela, deu-se o seu nome a uma pizza, esta que é feita com as cores da bandeira: verde (manjericão), branco (mozarela) e vermelho (tomate).

Até agora ela não fez nenhuma pergunta sobre sua mão.

Um Fiat branco estaciona em fila dupla.

Bianca se anima cada vez mais. Começa a falar de política. Repete a Simon o ódio que tem dos burgueses que monopolizam todas as riquezas e deixam o povo com fome. "Já imaginou, Simon, que tem burguesas que gastam centenas de milhares de liras para comprar uma bolsa? Uma bolsa, Simon!"

Dois jovens saem do Fiat branco e vão se instalar na varanda. A eles se junta um terceiro, um motoqueiro que estaciona sua Triumph na calçada. Bianca não pode vê-los pois está de costas para eles. É a gangue dos lenços de Bolonha.

Se Simon fica surpreso em vê-los ali, não deixa transparecer.

Bianca soluça de raiva pensando nos excessos da burguesia italiana. Despeja sobre Reagan carradas de insultos. Desconfia de Mitterrand porque, deste lado dos Alpes, bem como do outro, os socialistas sempre são traidores. Bettino Craxi é um lixo. Todos mereciam morrer e, se ela pudesse, se encarregaria pessoalmente de executá-los. O mundo lhe parece de uma infinita negritude, pensa Simon, que realmente não pode deixar de lhe dar razão.

Os três jovens pediram uma cerveja e acenderam um cigarro, quando chega um outro personagem com quem Simon já cruzou: seu adversário de Veneza, o homem que o mutilou, cercado de dois seguranças.

Simon mergulha o nariz no baba ao rum. O homem dá apertos de mão, à maneira de um chefão, de um político local e/ou de um camorrista importante (a distinção não costuma ser muito clara, nessa região). Ele desaparece dentro do café.

Bianca cospe em cima de Florani e de seu governo pentapartidário. Simon tem a impressão de que ela está tendo uma crise de nervos. Quer acalmá-la e, enquanto pronuncia palavras de paz — "ora, nem tudo vai tão mal, pense na Nicarágua..." —, avança a mão sob a mesa para pegar seu joelho, mas através do pano da calça de Bianca ele toca em alguma coisa dura que não é carne.

    Bianca se sobressalta e puxa brutalmentente a perna para a cadeira. Na mesma hora para de soluçar. Seu olhar desafia e implora Simon ao mesmo tempo. Há fúria, raiva e amor em suas lágrimas.

    Simon não diz nada. Quer dizer que era isso: um happy end. O maneta com a perneta. E o que será preciso arrastar de sentimento de culpa, como em todas as boas histórias: se Bianca perdeu a perna na estação de Bolonha, a culpa é dele. Se ela não o tivesse encontrado, estaria com as duas pernas e ainda poderia usar saias.

    Mas também, não formariam esse casalzinho simpático de deficientes. Eles se amputariam e teriam muitos filhinhos esquerdistas?

    Salvo que não é a cena final que *ele* previu.

    Sim, ele quis aproveitar sua passagem por Nápoles para rever Bianca, a moça com quem trepou em Bolonha sobre uma mesa de dissecção, mas, agora, tem outros planos.

    Simon faz um imperceptível aceno de cabeça para um dos jovens dos lenços.

    Os três jovens se levantam, sobem o lenço até cobrir a boca e entram no café.

    Simon e Bianca trocam um longo olhar pelo qual desfila uma infinidade de mensagens, relatos e emoções; passado, presente e, já, passado condicional (o pior de todos, o tempo dos remorsos.)

    Ouvem-se dois tiros. Gritos e confusão.

    A gangue dos lenços sai do bar com a metade do rosto tapado, empurrando o adversário de Simon. Um dos três jovens está com a sua pistola P38 grudada nos rins do chefão camorrista. Outro varre o terraço com a sua arma, para manter a clientela paralisada.

Passando por Simon, o terceiro põe alguma coisa sobre a mesa, que Simon cobre com o guardanapo.

Carregam o chefão para a caminhonete e arrancam à toda.

Pânico no café. Simon ouve gritos lá dentro e entende que os seguranças estão feridos. Cada um com uma bala na perna, como deve ser.

Simon diz a Bianca, apavorada: "Venha comigo".

Ele a arrasta até a moto do terceiro homem e lhe entrega o guardanapo, dentro do qual há uma chave de ignição. Diz a Bianca: "Dirija".

Bianca reclama: já teve uma lambreta, mas não consegue dirigir uma moto tão grande.

Simon range os dentes, levantando sua manga direita: "Eu também não, não posso".

Então Bianca pula na Triumph, Simon dá uma quicada para ligar a moto, senta-se atrás dela agarrando-a pela cintura, ela gira a manopla do acelerador e a moto dá um tranco. Bianca pergunta que direção deve pegar e Simon responde: "Pozzuoli".

99.

É uma cena lunar, uma mistura de faroeste espaguete e crônicas marcianas.

No centro de uma imensa cratera forrada de argila esbranquiçada, os três membros da gangue dos lenços cercam o chefão barrigudo, que eles mandaram ajoelhar à beira de uma poça de lama em ebulição.

Ao redor, colunas de enxofre escapam das entranhas da terra. Paira um forte cheiro de ovo podre.

Simon pensara primeiro no antro da Sibila, em Cumes, onde ninguém teria ido buscá-los, mas não optou por ele porque era cafona demais, pesadamente simbólico demais, e os símbolos começam a cansá-lo. Salvo que ninguém escapa tão facilmente aos símbolos: enquanto pisam no solo rachado, Bianca lhe diz que para os romanos a Solfatara, esse vulcão semiextinto, era considerado a porta dos Infernos. O.k.

"*Salve!* O que a gente faz com ele, *compagno?*"

Bianca, que não tinha reconhecido os três homens no Gambrinus, arregala os olhos:

"Você contratou as Brigadas Vermelhas de Bolonha?"

"Achei que não eram *necessariamente* das Brigadas Vermelhas; não era o que você afirmava para seu amigo Enzo?"

"Ninguém nos contratou."

"*Non siamo dei mercenari.*"

"Não, é verdade, fazem isso de graça. Eu os convenci."

"A sequestrar esse cara?"

"*Si tratta di un uomo politico corrotto di Napoli.*"

"É ele que entrega os alvarás de construção na prefeitura. Por causa dos alvarás que vendeu para a Camorra, centenas de pessoas morreram durante o terremoto, esmagadas pelos imóveis deteriorados que a máfia deixou construir."

Simon se aproxima do político corrupto e lhe esfrega o cotoco no rosto. "Além disso, é um mau perdedor." O homem balança a cabeça como um animal. "*Strunz! Sì mmuort!*"

Os três brigadistas propõem trocá-lo por um resgate revolucionário. O francófono da turma se vira para Simon: "*Ma* nada garante que alguém vai querer pagar por um porco como ele, haha!". Os três riem, e Bianca também, mas ela tem vontade de que ele morra, embora não o diga.

Uma incerteza à Aldo Moro: Simon gosta disso. Tem sede de vingança, mas gosta da ideia de se entregar ao acaso. Agarra o queixo do figurão, com a mão esquerda, e o aperta como se fosse uma pinça. "Entende a alternativa? Ou alguém te encontrará no porta-malas de um Renault 4L, ou você poderá voltar para casa e continuar suas vigarices. Mas não pense mais em pôr um pé no Clube Logos." Vem-lhe à memória o duelo deles em Veneza, o único em que realmente se sentiu em perigo. "E, aliás, como um caipira como você é tão culto? Entre uma e outra falcatrua, você encontra tempo para ir ao teatro?" Mas ele logo se arrepende dessa reflexão cheia de preconceitos sociológicos muito pouco bourdieusianamente correta.

Relaxa o maxilar do figurão, que começa a falar muito depressa em italiano. Simon pergunta a Bianca:

"O que é que ele está dizendo?"

"Ele oferece muito dinheiro aos seus amigos para matarem você."

Simon começa a rir. Conhece o talento de persuasão do homem ajoelhado, por tê-lo enfrentado, mas também sabe que, entre um funcionário mafioso provavelmente democrata cristão e uns Brigadas Vermelhas de apenas vinte e cinco nos, não tem nenhum diálogo possível. Ele poderia lhes falar o dia todo e a noite toda e não os convenceria de nada.

É também o que deve pensar seu adversário pois, com uma flexibilidade e uma rapidez que sua corpulência não deixava suspeitar, ele pula sobre o brigadista mais perto para tentar lhe arrancar a P38. Mas a gangue dos lenços é composta de jovens que vendem saúde; o figurão barrigudo leva uma coronhada e cai de novo no chão. Os três brigadistas ficam apontando a arma para ele, vociferando.

Assim a história terminará. Vão matá-lo aqui e agora, para puni-lo por essa tentativa estúpida, pensa Simon.

Ouve-se um tiro.

Mas é um dos brigadistas que desaba.

Recai o silêncio sobre o vulcão.

Todos respiram os vapores de sulfato que saturam o ar ambiente.

Ninguém tenta se abrigar já que Simon teve a brilhante ideia daquele magnífico ponto de encontro: ao ar livre, bem no meio da cratera de um vulcão de setecentos metros de circunferência. O que equivale a dizer que não tem uma árvore, um arbusto onde se esconder. Simon busca com os olhos um abrigo potencial e localiza um poço e uma pequena construção de pedras fumegantes (estufas antigas que representam a porta do purgatório e a do inferno), mas elas estão fora do alcance.

Dois homens de gravata avançam até eles, um com uma arma de mão, o outro com um fuzil. Simon pensa reconhecer um Mauser alemão. Os dois brigadistas ainda vivos levantaram as mãos pois sabem que a essa distância suas P38 não valem muito. Bianca fixa o cadáver com uma bala na cabeça.

A Camorra enviou alguém para recuperar seu chefão corrupto. O *sistema* não deixa se perderem facilmente suas criaturas. E Simon acredita saber que também é bastante impertinente quando se trata de vingar uma ofensa feita a seus interesses, o que signifia que, pelo visto, ele vai ser executado ali mesmo, junto com o que resta da gangue dos lenços. Quanto à Bianca, deveria sofrer a mesma sorte, pois "o sistema" tampouco nunca foi muito indulgente com as testemunhas.

Aliás, ele tem a confirmação disso quando o chefe se levanta arfando como uma foca, lhe esbofeteia, a ele primeiro, depois aos dois brigadistas, e por fim a Bianca. Portanto, o destino dos quatro está selado. O chefão grunhe para os dois capangas: "Acceritele".

Simon repensa nos japoneses de Veneza. Dessa vez, não haverá um *deus ex machina* para ir ajudá-lo? Em seus derradeiros instantes, Simon retoma o diálogo com essa instância transcendente que ele gostou de imaginar: se algum dia estivesse encalacrado num romance, que economia narrativa necessitaria que ele morresse no final? Simon enumera várias razões narratológicas, acha todas discutíveis. Pensa no que lhe diria Bayard. "Lembre-se de Tony Curtis em *Vikings*." Sim. Pensa no que faria Jacques, neutralizar um dos homens armados, matar o segundo com a arma do primeiro, seguramente, mas Bayard não está ali e Simon não é Bayard.

O capanga camorrista aponta o fuzil para o seu peito.

Simon entende que não tem nada a esperar de nenhuma instância transcendente. Sente que o romancista, se existe, não é seu amigo.

Seu carrasco é apenas mais velho que os brigadistas. Mas quando vai apertar o gatilho, Simon lhe diz: "Sei que você é um homem de honra". O camorrista suspende o gesto e pede a Bianca que lhe traduza. *"Isse a ritto cà sìn'omm d'honore"*.

Não, não haverá milagre. Mas, romance ou não, não está dito que ele terá se safado. Simon não acredita na salvação, não acredita que tem uma missão na Terra, mas acredita, ao contrário, que nada está totalmente escrito de antemão e que, mesmo que ainda assim estivesse nas mãos de um romancista sádico e caprichoso, seu destino ainda não está selado.

Ainda não.

É preciso tratar com esse romancista hipotético assim como com Deus: sempre agir como se Deus não existisse, pois se Deus existe é, no máximo, um mau romancista, e não merece ser respeitado nem obedecido. Nunca é tarde demais para tentar mudar o curso da história. Pode ser que o romancista imaginário ainda não tenha tomado sua decisão. Pode ser que o fim esteja nas mãos de seu personagem, e esse personagem sou eu.

Eu sou Simon Herzog. Sou o herói de minha própria história.

O camorrista se vira para Simon, que lhe diz: "Seu pai combateu os fascistas. Era um partiggiano. Arriscou a vida pela justiça e pela liberdade". Os dois homens se viram para Bianca, que traduz em napolitano: *"Pateto eta nu partiggiano cà a fatt'a guerra' Mussolini e Hitler. A commattuto p"a giustizia e 'a libertà."*

O figurão corrupto perde a paciência, mas o camorrista lhe faz sinal para se calar. O figurão ordena ao segundo capanga que execute Simon mas ele, com o fuzil, lhe diz calmamente: *"Aspett'"*. E, aparentemente, quem segura o fuzil é o chefe. Quer saber como Simon conhece o pai dele.

Na verdade, trata-se de uma feliz especulação: Simon reconheceu o modelo do fuzil, um Mauser, a arma dos atiradores de elite alemães. (Simon sempre adorou histórias da Segunda Guerra Mundial.) Donde deduz que o rapaz o herdara do pai e, a partir daí, havia duas hipóteses: ou o pai recuperara o fuzil alemão combatendo no Exército italiano ao lado da Wehrmacht, ou, ao contrário, lutou contra ela como partiggiano e recuperara a arma do cadáver de um soldado alemão. Como a primeira hipótese não lhe serviu para nada, apostou na segunda. Mas evita fornecer os detalhes de seu raciocínio e, virando-se para Bianca, diz: "Também sei que você perdeu família no terremoto". Bianca traduz: *"Isse sabe ca è perzo à coccheruno int"o terramoto..."*.

O figurão barrigudo reclama: *"Basta! Spara mò!"*.

Mas o camorrista, *o zi*, "o tio", como o *sistema* designa seus jovens encarregados do trabalho sujo, escuta atentamente Simon lhe explicar o papel do homem que ele é encarregado de proteger na tragédia do *terremoto* que atingiu sua família.

O figurão protesta: *"Nun è over'!"*.

Mas o jovem "tio" sabe que é verdade.

Simon pergunta, inocente: "Este homem matou membros da sua família. Será que a vingança tem algum sentido entre vocês?".

Bianca: *"Christo a acciso a figlieta. Nun te miette scuorno e ll'aiuta?"*.

Como Simon adivinhou que o jovem "tio" perdera familiares no terremoto? E como soube que, de um jeito ou de outro, sem ter provas à mão, ele julgaria plausível que o figurão pudesse ser responsável? Na sua paranoia crítica, Simon não deseja revelá-lo. Não quer, se é que existe romancista, que o romancista compreenda como ele fez. Não está dito que ninguém possa ler nele como num livro.

De qualquer maneira, está muito ocupado em cuidar de seu exórdio: "Pessoas que você amava morreram soterradas".

Bianca não precisa mais traduzir. Simon não precisa mais falar.

O rapaz do fuzil se vira para o figurão, pálido como a argila do vulcão.

Tasca-lhe uma coronhada na cara e o empurra para trás.

O figurão corrupto, barrigudo e culto, balança e cai na poça de lama em ebulição. "*La fangaia*", murmura Bianca, hipnotizada.

E enquanto o corpo boia um instante emitindo barulhos horríveis, bem antes de ser engolido pelo vulcão, ele consegue reconhecer a voz de Simon, branca como a morte, que lhe diz: "Está vendo, era a língua que você devia me cortar".

E as colunas de enxofre continuam a escapar das entranhas da terra, subir ao céu e empestear a atmosfera.

ESTA OBRA FOI COMPOSTA PELO GRUPO DE CRIAÇÃO EM ELECTRA E
IMPRESSA PELA PROL EDITORA GRÁFICA EM OFSETE SOBRE PAPEL PÓLEN SOFT
DA SUZANO PAPEL E CELULOSE PARA A EDITORA SCHWARCZ
EM OUTUBRO DE 2016

A marca FSC® é a garantia de que a madeira utilizada na fabricação do papel deste livro provém de florestas que foram gerenciadas de maneira ambientalmente correta, socialmente justa e economicamente viável, além de outras fontes de origem controlada.